Openbare Bibliotheek
Diemen

Wilhelminaplantsoen 126
1111 CP Diemen
Telefoon : 020 - 6902353

AFGESCHREVEN

SLAGEN OF FALEN BIJ DE SEALs

**Openbare Bibliotheek
Diemen**

Wilhelminaplantsoen 126
1111 CP Diemen
Telefoon : 020 - 6902353

Van Dick Couch verscheen eerder:

De SEALS elite

www.boekerij.nl

Dick Couch

SLAGEN OF FALEN BIJ DE SEALs

Met een voorwoord van Bob Kerrey

Openbare Bibliotheek
Diemen
Wilhelminaplantsoen 126
1111 CP Diemen
Telefoon : 020 - 6902353

BOEKERIJ

Voor verklaringen van afkortingen en termen in dit boek kunt u terecht op onze
website www.boekerij.nl

ISBN 978-90-225-5974-1
ISBN 978-94-6023-381-4 (e-boek)
NUR 320

Oorspronkelijke titel: *The Finishing School, Earning the Navy SEAL Trident*
Oorspronkelijke uitgever: Three Rivers Press, New York
Vertaling: Gerard Grasman
Omslagontwerp: DPS Design & Prepress, Amsterdam
Omslagbeeld: www.imageselect.eu
Zetwerk: Mat-Zet bv, Soest

© 2004 by SEAL Productions Ltd.
© Voorwoord 2004 by Robert Kerrey
© 2012 De Boekerij bv, Amsterdam

This translation published by arrangement with Crown Publishers, an imprint of
the Crown Publishing Group, a division of Random House, Inc.

Niets uit deze uitgave mag openbaar worden gemaakt door middel van druk, foto-
kopie, internet of op welke andere wijze ook, zonder voorafgaande schriftelijke toestemming van de uitgever.

Voor

Aviation Boatswain's Mate First Class Neil C. Roberts
Gesneuveld op 3 maart 2002 in Takoer Ghar, Afghanistan
BUD/S class 184

Chief Hospital Corpsman Matthew J. Bourgeois
Gesneuveld op 22 maart 2002 in Kandahar, Afghanistan
BUD/S class 162

Radioman First Class Thomas E. Retzer
Gesneuveld op 26 juni 2003 bij Gardez, Afghanistan
BUD/S class 198

Photographer's Mate First Class David M. Tapper
Gesneuveld op 20 augustus 2003 bij Orgoen, Afghanistan
BUD/S class 172

SEAL-krijgslieden die ter verdediging van de Verenigde Staten van
Amerika zijn omgekomen in de oorlog tegen het terrorisme

DANKWOORD

Dit boek vertelt je hoe Navy SEALs worden getraind voor oorlog. Het is een dodelijke aangelegenheid die de hoogste graad van toewijding en professionalisme vereist. Het is voor het grootste deel een smerig, moeilijk, gevaarlijk en van alle glans gespeende vorm van oorlogvoering – totaal anders dan alles wat je ooit in films hebt gezien. De mannen over wie je leest, hebben in Afghanistan en Irak gevochten, en ze strijden nu nog op allerlei plaatsen op de wereld tegen het terrorisme. Anderen worden ingezet in afgelegen, schijnbaar niet-vijandelijke delen van de wereld, waar ze wachten op het moment dat de terroristen tevoorschijn komen. Allemaal waken ze over ons. Ze stellen ons in staat om ook na 11 september 2001 in betrekkelijke vrede en veiligheid verder te leven. Bedankt, makkers! In de mate dat Al-Qaïda en consorten zich zorgen moeten maken over de kans dat jullie plotseling in het holst van de nacht opduiken, lopen wij minder gevaar dat zij bij ons dood en verderf zaaien.

Echter, Navy SEALs doen ook veel verkenningswerk, als een van de belangrijkste eenheden voor speciale operaties van Amerika. Dat doen de meeste andere leden van de Amerikaanse Naval Special Warfare-gemeenschap, de speciale eenheden van de mariniers, niet. Daarom wil ik graag erkentelijkheid betuigen aan onze broeders in de strijd: bemanningsleden van de Special Warfare Combattant Crafts (SWCC) – de verbindingenexperts, inlichtingenexperts, technisch specialisten en ondersteunend personeel – die Naval Special Warfare (NSW), de bijzondere vorm van oorlogvoering van de marine, mogelijk maken.

Ik zou een omissie begaan als ik verzuimde de familieleden van degenen die zich in gevaar begeven te bedanken. Onze eenheid is een professionele militaire strijdmacht die geheel uit vrijwilligers bestaat. Zoals de strijd in Afghanistan en Irak heeft bewezen, heeft het Amerikaanse leger zijn gelijke niet in de wereld. Voor deze eerste plaats wordt echter tol betaald. Onze strijders zijn vaak en langdurig van huis, zodat hun kinderen dikwijls vragen: 'Wanneer komt papa of mama weer thuis?' Er groeit een kloof tussen het Amerikaanse volk en de militairen die de natie zo bekwaam dienen. Dat is te verwachten: veel in Amerika is gericht op het streven naar levensgeluk, maar in het werk van de krijgsman draait het om offers en ontberingen. Deze kloof doet zich ook voor in hun gezinnen. Daarom behoren we bij onze dankbetuigingen aan onze krijgsmacht ook hun gezinnen voor hun offer te bedanken. Zelf wil ik graag mijn eigen gezin bedanken – mijn vrouw Julia, die op mij wachtte als ik van huis was om onze SEAL-specialisten bij hun training te volgen.

Tot slot bedank ik onze SEAL-pelotons, de mannen in de vuurlinie: bedankt voor jullie toestemming om een deel van jullie verhaal te vertellen.

INHOUD

VOORWOORD

Na hun intensieve inzet in 2001 in Afghanistan, en in 2003 in Irak, hebben de Amerikaanse speciale strijdkrachten veel lof geoogst en veel aandacht gekregen. De lofprijzingen, meer dan verdiend, leiden vaak tot retorische mythevorming. Dick Couch heeft een boek geschreven dat de lezer in de gelegenheid stelt onderscheid te maken tussen feiten en mythe met betrekking tot een van deze speciale strijdkrachten, de Navy SEALs van de Amerikaanse marine.

De feiten over hun huidige opleidingsmethoden en de details van hun actuele missies maken zichtbaar dat oorlogvoering tot een van de ernstigste activiteiten van de mensheid behoort. Dit moet waar mogelijk worden vermeden, maar als het niet anders kan, moet strijd worden geleverd met een professionalisme dat voortdurend op zijn hoede is voor overmoed en waakt tegen fouten die uitmonden in een trieste les, betaald met bloed.

Het verhaal van Dick Couch maakt duidelijk dat de SEAL van vandaag het intellectuele vermogen moet hebben voor het onder de knie krijgen van technische problemen die volledig vergelijkbaar zijn met wat medische en technische studenten moeten leren. Inzicht in wat er nodig is om een gekwalificeerde SEAL te worden, boezemt groot respect in, en zelfs een beetje ontzag.

Wat mij echter vooral in Dicks verhaal trof, is het belang en de waarde van menselijke eigenschappen die niets van doen hebben met fysieke kracht of verstandelijke vermogens. Ik raakte geïmponeerd door de nadruk op het karakter van deze opmerkelijke krijgslieden in opleiding. De kans dat iemands karakter hem diskwalificeert voor het verdienen van de Trident, het onderscheidingsteken van de SEAL, is tegenwoordig groter dan eventuele fysieke of mentale tekortkomingen.

Onder karakter worden eigenschappen verstaan als teamgeest, zelfdiscipline, bescheidenheid, consideratie met anderen en het vermogen zich even vlot te ontspannen als snel de agressiviteit te kunnen oproepen die voor een succesvolle strijder onontbeerlijk is. SEALs leren om taken al de eerste keer meteen goed te doen, het woord 'klacht' uit hun woordenschat te schrappen, rechtstreekse kritiek op prestaties zonder protest te accepteren en geen moment te verslappen in het streven om te leren hoe je de dingen beter kunt doen.

Enkele jaren geleden, tijdens mijn tweede termijn in de Amerikaanse Senaat en binnen een tijdsbestek van enkele dagen, hoorde ik hoe twee mannen met totaal verschillende loopbanen met grote welsprekendheid en passie hun visie gaven op het belang van karakter. De eerste spreker was commandant van het Amerikaanse Korps Mariniers, generaal Charles Krulak. De tweede was de uit Omaha (Nebraska) afkomstige financier Warren Buffett.

Generaal Krulak was ervan overtuigd dat het mogelijk en noodzakelijk is mariniers karakter bij te brengen. Hij pleitte dringend voor het opnemen van karaktercultivering in zowel de basis- als voortgezette opleiding voor rekruten én veteranen. Hij geloofde dat een goed karakter niets meer of minder was dan het invoeren en overbrengen van gedragsregels die nooit mogen worden geschonden, ongeacht de omstandigheden. Regels maakten een man in geen geval minder flexibel en meer geneigd tot het bieden van weerstand aan verandering (als verandering noodzakelijk was), maar verhoogden juist de waarschijnlijkheid dat een marinier in staat was op het hoogste niveau te presteren door verlammende afleidingen en verlokkingen te mijden.

Generaal Krulak was uiterst enthousiast over een zomerprogramma dat erop gericht was jongeren uit binnensteden een voorproefje te geven van wat karaktervorming voor hen kon betekenen. Sommige van deze jongeren waren later marinier geworden, en dat was een verrijking voor het Korps. Andere jongeren waren naar hun woonwijk teruggegaan met een inzicht dat hun leven veranderde:

het inzicht in de kracht van een goed karakter voor de opbouw van een gelukkig en succesvol leven.

Warren Buffetts visie was gelijk aan die van de generaal. Op een bijeenkomst van leerlingen van middelbare scholen in Nebraska, bedoeld om inzicht te verwerven in de relatie tussen spaargelden en welstand (een thema waarvan de heer Buffett veel verstand heeft), werd hem gevraagd: 'Mijnheer Buffett, ik wil niet onbeleefd zijn, maar zijn de meeste rijke mensen niet onuitstaanbaar?'

Zijn antwoord – en ik moest eraan denken toen ik Dick Couch' boek over de SEAL-opleiding las – was opmerkelijk. 'Nee,' zei hij, 'de ervaring heeft mij geleerd dat rijkdom je alleen in staat stelt wat meer jezelf te zijn dan je al was. Als je begint als een stuk onbenul, word je dat alleen maar nog meer als je rijk bent. Wie echter als mens met een goed karakter begint, kan zijn rijkdom aanwenden om goed te doen.'

Hierna zei Buffett dat drie menselijke eigenschappen van kardinaal belang zijn voor een gelukkig leven: lichamelijke energie, intelligentie en karakter. Hij wees erop dat de eerste twee hoogstwaarschijnlijk tot de genetische gaven van onze ouders behoren en dat alle studenten in de aula er meer dan voldoende van schenen te hebben. Het ligt beslist in ons vermogen om de derde eigenschap, karakter, te cultiveren. Dit gebeurt van keuze op keuze. Tot slot zei hij: 'Om de kans te verhogen dat je de juiste keuze op het juiste moment maakt, namelijk als de tweesprong in je levensweg voor je ligt, is het verreweg het beste als je voor die tijd een paar vuistregels hebt. Leef volgens die regels totdat of tenzij iets of iemand anders je ervan weet te overtuigen dat je je leefregels moet veranderen.'

Dit is, denk ik, het geheim achter de door Dick Couch in dit boeiende, informatieve en indrukwekkende boek beschreven opleiding. Je karakter is doorslaggevend, en de Amerikaanse Navy SEAL van vandaag leert in dit principe geloven en er zich bij iedere stap in zijn weg aan te houden.

Bob Kerrey

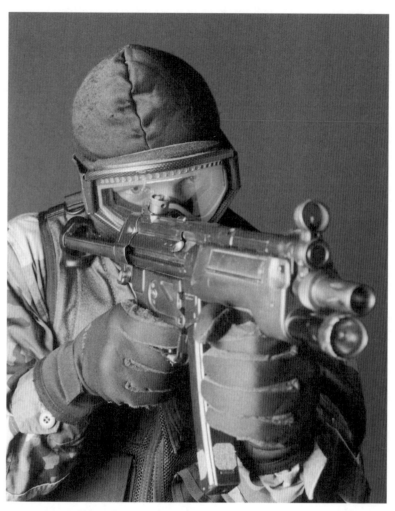

Een standvastig oog en een lichte mitrailleur, type MP5. Een Navy SEAL houdt tijdens een oefening in stedelijke oorlogvoering een verdachte onder schot. *Foto Cliff Hollenbeck*

INLEIDING

Op 11 maart 2002 kwamen meer dan duizend mensen bijeen voor een gedenkdienst in de kapel op de marinebasis Little Creek in Virginia. Onder hen bevonden zich veel Navy SEALs. Zij waren gekomen om de nagedachtenis van adjudant-onderofficier Neil Roberts in ere te houden. Er zijn verscheidene dingen op te merken over het overlijden van Neil Roberts – en niet het minste ervan is de heldhaftige manier waarop hij stierf.

Ter ondersteuning van Operatie Anaconda in de Afghaanse bergen was Neil lid van een team voor speciale operaties dat was ingezet voor een verkennings- en vuurleidingsmissie. Toen de grote CH47 – een Chinook-helikopter – de neus optrok voor de landing, werd het afvangende toestel onder vuur genomen met zware mitrailleurs en raketgranaten. Drie raketten doorboorden het toestel, zonder te exploderen. Als ze wel waren geëxplodeerd, zou de helikopter ogenblikkelijk in een vuurbol zijn veranderd. Bovendien werd de romp geteisterd door mitrailleurkogels. De piloot deed wat hij kon om het toestel bestuurbaar te houden, maar hij wist dat het dodelijk gewond was. In het compartiment voor de SEALs heerste verwarring en de hele laadvloer was glibberig vanwege gelekte olie uit gescheurde hydraulische leidingen. Een bemanningslid gleed van de laadklep en bungelde aan zijn nylon koord. Neil Roberts schoot dadelijk te hulp en trok hem terug in het toestel. Al doende viel Neil zelf uit de helikopter, juist toen de piloot het toestel weer in zijn macht kreeg en wegzwenkte van het vijandelijk vuur. Op luttele kilometers van de beoogde landingsplaats slaagde hij erin zijn toestel met een klap op de grond te zetten. Iedereen aan boord was veilig, behalve Neil.

Neil activeerde zijn baken om zijn teamgenoten te laten weten dat hij in leven was en tijgerde weg van de landingsplaats. Hij was omringd door ruim zestig uitstekend bewapende Al-Qaïdastrijders. De voorzichtigheid – uit lijfsbehoud – schreef hem voor dat hij weg moest kruipen, in afwachting van hulp. Het mitrailleursnest dat de Chinook zo zwaar had beschadigd. was echter nog in bedrijf. Als zijn teamgenoten voor hem terugkwamen (en dat zouden ze doen, zoals Neil wist), zouden ze op een nieuw spervuur worden getrakteerd. Daarom koos Neil voor de aanval. Hij maakte een omtrekkende beweging totdat hij een vuurpositie op tweehonderd meter boven de Al-Qaïdaschutters had bereikt. Hij gebruikte zijn handgranaten om de mitrailleur en zijn schutters uit te schakelen. Toen kwamen de Al-Qaïdastrijders op hem af. Numeriek ver in de minderheid en op meerdere plaatsen geraakt vocht hij door totdat zijn munitie op was. Hij werd neergemaaid en de Al-Qaïdastrijders sleepten zijn lichaam weg. Echter, SEALs laten hun kameraden nooit in de steek. Binnen twee uur waren de Navy SEALs, met steun van Britse en Amerikaanse speciale operatiesteams, ter plekke. Na een verwoede strijd op korte afstand die acht uur duurde wisten zijn teamgenoten Neils lichaam te heroveren. Bij die gelegenheid doodden de Britse en Amerikaanse strijders van Special Operations meer dan 300 Al-Qaïdastrijders. Bij die strijd kwamen nog zes andere Amerikanen om en raakten twee Navy-SEALs ernstig gewond. Een zware tol, maar dankzij de offers van zijn strijdmakkers kon Neil worden teruggebracht naar zijn gezin.

Neil Roberts kwam uit een gezin met twaalf kinderen en was de helft van een tweeling. Hij liet een weduwe en een zoon van anderhalf jaar oud achter. Voordat Neil in Afghanistan werd ingezet, had hij bij zijn vrouw een brief achtergelaten, met de instructie dat deze alleen mocht worden geopend als hij onverhoopt mocht sneuvelen. Kathy Roberts publiceerde de brief omdat ze wilde dat iedereen weet zou hebben van de toewijding van haar man aan de natie en zijn strijdmakkers. Ik citeer hier een deel van de brief:

Mijn familie is er de oorzaak van dat ik de persoon werd die ik vandaag ben. Zij hebben mij op de best mogelijke manier ge-

steund en voor me gezorgd. Hoewel ik mijn persoonlijke vrijheid en veel andere dingen heb prijsgegeven, heb ik er evenveel voor teruggekregen. Ondanks alle keren dat ik koud en nat was, uitgeput en gehavend, of bang, hongerig of kwaad, was er één ding wat me opkikkerde. Ik genoot ervan een SEAL te zijn. Ik stierf terwijl ik het werk deed dat mij gelukkig maakte. Heel weinig mensen is die luxe vergund.

Uitzonderlijk? Ja. Uniek? Niet echt. Zoals je in dit boek zult zien, cultiveren de SEAL-teams geregeld uitzonderlijke strijders. Ze zijn moedig, gedisciplineerd en door en door getraind. Zij zien integriteit, betrouwbaarheid en toewijding aan het team als het hoogste goed. Ze doen al deze dingen met hartstocht. In de wereld waarin deze kerels leven, is persoonlijke eer even belangrijk als militair-professionele bekwaamheden. Met grote trots en in alle nederigheid mag ik Neil Roberts mijn teamgenoot en medestrijder noemen.

Voor veel mensen is het moeilijk te begrijpen dat anderen dodelijke gevechten riskeren om het stoffelijk overschot van een gevallen kameraad terug te halen. Ongetwijfeld is dit een last voor de familieleden van de mannen die erin slaagden Neil Roberts naar huis te brengen. Toch is dit niet nieuw en in geen geval een onbeduidend aspect van de Amerikaanse militaire cultuur. Bij de campagne Black Hawk Down in Mogadishu (Somalië) zijn veel levens verloren gegaan, domweg omdat wij weigerden onze doden in handen van de vijand achter te laten. Wij laten nooit iemand achter. Waarom? Wat is dit verbond onder militairen dat vereist dat onze stoffelijke resten van het slagveld worden gehaald, zelfs ten koste van levensgevaar voor de overlevenden? Dit dilemma stond centraal in de bestseller *We Were Soldiers Once... and Young,* van Hal Moore en Joe Galloway. Dit boek werd verfilmd onder de titel *We Were Soldiers* met Mel Gibson in de hoofdrol. De film en het boek doen verslag van de strijd in de La Drang-vallei in 1965, de eerste grote slag in de Vietnamoorlog. In die strijd verloren niet minder dan driehonderdvijf Amerikanen het leven, tegenover circa achttienhonderd Noord-Vietnamese soldaten. Ik heb hierover een vraaggesprek gehad met brigade-generaal b.d. Hal Moore, de man die het 1e Bataljon van het 7e Cavalerieregiment voorging bij het binnenrukken en verlaten van dit dal.

'Dick,' vertelde Hal Moore mij, 'degenen onder ons die het hebben overleefd, komen jaarlijks in Washington samen bij de Vietnam Memorial Wall. En elk jaar krijg ik van mijn mannen hetzelfde te horen, namelijk dat zij mij in die godvergeten strijd zijn gevolgd omdat ik hun had verzekerd dat wij geen enkele man achter zouden laten. Dat was een heilige belofte. Zij geloofden mij, en ik ben die belofte nagekomen.'

Dit zal misschien weinig betekenen voor een weduwe of zelfs de verdere familie van een man die tijdens het bergen van het lichaam van een gevallen kameraad in de strijd gesneuveld is, maar het betekent *alles* voor de mannen die de strijd voeren. Zij willen allemaal thuiskomen – als het even kan levend, maar naar huis willen ze. Dit is van belang voor kerels voor wie de confrontatie met de dood een beroepsrisico is. Teamgenoot, maat, kameraad, pelotonsmakker – het maakt niet uit hoe de leden van deze broederschap elkaar noemen, want het betekent eenvoudig 'ik hou van je' en ben desnoods bereid te sterven bij een poging je stoffelijk overschot te redden voor alle mensen die van je houden – je familieleden en vrienden. Het is geen zakelijke ethiek en zelfs geen ethiek van de Amerikaanse cultuur: het is de menselijke ethiek van de krijgsman.

De dood van Neil Roberts is ook om andere redenen van belang. Zijn strijd, die hij moest bekopen met de dood, is wellicht de eerste gevechtsactie van dien aard die *live* is geregistreerd. Een kruisende drone, een Predator, heeft het hele drama gezien en opgenomen en zond de beelden door naar commandocentra in Afghanistan en het Pentagon. We zullen de opnamen van Neils laatste ogenblikken vermoedelijk nooit te zien krijgen, maar ik ben ervan overtuigd dat ze de zogenaamde oorlogsscènes in realitytelevisieprogramma's tot een lachertje zouden maken. Niks acteertalent of stom geleuter, uitsluitend leeuwenmoed en professionalisme tegenover reëel levensgevaar. Er is echter één ding dat mij hindert, en ik weet dat veel andere SEALs met wie ik heb gesproken mijn zorgen delen. Onder

Navy SEALs draait alles om teamgenoten en toewijding aan het team. Wij zijn kuddedieren. Neil Roberts heeft zijn laatste strijd moederziel alleen gestreden en hij is in zijn eentje gestorven. Op de een of andere manier – en meer dan wat ook – lijkt dit een onrechtvaardig einde voor een bewonderenswaardige soldaat.

In nagenoeg alle gewapende conflicten waarbij Navy SEALs na de oprichting van deze eenheid zijn ingezet zijn er SEALs gesneuveld. Onder al die mannen die zijn omgekomen in de strijd deelt Neil Roberts slechts met één andere gevallen SEAL een kenmerk in de geschiedenis van deze teams. Hij was de eerste die in zijn strijd is gesneuveld. Op 16 juni 1964 vond sergeant-majoor Billy Machen de dood bij een vuurgevecht in de zone die bekendstaat als de Rung Sat Special Zone – de eerste SEAL die sneuvelde in de Vietnamoorlog. Voor het eind van die strijd waren er zevenenveertig strijdmakkers van Machen gesneuveld. Het aantal SEALs dat is omgekomen in de oorlog tegen het terrorisme, die begon op 11 september 2001, maakt deel uit van de legenden onder toekomstige SEALs. Neil Roberts is ginds in Afghanistan gestorven omdat een vindingrijke, dodelijke vijand zijn strijd had overgebracht naar Amerikaans grondgebied. Deze oorlog wordt niet – anders dan de meeste gewapende conflicten waarbij Amerika betrokken is geweest – gevoerd om een andere natie uit haar problemen te helpen; het is *onze* oorlog. Het is een oorlog waarvoor we niet kunnen weglopen en waarover geen onderhandelingen kunnen worden gevoerd om tot een regeling te komen. Deze oorlog *moet* worden gewonnen, op het grondgebied van de *vijand*, niet het onze. Naar de reden hoeft niemand te raden: wijzelf doen alle mogelijke moeite om geen burgerslachtoffers te maken. Het voornaamste oogmerk van Al-Qaïda en degenen die deze terroristen steunen is juist dat er Amerikaanse *burgers* omkomen.

Vandaag zijn er twaalf pelotons van zestien Navy SEALs op allerlei plaatsen in de wereld actief, naast andere specialistische eenheden en ondersteuningsteams van de Amerikaanse marine. Er zijn SEAL-pelotons met af- en aanvoertaken en pelotons met ondersteuningstaken, naast specialistische SEAL-gevechtsteams. De meeste van die teams lopen grote risico's. De huidige oorlog tegen het terrorisme verschilt radicaal van de oorlog waarin Navy SEALs zo'n vijfendertig jaar geleden hebben gevochten. De inzet is veel hoger: de nationale belangen van de Verenigde Staten worden duidelijk bedreigd. Wij Vietnamveteranen zeggen graag: 'Wij hadden een betere oorlog verdiend.' Het huidige conflict zou dat weleens kunnen zijn voor de Navy SEALs van vandaag. Dit stemt me echter niet minder triest bij het vooruitzicht dat Neil Roberts slechts de eerste van velen zal zijn die hun leven hebben gegeven voordat voor Amerika het gevaar van het terrorisme en degenen die het steunen bezworen is. In dit boek wordt uiteengezet hoe wij onze Navy SEALs opleiden en voorbereiden op dit belangrijke werk.

In september 1999 begon ik te werken aan mijn boek *De SEALs elite*, waarin de basisopleiding van Navy SEALs voor onderwaterdemolitie (Basic Underwater Demolition/SEAL Training, kortweg BUD/S) gedetailleerd wordt toegelicht. De lezer van dat boek volgde BUD/S-klas 228 op de voet. De leden van die klas volgden de basisopleiding van dertig weken om in aanmerking te komen voor het onderscheidingsteken, de Trident van de Navy SEAL. In Amerika is deze basisopleiding, eindigend met de beruchte BUD/S Hell Week en de parade van koude, natte, onder het zand zittende cursisten op het strand, vrij bekend. Eigenlijk is de opleiding meer een beproevingsfase dan een trainingscursus, zoals de mate van afmatting duidelijk maakt. De realiteit, zoniet de filosofie achter de basisopleiding tot Navy SEAL is dat je, als je één geschikte kandidaat nodig hebt, met vijf eersteklas rekruten begint. Als die ene goede man door de BUD/S-opleiding komt, begint het eigenlijke werk: het 'kweken' van een echte Navy SEAL. Het duurt nog ruim zeven maanden om de BUD/S-opleiding te voltooien. Het is zonder twijfel een overgangsrite – een ziftingsproces dat met regelmaat de mannen moet opleveren die liever sterven dan opgeven. Mannen die worden gekenmerkt door dezelfde geesteshouding als die van Neil Roberts. Toch is dit nog maar het begin van alle unieke professionele, militaire bekwaamheden die een jonge soldaat onder de knie moet krijgen voordat hij een echte Navy SEAL kan worden.

In de herfst van 1999 was Amerika een rijke, vredige natie waar iedereen profijt trok van een ongeëvenaard economische expansie. Destijds maakten we ons vooral zorgen over Y2K, de beruchte millenniumbug in onze computers, of over het consolideren van de koerswinsten van onze aandelen. Het opperbevel van Naval Special Warfare maakte zich zorgen over het aantal veteranen dat uitstroomde. Het politieke klimaat was allesbehalve gunstig voor de strijdkrachten. Er scheen geen werk te zijn voor vechtjassen en het Amerikaanse bedrijfsleven betaalde (en doet dat nog steeds) topsalarissen voor voormalige Navy SEALs. Dat gaf mij de ruimte om ongehinderd rond te kijken in opleidingsscholen en operationele hoofdkwartieren voor de research van *De SEALs elite*. Als SEAL b.d. kreeg ik bij wijze van uitzondering toegang tot de mannen en de unieke cultuur van Navy SEAL-teams. Ik voelde me een lid van 'de ouwe hap' bij een bijeenkomst van veteranen.

Momenteel is het klimaat sterk veranderd. Minder SEALs verlaten de marine. Veel SEALs die hun ontslag al hadden aangevraagd, hebben die aanvraag teruggetrokken, en er zijn de laatste tijd zelfs verscheidene SEALs die al niet meer in actieve dienst waren teruggekeerd naar hun teams: zij willen deelnemen aan deze strijd. In 1999 heb ik gezien hoe sportieve jonge mannen zich door de BUD/S-opleiding worstelden om een Navy SEAL te worden. Dát was hun doel: een Navy SEAL worden en tot de besten behoren. Hun doel is nu: *vechten* met de besten. De weg naar de SEAL-status is sinds 1999 niet veel anders geworden, maar wat er aan het eind van die weg ligt, is drastisch veranderd, misschien zelfs voorgoed. Ook het klimaat voor schrijvers, zelfs als het ex-leden van deze exclusieve broederschap zijn, is eveneens veranderd. Ik geniet nog steeds de goodwill en het vertrouwen van SEALs in actieve dienst. Als dat niet zo was, had ik dit werk onmogelijk kunnen doen. *De SEALs elite* heeft, zo kan ik vol trots zeggen, dat vertrouwen nog versterkt. Over mijn beschrijving van de BUD/S-opleiding van klas 228 krijg ik van hen vaak te horen: 'Dick, dat heb je goed gedaan.' Ik denk dat ook Randy Wallace, scenarioschrijver en regisseur van *We Were Soldiers*, de spijker op de kop heeft geslagen. Ik heb dit Hal Moore tegen hem horen zeggen. Het doet je veel als mensen die je bewondert en respecteert jou de bevestiging geven dat je hun verhaal goed hebt verteld.

Die elfde september heeft echter veel veranderd, zelfs de manier waarop schrijvers als ikzelf hun verhaal doen. Ik genoot niet meer die onbeperkte vrijheid zoals de keer dat ik research deed voor mijn eerdere boek. Ik mag me nog steeds bij de verschillende SEAL-hoofdkwartieren laten zien, maar de toegang tot de opleidingsfasen en operationele componenten wordt nauwgezet bewaakt. Dit boek gaat trouwens niet meer over de basisopleiding, maar over de voortgezette, afrondende opleiding die de Navy SEALs traint voor gevechtstaken. Ik was weliswaar getuige van de methoden, tactieken en procedures die er deel van uitmaken, maar mag er niet over publiceren. De Navy SEALs in dit boek zijn echt, maar het gros van hun namen is veranderd. Niet alleen voor hun eigen bestwil als zij gevaar lopen, maar ook voor de bescherming van hun gezinnen die op hun veilige thuiskomst wachten. Het zijn beperkingen die ik toejuich. Zij zijn mijn wapenbroeders en we zijn tenslotte in oorlog.

Bij de research voor dit boek was ik als waarnemer aanwezig bij de opleiding voor gevorderden en de preoperationele training voor actieve inzet gedurende het jaar dat vooraf is gegaan aan de oorlog in Irak. Terwijl ik de laatste hand legde aan het manuscript, kwamen de SEALs die in Irak hadden gevochten met verlof naar huis. Alles wijst erop dat zij een schitterend hoofdstuk hebben toegevoegd aan de krijgshistorie van hun teams. De mannen in dit boek hebben daadwerkelijk in die oorlog gevochten. Tegen de tijd dat dit boek in de schappen van de boekhandels ligt, worden dezelfde Navy SEALs alweer ingezet in andere campagnes van de strijd tegen het terrorisme.

De SEALs elite handelde over volharding, moed en zware beproevingen voor de menselijke geest – op zoek naar kerels die het nooit zullen opgeven. Dit nieuwe boek doet hetzelfde, en meer. Het laat zien hoe wij Navy SEALs trainen voor de strijd, en om die strijd tot iedere prijs te winnen. Na de zeven maanden die nodig zijn om de BUD/S-opleiding te voltooien, zal het iedere kandidaat nog eens twee jaar kosten voordat hij een werkelijk inzetbare Navy SEAL is, gereed voor de strijd. Na circa dertig maanden van de meest intensieve militaire training ter wereld zal hij in zijn SEAL-team worden gezien als een leerling, een echt groentje. Na zijn eerste inzet heeft hij de status van gezel in het handwerk. Voor het vervangen van een man als Neil Roberts is iemand nodig met de nodige opleiding, moed én ervaring – ervaring in de strijd. Mannen als Neil zijn nooit gemakkelijk te vinden, maar het systeem dat hem heeft gevonden en opgeleid is volop in werking. We leven in een wereld die voor Navy SEALs meer dan genoeg kansen biedt om oorlogservaring op te doen. Tussen de kwalificatietraining en de strijd ligt een periode van tenminste twee jaar. Voor de mannen van de operationele SEAL-teams aan de westkust met wie je zult kennismaken, is die periode veel korter. Dit boek vertelt je hoe zij trainen. Het doet uit de doeken hoe de marine het ruwe staal van de BUD/S-opleiding hardt om er moderne SEAL-strijders van te maken.

Ook na de BUD/S wordt pijn geleden. Kandidaten voor de eigenlijke SEAL-training lopen het ijzige water aan de kust van Alaska in om af te koelen na een zware voettocht door de sneeuwvelden. *Foto Dick Couch*

1

DE VEREISTEN

De basisopleiding

Er is een aantal dingen die een jonge vent zal moeten doen voordat hij aan de zware opleiding aan de Finishing School van de SEALs kan beginnen. Voordat de marine, en vooral ook het opperbevel van Naval Special Warfare, tijd en geld steekt in de opleiding van rekruut tot Navy SEAL, moeten er twee dingen vaststaan: is deze jongeman intelligent en bestendig genoeg voor dit werk? SEAL-kandidaten worden door en door beproefd op het vlak van hun mentale geschiktheid, zodat de meesten van hen aan die maatstaf voldoen. De basisopleiding van SEALs voor onderwaterdemolitie of BUD/S is erop gericht de van hoop vervulde SEAL-rekruut te testen op de vereiste volharding. We hebben het hier over wat de SEALs de *Hack It School* noemen of omschrijven als *Pain 101*.

De cultivering van alle SEAL-teams begint met de BUD/S-training. Geen andere militaire opleiding gaat gepaard met de mystiek – en het fysieke lijden – waardoor deze training wordt gekenmerkt. Mijn vorige boek handelde vooral over deze basisopleiding. Dit is de smeltkroes die van gekwalificeerde jonge manschappen en officieren van de marine geschikte kandidaten voor de eigenlijke SEAL-training maakt. Merk op dat ik de omschrijving 'kandidaten voor de SEAL-training' heb gebruikt. De weg naar de status van een echte Navy SEAL begint al eerder, bij de BUD/S. Toegegeven, je moet er veel voor overhebben als je toegelaten wilt worden tot deze kwalificatiecursus. De prijs van succes in deze cultuur wordt uitgedrukt in termen van zweet en ontberingen. De BUD/S-training zift rekruten op hun toewijding en vastbeslotenheid: het is een weging van het hart. De succesvolle afsluiting van de BUD/S is een prestatie op zich, maar toch leidt de basisopleiding alleen tot een toelatingsbewijs voor de SEAL-training voor gevorderden, in de wandeling de Finishing School genoemd en formeel bekend als de SEAL Qualification Training (SQT).

Rond de BUD/S woedt het eeuwige dispuut over de vraag of dit een opleidingsprogramma of beproevingsprocedure is. In feite is de BUD/S-training beide. Het is allereerst een complex en aan tradities gebonden ziftingsproces dat de mannen moet opleveren die liever sterven dan opgeven. Dit wordt gedaan met een loodzwaar programma van fysieke conditietraining, koud water en gebrek aan slaap – dezelfde omstandigheden waarin Navy SEALs later naar verwachting zullen opereren. De BUD/S-trainees leren al vroeg dat zij niet tot deze elite zullen behoren als zij zich niet kunnen verzoenen met langdurige kou en andere ontberingen. De opleiding is bewust zo zwaar gemaakt.

Kortom, de BUD/S legt het fundament voor de elementaire operationele bekwaamheden van iedere Navy SEAL. Veel van die bekwaamheden behoren tot de elementaire vereisten voor speciale militaire operaties, voor de rest ligt het accent op maritieme kennis en kunde. De Navy SEAL is een veelzijdig soldaat, doorkneed in veel van de disciplines die ook de leden van andere specialistische eenheden onder de knie moeten hebben. Zulke eenheden, zoals de Rangers, de Special Forces en de Special Tactics Teams van de Amerikaanse luchtmacht, zijn ook getraind in duiktechnieken en het hanteren van kleine vaartuigen, maar geen enkel lid van andere speciale eenheden voelt zich zo thuis in het water als een SEAL. Voor die andere specialisten is water meer een obstakel, voor SEALs is het een toevlucht. Daar de bekwaamheden van SEALs niet ophouden aan de waterrand, zijn Navy SEALs de voornaamste maritieme operationele eenheid. Voordat iemand de SEAL-opleiding kan gaan volgen, moet hij een kikvorsman zijn. Hij moet uitblinken in allerlei militaire vaardigheden, maar het is van essentieel belang dat hij zich op en in zee thuis voelt. Nogmaals, het begint allemaal met de BUD/S-training.

De basisopleiding is van begin tot eind een dertig weken durende test van het doorzettingsvermogen. Deze uitputtingsslag neemt dramatische vormen aan als veel jongemannen merken dat zij niet het hart noch het fysieke uithoudingsvermogen voor deze manier van leven hebben. Slechts een op de vijf doorstaat deze zware beproeving en wordt dan toegelaten tot de BUD/S-training die hem kwalificeert voor het onderscheidingsteken van de Navy SEAL, de Trident (drietand). De BUD/S vindt plaats in het Naval Special Warfare Center in Coronado (Californië). Dit opleidingscentrum, kortweg The Center, is gevestigd op de Naval Amphibious Base (NAB), een marinebasis die een zandige strook grond beslaat tussen het schiereiland Coronado en de stad Imperial Beach, even ten noorden van de grens met Mexico. Deze beruchte zandstrook staat bekend als het Silver Strand, of The Strand.

Indoc

De BUD/S-training telt drie fasen. Fase 1: fysieke conditietraining; Fase 2: duiktraining; en Fase 3: oorlogvoering te land. Om de kandidaten voor te bereiden op de trainingsfasen moeten zij eerst een voorbereidende cursus hebben gevolgd, de zogeheten indoctrinatiecursus of 'Indoc'. Officieel heeft de Indoc tot doel de SEAL-kandidaten 'fysiek, mentaal en ecologisch' voor te bereiden op het begin van de BUD/S-training. Voor de Indoc melden de cursisten zich in het Naval Special War Center. Dit is hoofdzakelijk een lichamelijke conditietraining zonder druk, ter voorbereiding op de komende beproevingen.

De kandidaten die zich hier melden, hebben uiteenlopende achtergronden. Officieren komen van de Naval Academy, of het Naval Reserve Officer Training Corps (NROTC); een enkeling is afkomstig van de Officer Candidate School (OCS). Tot de meeste klassen behoren ook officieren van de vloot – luitenants-ter-zee 1e klasse of luitenants-ter-zee 2e klasse – die na een dienstperiode aan boord van een schip de BUD/S-training komen volgen. Het leiderschap van deze ervaren officieren is vaak doorslaggevend voor het succes van een BUD/S-klas. Veel manschappen zijn direct afkomstig van de militaire basisopleiding, in de regel een marineopleidingsschool die hen heeft gekwalificeerd voor een maritieme technische specialiteit. Zij hebben dienst genomen bij de marine om Navy SEAL te worden. Sommige onderofficieren hebben aan boord van een marineschip ervaring opgedaan, of een periode gediend bij een marinefaciliteit op het land. Ook het leiderschap van deze onderofficieren is doorslaggevend voor het succes van een BUD/S-klas. Daarnaast zijn er heel wat SEAL-kandidaten, zowel officieren als manschappen, die afkomstig zijn uit andere eenheden. De uitdaging die de BUD/S-training belichaamt, trekt mannen uit allerlei andere speciale eenheden en zelfs het Korps Mariniers aan.

Momenteel is de indoctrinatiecursus een lesprogramma van vijf weken. Hier worden de kandidaten vertrouwd gemaakt met de regels en conventies van de BUD/S-training, en met de cultuur en het ethos van de Navy SEALs. Bovendien is de Indoc erop gericht de kandidaten van een klas fysiek en mentaal te verenigen. Het gros van de kandidaten is hier individueel op voorbereid. Nu gaan ze gezamenlijk leven en trainen in klasverband – als een team. Ze maken lange dagen, gevuld met fikse doses van gekloktestrandlopen, conditietrainingen in rul zand en groepsgewijze fysieke trainingen (bekend als PT-sessies). Ook brengen ze veel tijd door in het water. Ze moeten aan allerlei prestatie-eisen voldoen, zoals persoonlijke records. Wie in gebreke blijft, wordt uitgesloten van verdere opleiding. BUD/S-klassen die goed samenwerken en teamwork laten zien hebben het niet per se gemakkelijk, maar ze kunnen wel veel onnodige pijn vermijden. Teamwork of gebrek eraan ontsnapt nooit aan de waakzame ogen van de BUD/S-instructeurs.

Iedere dag in het leven van de Indoc-cursist begint om half zes 's ochtends met zwemtraining of een strandloop van ruim zes kilometer. Na het ontbijt kan de ochtend worden besteed aan gymnastische training, de stormbaan of praktisch werk met elementaire delen van de SEAL-uitrusting. De middag kan dan beginnen met een conditietraining in rul zand, gevolgd door nog meer zwemtraining, of lessen op allerlei gebied, van eerstehulpverlening tot gezonde voeding. Na het avondeten zal er soms een trainingsevaluatie plaatsvinden. In de loop van iedere cursusdag worden de kandidaten de branding in gestuurd, in de regel in hun gevechtspak en met schoenen aan. Als ze uit zee komen, moeten ze door het rulle zand rollen. Ze zijn dan koud en doornat en zitten onder het zand – de normale toestand van de BUD/S-trainee. Ook voor de maaltijden moet tol worden betaald. De afstand tussen het Center en de mess is ruim drie kilometer, die in de looppas wordt afgelegd – heen én terug. Dat komt over de hele dag neer op bijna achttien kilometer hardlopen, vaak direct na een bezoek aan de branding – en dat alleen om aan drie maaltijden per dag te komen. Zo zal het de daaropvolgende zes maanden in deze of gene vorm doorgaan.

Na afsluiting van de Indoc is de uitputting al begonnen. Vijf procent van de kandidaten heeft er al vóór de Indoc de brui aan gegeven, domweg omdat zij zijn geïntimideerd door de hele procedure. Tijdens de Indoc geeft nog eens 20 procent de pijp aan Maarten, sommigen vanwege blessures, anderen vanwege het lijden van dat moment, maar de meesten omdat zij hebben ingezien dat dit regime van koud water en inspanning nog maanden en maanden zal doorgaan. In feite zal er nooit een eind aan komen. Het gros van deze mannen is fysiek dik in orde, maar het ontbreekt hun aan de mentale hardheid die nodig is om ermee door te gaan. Toch willen de meesten nog steeds een Navy SEAL worden. Zij hadden zich alleen geen voorstelling gemaakt van de prijs om toegelaten te worden tot deze club.

Fase 1

De eerste trainingsfase begint met andere instructeurs en een nieuwe reeks opgaven voor de BUD/S-klas. In feite zijn er veel overeenkomsten tussen Fase 1 en de Indoc, maar de intensiteit wordt nog een graadje – of misschien wel twee – opgevoerd. Dag één begint met een bijna moorddadige fysieke training. Na een bezoek aan de branding en wat rollen door het zand doet iedere cursist ruim vijfhonderd push-ups en zestig pull-ups, nog voordat Fase 1 een uur oud is.

Van iedere man worden steeds nieuwe pr's voor hardlopen, zwemmen en de stormbaan verwacht. Ook zijn er nieuwe oefenvormen, zoals de 'brandingpassage' en een spel waarbij de squads met delen van telegraafpalen jongleren. Ze ondergaan ook een 'verdrinktest' met geboeide handen en voeten, waarna ze vijftig meter – zonder zwemflippers – onder water moeten zwemmen. De dagen zijn in Fase 1 langer dan tijdens de Indoc, met nog minder tijd om te slapen. De weekeinden, de tijd die hun geteisterde lichamen hard nodig hebben om te rusten en te genezen, lijken korter.

Boven de hoofden van cursisten van Fase 1 hangt ook nog eens de donkere wolk van een naderende *Hell Week*. De training die hen voorbereidt op deze helse week is erop gericht de hele klas te harden; de training die op deze helse week volgt, moet de kandidaten gelegenheid geven om te herstellen. Nu worden ze onderricht in de bekwaamheden die zij nodig zullen hebben om door te gaan met de verdere fasen van de BUD/S-training. Dit evenwicht is moeilijk te bewerkstelligen. De helse week, een reeks van fysieke en mentale beproevingen, is vermoedelijk wel de zwaarste en meest veeleisende training in de strijdkrachten van welke natie dan ook. Een klas kan in de dagen die aan de helse week voorafgaan zo'n 20 tot 40 procent van zijn leden verliezen. Dit verlies kan alleen al in de helse week zelf 60 procent belopen. Tijdens de research voor mijn eerdere boek heb ik klas 228 van nabij kunnen volgen. Deze klas begon met achtennegentig man aan de Indoc. Van dit aantal kwam slechts negentien man door de helse week. En van deze negentien heeft slechts tien man van klas 228 de hele BUD/S-training met goed gevolg doorstaan.

Intensieve wedijver is een traditie die al tijdens de Indoc begint en wordt voortgezet tijdens Fase 1, grotendeels gedreven door het feit dat het gedurende de BUD/S-training profijtelijk is een winnaar te zijn. Bij de meeste trainingen krijgen individuen of bootbemanningen die als eerste finishen daarna een paar minuten rust, of ze besparen zichzelf een nieuw bezoek aan de koude branding. De niet-winnaars zijn verliezers die daarvoor tol moeten betalen: nog meer push-ups, nog meer koud water, nog meer ongewenste aandacht van de instructeurs. Dit is geen treiterij of spelletje. Degenen die de BUD/S-training overleven en deel blijven uitmaken van de teams, streven er altijd naar te winnen. Tijdens een echte SEAL-operatie neemt winnen de vorm aan van het voltooien van de missie, zoals het plaatsen van explosieven of het overleven van een vuurgevecht. Verliezen betekent het mislukken van de missie en/of de dood.

Voor het schoolgebouw van Fase 1 staat een staander waaraan een scheepsbel hangt, direct naast het exercitieterrein. Iedere kandidaat kan op elk gewenst moment de opleiding vaarwel zeggen. Daartoe hangt hij zijn helm aan een van de trainingstoestellen op het exercitieterrein en luidt de bel drie keer. Hij is er klaar mee – en niet langer een kandidaat-Navy SEAL. Hij zal naar een andere marineonderdeel worden overgeplaatst. Voor hem geen koud water meer, en geen push-ups of conditietraining in rul zand. De rij groene helmen groeit tijdens Fase 1 gestaag aan, maar die groei wordt tijdens de helse week drastisch versneld.

Dit 'afbellen', zoals het heet, is een merkwaardige traditie. Sommige mensen hebben deze openbare verklaring van een mislukking gebrandmerkt als een onnodig vernederende degradatie. Anderen beweren dat het geen enkel doel dient, of zelfs tot emotionele beschadiging van een niet-succesvolle kandidaat kan leiden. Daar ben ik het mee eens – in principe. Het is echter een traditie die deze krijgsmanscultuur versterkt. Vroeg of laat overweegt iedere kandidaat ermee op te houden. Ik heb het ook gedaan, toen ik aan de BUD/S-training bezig was.

Die wandeling over het exercitieterrein en het luiden van die bel is echter wel een vorm van spitsroedenlopen – vooral als je uitgeput, koud en nat bent en onder het zand zit. Het is een horde die velen van ons hebben genomen toen we het idee kregen dat we niet verder konden. Bij de BUD/S-training gaat het niet om zelfrespect of persoonlijke schande. Alles is erop gericht degenen over te houden die een krijgsman willen zijn en bereid zijn de prijs te betalen voor het verwezenlijken van dat doel.

De helse week begint op een zondagavond en gaat door tot het begin van de daaropvolgende vrijdagmiddag. De kandidaten doen dezelfde dingen die zij de afgelopen weken ook al hebben gedaan: zwemtrainingen, stoeien met telegraafpalen, de stormbaan, strand-lopen om het hardst, de branding door en onderwaterzwemmen in de oceaan. Drie keer per dag leggen ze de ruim drie kilometer naar de mess af in looppas – heen en terug. Ze zijn onafgebroken koud en nat en en zitten ze onder het zand. Er zijn echter twee verschillen. De kandidaten sjouwen gedurende de hele helse week hun ruim tachtig kilo wegende rubberbootjes mee, overal waar ze gaan of staan. Ze dragen ze op hun hoofd – op weg naar het zwembad, de kantine en zelfs bij het nemen van de stormbaan. En dan nog iets: zij slapen niet, want de tijd om te slapen is uiterst beperkt. De instructeurs werken in drie ploegen en zijn onafgebroken met hen bezig, dag en nacht. De helse week is erop berekend uit te laten komen of deze leerlingkrijgers over het uithoudingsvermogen beschikken dat ze nodig hebben, ook al zijn ze nat en koud en zitten ze onder het zand, zelfs als ze dagen achtereen niet hebben geslapen. Dit zijn de om-standigheden, zo wordt hun steeds voorgehouden, waarmee zij ook op de feitelijke gevechtsmissies van een SEAL-team te maken krij-gen. Het mechanische karakter van deze training rond de klok is dat van een productieproces, heel doordacht geformatteerd volgens een strikte choreografie. De instructeurs volgen iedere handeling van de trainees. Ze worden continu medisch geobserveerd. Zij krijgen slechts twee tot drie perioden om wat te slapen, hetgeen voor de hele week neerkomt op vier tot vijf uur. Vanaf het begin zijn ze zestig uur achtereen in touw voordat hun een uurtje of twee rust wordt ge-gund. Bij deze hele beproeving moeten zij in teamverband samen-werken. In de helse week is iedere bootbemanning een team. Op het water roeien ze in teamverband. Op het land dragen ze hun bootjes op hun hoofd, in teamverband. Het blijft echter niet bij overleven: ze moeten ook nog presteren. De zon komt op en de zon gaat onder en intussen werken ze de ene training na de andere af – nat, koud en onder het zand. Het is een ziftingsproces waarin hart en geest wor-den beproefd.

De rij helmen bij de scheepsbel groeit verder aan. Vreemd genoeg doen de meesten die de bel luiden dat al tijdens de eerste vierentwintig uur. Waarom niet op de tweede dag, of misschien de derde? Al na één etmaal van deze beproeving is een kandidaat door en door koud en extreem moe. Dan komt de gedachte bij hem op: *dit wordt mijn dood! Zo nog eens vier dagen? Ik denk niet dat ik dat kan doorstaan!* Alleen degenen die de moed hebben voor een dergelijke training gaan door. De rest luidt de bel en hangt zijn helm aan de wilgen. Toch zijn de meesten die er de bru aan geven lichamelijk tiptop in orde. Het ontbreekt hun eenvoudig aan de wil of het verlangen om vol te houden. Dan, op vrijdagmiddag, krijgt de aanzienlijk geslonken klas deze magische woorden te horen: 'Heren, de helse week is voorbij; jullie zijn erdoor.' De kleine, gehavende, totaal uitgeputte groep mannen kan nog net genoeg kracht opbrengen om elkaar te omhelzen en hun overwinning te vieren. Het gros zal erin slagen zich te kwalificeren voor de Trident van de Navy SEAL, maar niet allemaal. De helse week is slechts een stap in de hele procedure, maar wel een doorslaggevende stap die het waard is van nabij te worden onderzocht.

Een van de instructeurs van Fase 1 noemde de helse week een verkeersdrempel in de BUD/S-training. Om de volle betekenis van deze opmerking te zien, moet rekening worden gehouden met de intensiteit van deze training en de vereisten om in aanmerking te komen voor toetreding tot deze krijgsmanscultuur. Enerzijds is de helse week slechts een van de dertig weken van de BUD/S, een stap op weg naar de uitreiking van de SEAL Trident. Anderzijds drukt geen andere militaire training ter wereld zo'n diep stempel op het leerprogramma van een basisopleiding. In werkelijkheid is het méér dan dat, veel meer. De helse week is de ziel van de SEAL-cultuur die ons allemaal met elkaar verbindt: jong en oud, soldaat en generaal, SEALs in actieve dienst en SEALs b.d. Wat is het belang van deze week? Dat iedere SEAL *weet* dat hij tijdens een gevechtsmissie zo nodig ongelooflijke ontberingen kan doorstaan en het zelfs dagen achtereen zonder slaap kan stellen. Bovendien weet hij dat zijn SEAL-maat die zij aan zij met hem vecht tot hetzelfde in staat is.

De helse week is een opmerkelijke en unieke beproeving die iedere man voorgoed verandert. Deze ervaring is voortaan het ijk- en richtpunt voor toekomstige uitdagingen en veel van de kleine overwinningen in het leven. Voor een enkeling is de helse week zijn hoogtepunt en het zal hem moeite kosten die ervaring achter zich te laten. Voor deze trainees is het doorstaan van de helse week een einddoel. Voor de meeste andere BUD/S-kandidaten is het een leerervaring die een belangrijke drijfveer voor toekomstige fysieke en mentale groei zal blijken te zijn. Net als bij de BUD/S-training zelf zijn de wortels van de helse week diep ingebed in tradities.

Toen luitenant-ter-zee 1e klasse Draper Kauffman, de 'vader' van de marinekikvorsmannen, in de zomer van 1943 de eerste NCDUs (demolitieteams van de Amerikaanse marine) begon op te leiden, bezocht hij met zijn teams-in-opleiding eerst de opleidingskampen van de Naval Scouts en de Raiders, destijds beide ondergebracht in Fort Pierce in Florida. Hij nam hun programma voor fysieke conditietraining volledig over, maar comprimeerde het tot een enkele week van intense training. Die eerste week werd de 'indoctrinatieweek' genoemd, maar werd algauw berucht als 'de helse week'. De theorie achter deze schrikbarend zware trainingsweek was: zorg dat je de zwakke broeders er zo vroeg mogelijk uitzift, dan kun je met de rest verder trainen. Sindsdien ontwikkelde zich uit de helse week een periode van meerdere weken die nu bekend is als Fase 1.

Deze filosofie van 'train alleen de besten en doe afstand van de rest' was niet de enige nalatenschap van Draper Kauffman. Hij en zijn officieren ondergingen de eerste helse week samen met de onderofficieren en manschappen die zich als vrijwilliger bij de NCDUs hadden gemeld. Het principe dat officieren samen met hun manschappen moeten trainen en lijden, ook bij een intense fysieke en mentale beproeving als deze, is uniek in de Amerikaanse strijdkrachten. Vandaag de dag moeten de officieren die zich kandidaat stellen voor de Navy SEALs, zoals de pelotonscommandanten, onder grote druk leiding geven en dezelfde ontberingen ondergaan als hun onderofficieren en manschappen. Het bestaan van een SEAL is keihard en stelt zware eisen. Als een officier voorop moet gaan in de strijd, zal hij op zijn minst dezelfde fysieke capaciteiten moeten hebben als de mannen die geacht worden hem te volgen.

De geschiedenis van de helse week is de historie van de teams en de SEAL-opleiding in een notendop. De Navy SEAL is tamelijk jong – nauwelijks veertig jaar oud. Zijn militaire neef, de Navy Frogman, is inmiddels de zestig gepasseerd. Zowel de kikvorsman als de SEAL zijn uit nood geboren, net als de helse week. De slachting onder jonge marinemensen op de stranden van het atol Tarawa (Grote Oceaan) in 1943 benadrukte de noodzaak van kustverkenningen vóór invasielandingen met amfibievoertuigen. Voor dit gevaarlijke werk moesten heel snel vrijwilligers worden gerekruteerd en opgeleid. De helse week werd al spoedig de lakmoesproef, een goede manier om de juiste mannen voor deze taak te vinden. Na hun uitverkiezing werden deze mannen in allerijl georganiseerd en naar Europa getransporteerd om de obstakels voor amfibielandingen op Sicilië te elimineren. De teams die voor D-Day tot taak kregen de stranden van Normandië vrij te maken, leden ontstellend zware verliezen. Alleen al op Omaha Beach werd 52 procent van deze mannen gedood of gewond. De NCDUs werden kort voor het eind van de Tweede Wereldoorlog geconsolideerd tot Underwater Demolition Teams (UDTs). Deze eerste Amerikaanse kikvorsmannen werden overal in de Grote Oceaan ingezet toen de Amerikaanse strijdkrachten zich een weg vochten naar Japans grondgebied. Ook later, in Korea, hebben zij zich onderscheiden door aanvallen op kustdoelen te ondernemen en cruciale hydrografische verkenningen uit te voeren ter voorbereiding van de succesvolle invasielandingen op Inchon in september 1950. Gedurende de hele oorlog in de Grote Oceaan en ook tijdens de Koreaanse Oorlog werden de kikvorsmannen van de marine geselecteerd via de helse week.

In januari 1962 werd SEAL-team One toegevoegd aan de Pacific Fleet, de Amerikaanse marine in de Grote Oceaan, en SEAL-team Two aan de Atlantic Fleet. Net als de opleiding voor kikvorsmannen vereiste de SEAL-opleiding een rigoureuze helse week. De nieuwe SEALs concentreerden zich op taken zoals onconventionele oorlogvoering, operationele misleiding, contrarebellie en rechtstreekse gevechtsmissies op zee of rivieren. Gedurende de Vietnamoorlog bouwden de SEAL-gevechtspelotons en adviesteams een indrukwekkende staat van dienst op. Ook op het hoogtepunt van het Vietnamconflict waren er nooit meer dan 500 Navy SEALs in actieve dienst en vochten er zelden meer dan 120 aan het front. Sinds Vietnam hebben veranderde missies en een toegenomen operatietempo ertoe geleid dat de Underwater Demolition Teams werden omgezet in SEAL-teams en SDV-teams.

Net als alle overige BUD/S-training is de helse week een werk-in-uitvoering. Voorzover de helse week in de loop der jaren is veranderd, betrof dat alleen aanscherpingen van de basisopzet. Toen ik in 1969 met klas 45 de helse week in Little Creek (Virginia) onderging, heb ik het zo gruwelijk koud gehad dat ik tot op de dag van vandaag nog steeds ineenkrimp als ik lees over de wederwaardigheden van Shackleton en Scott. Ik meen uit eigen ervaring te weten wat het is om kou te lijden. Ik dacht dat er nooit een eind zou komen aan die afschuwelijke vijf dagen. Als ik vier uur heb kunnen slapen, heb ik geluk gehad. Onze beproeving leek als twee druppels water op de moderne versie van de helse week. We sjouwden dezelfde rubberbootjes op ons hoofd overal mee. De ene nacht moesten we ons de hele nacht in looppas verplaatsen, de volgende nacht deden we van zonsondergang tot zonsopgang niets anders dan peddelen. Natuurlijk, het medisch toezicht en ook de behandeling is nu beter, maar dat maakt het de BUD/S-instructeurs alleen maar mogelijk om de SEAL-kandidaten nog wat meer af te matten. De moderne helse week is traditiegebonden, maar de traditie wordt voortdurend verbeterd en steeds relevanter ten opzichte van de eisen waaraan een SEAL vandaag de dag moet voldoen. Elk van de meer dan zestig trainingsbestanddelen van de huidige helse week volgt een nauwkeurig scenario en wordt hier en daar continu bijgesteld om dat trainingsonderdeel nog effectiever en zwaarder te maken.

Vaak wordt me gevraagd: 'Hoe is de helse week van nu in vergelijking met de jouwe?' Die vraag is niet gemakkelijk te beantwoorden: de mijne is al te lang geleden. De tijd heelt alle wonden en trauma's. Graag zou ik zeggen dat het in mijn tijd allemaal zwaarder was, maar dat is niet zo. De helse week is de afgelopen dertig jaar geëvolueerd, net als de jonge kerels die nu de BUD/S-training ondergaan. Zij zijn duidelijk fysiek sterker en atletischer dan hun voorgangers. Het is te zien dat de meesten meer dan een paar uur met fitnesstoestellen hebben gestoeid. Toch kan worden betoogd dat het ruwe product minder goed is voorbereid op dit soort discipline en zware afknijptraining dan vroegere generaties. Het leven in Amerika is goed, maar vaak ook te soft. Al met al lijkt de welvaartsgeneratie minder goed voorbereid op de BUD/S-smeltkroes dan haar voorgangsters. Waar komen ze eigenlijk vandaan, deze jonge mannen die zich vrijwillig voor deze zware militaire taken komen melden? Als we rekening houden met de bevolkingsdichtheid, is het gros afkomstig uit kleinere gemeenschappen in het binnenland. Het lijkt alsof de lokroep van het militair-maritieme bestaan voor degenen die aan de kust of in grotere steden zijn opgegroeid minder sterk is. Misschien zijn de geringere economische kansen in kleine binnenlandse plaatsen er oorzaak van dat zij meer van hun zonen uitzenden om het land te dienen, of misschien zijn de gevoelens van vaderlandsliefde er sterker. In mijn eigen BUD/S-klas was de situatie nauwelijks anders.

De BUD/S-training is langdurig, kostbaar, gevaarlijk en moeilijk. Er komen aanzienlijk minder kandidaten met succes doorheen dan het aantal dat terug wordt geplaatst naar de vloot. Waarin onderscheidt zich nu een succesvolle BUD/S-trainee? Ook die vraag wordt me vaak gesteld. Aangezien de uitputting gedurende de helse week verreweg het grootst is van de hele BUD/S-training, moet de vraag luiden: welke eigenschappen moet je hebben om de helse week door te komen? Inmiddels is psychologische profilering een bestanddeel van de BUD/S-procedure, maar die screening is er alleen op gericht degenen met pathologische neigingen eruit te ziften. Er zijn ook andere tests ontwikkeld met een hoge mate van voorspelbaarheid van succes in de BUD/S-training. Omdat er bij voorspelbaarheid echter altijd onzekerheid blijft bestaan over wie het zal halen en wie niet, worden deze tests meer gebruikt als richtlijnen voor de training dan als een ziftingsmechanisme. Afgaand op mijn gesprekken met instructeurs en curriculumspecialisten lijken zij het erover eens dat de meeste klassen er in het begin ongeveer als volgt uitzien: 10 tot 15 procent van de kandidaten beschikt eenvoudigweg niet over de fysieke eigenschappen om de helse week te kunnen doorkomen. Ze halen de prestatiemaatstaven niet of storten fysiek in. Slechts 5 tot 10 procent zal het halen, ongeacht hoe zwaar de training wordt, tenzij iemand een been breekt of ernstig gewond raakt. De resterende 75 tot 85 procent valt af. Als degenen die daartoe behoren het konden opbrengen of voldoende gemotiveerd werden door het kader, zouden zij het in principe kunnen halen: ze zijn fysiek geschikt genoeg. Dat ze het toch niet halen, houdt verband met die ongrijpbare eigenschap die wij het 'krijgsmanshart' noemen. Echter, is deze complexe, traditiegebonden trainingsopzet de enige manier om erachter te komen of iemand die eigenschap bezit of niet? Is het de enige manier om te bepalen wie van hen overeind blijft in een vuurgevecht en wie in gebreke zal blijven? Tenzij er een multiplechoicetest bestaat om vast te stellen of iemand over de vereiste vastbeslotenheid en moed beschikt, is het de enige manier, denk ik.

Ook denk ik dat het verlangen ergens bij te horen een van de sterkste drijfveren is. Onder de jonge kerels die zich door de BUD/S-training heen worstelen, is het dit verlangen om tot een elite te behoren: zij willen deel uitmaken van deze exclusieve krijgsmanscultuur. Degenen die slagen, hebben bijzonder hoge verwachtingen van zichzelf en zoeken de omgang met anderen met wie zij die verwachtingen gemeen hebben. Zij willen de besten zijn en met de besten dienen. Voorts denk ik dat succes in de BUD/S-training afhankelijk is van intelligentie. Ik ben er zeker van dat veel mensen het daar niet mee eens zijn of zelfs het tegendeel zullen beweren – zij denken dat een intelligent mens zich nooit vrijwillig aan zoveel lijden zal onderwerpen. Intelligentie is echter deels het vermogen om vooruit te denken en je doelstellingen duidelijk voor je te zien. De helse week is zowel een mentale als fysieke uitdaging. Zij die precies weten waar ze heen willen, en waarom, zullen zich minder snel mentaal klein laten krijgen door fysieke pijn.

Na de helse week worden de laatste weken van Fase 1 gewijd aan hydrografische verkenning, de mechanica van cartografie en navigatie met kleine bootjes. De overlevenden van de helse week beginnen de volgende maandag met werk in het instructielokaal, maar tegen het eind van die week zijn ze alweer terug in het water: koud, nat en af en toe zanderig.

Fase 2

Dit is de 'duikfase'. Ook gedurende deze fase krijgen de trainees dagelijks fysieke training. Van hen wordt verwacht dat zij hun pr's op de stormbaan, de 6,5 km-loop en de zwemsessies in zee steeds verder zullen verbeteren. Het nieuwe element in deze fase in de BUD/S-training is de duikopleiding. Zij moeten zich tot gevechtszwemmers ontwikkelen. De eerste paar weken van Fase 2 zijn ze vaak in het instructielokaal om kennis te nemen van de fysieke en fysiologische details van duikarbeid. Ze maken zich vertrouwd met de duik- en behandelingstabellen van de Amerikaanse marine. Iedere kandidaat moet strenge tentamens over deze onderwerpen halen voordat de eigenlijke duikinstructies beginnen. Ze worden in decompressie-tanks getest op hun vermogen om zuivere zuurstof onder druk in te ademen. In de duiktoren van het Center duiken ze tot vijftien meter diep voor oefeningen in knopen leggen en zonder koord terugkeren naar de oppervlakte.

De derde week van Fase 2 wordt *Pool Week* genoemd. De trainees gebruiken scuba-uitrustingen van het soort dat ook door sportduikers wordt gebruikt, alleen zijn de zuurstoftanks voorzien van dubbele-slangregelaars. Gedurende de duikweek leren de trainees scubaduiken. Als zij de elementaire aspecten onder de knie hebben, leren zij specifieke onderwatertaken volgens een vaste procedure uit te voeren. Hiertoe behoren het af- en aandoen van hun duikuitrusting, of hun uitrusting ruilen met een duikmaat. Pas als ze hierin vaardig zijn geworden, zijn ze toe aan een duikvaardigheidstest, waarbij deze vaardigheden onder water onder druk moeten worden bewezen. De BUD/S-kandidaten noemen dit *pool harassment* (in het humoristische soldatenjargon 'ongewenste onderwaterintimiteiten'). Dit is een belangrijke horde om te nemen en een doorslaggevend moment in Fase 2; de enige keer dat een trainee onder water actief is zonder de aanwezigheid van een duikmaat. Iedere trainee gaat met een instructeur naar de bodem van de duiktoren. De instructeur valt de trainee lastig, rukt zijn zwemflippers en maskers af, verwisselt hun slangen of draait de zuurstofkraan dicht. De trainee moet zijn uitrusting weer in orde brengen en de schade repareren – en dat alles onder water. Uitsluitend als laatste toevlucht laat hij zijn uitrusting los en keert terug naar de oppervlakte.

Hierna begint het werk met een duiktoestel dat gedurende hun hele loopbaan als SEAL hun vaste onderwaterbegeleider zal blijven: de LAR-V (*Lung-Activated Rebreather*) van Draeger. Dit is een 100 procents-zuurstofvoorziening met gesloten circuit, in het militaire handboek aangeduid als de MK-25. De Navy-SEAL noemt het eenvoudigweg 'de Draeger'. Het grote voordeel voor SEAL-operaties is dat er geen bellenstroom opstijgt, je kunt er veel langer mee onder water blijven dan met de normale scuba-uitrusting met open circuit en het ding weegt relatief weinig. Gedurende de laatste week van Fase 2 trainen de kandidaten met de Draeger en oefenen in onderwaternavigatie, afstandmeting (via het tellen van de zwemslagen) en gevechtsvaardigheden onder water. Bovendien leren zij hoe deze tactische zuurstofvoorzieningen moeten worden onderhouden. Ze maken dagelijks een duik in de San Diego-baai om een nieuwe vaardigheid te trainen en zich verder te oefenen in die welke ze al bij eerdere duiken hebben geleerd. En als ze eenmaal al die vaardigheden onder de knie hebben bij daglicht, wordt er 's nachts getraind.

Ook als een BUD/S-klas zich door Fase 2 heen werkt, zal het moordende tempo geen moment verslappen. De meesten zijn nog bezig te genezen van de helse week en het afknijpen tijdens de hele Fase 1, maar zij moeten trainen mét pijn, exact zoals operationele Navy SEALs met pijn moeten kunnen vechten als ze gewond zijn. Bij sommigen gaat het om stressfracturen in de benen; bij anderen om peesontstekingen, lichte infecties of gekneusde of gebroken ribben. De trainingsmolen draait echter door. Vaak zijn ze niet voor twaalf of één uur 's nachts terug in hun barak, en iedere ochtend is het om vijf uur alweer reveille – dag in dag uit. Ze weten dat ze het zwaarste deel van de BUD/S-training achter de rug hebben, maar ze hebben nog een lange weg te gaan. Het treiteren en afknijpen kan eindigen, maar getraind wordt er altijd. Ook zullen ze vaak nat en koud zijn – zoals de instructeurs hun al sinds de Indoc dagelijks hebben voorgehouden. Nu zij aan hun laatste trainingsfase beginnen, gaan ze het eindelijk geloven.

Op de laatste dag van de duikfase zwemmen zij vanaf het Naval Special Warfare Center naar de zuidelijke steiger van Imperial Beach, een afstand van circa 9 km door open zee. Dat is een heel eind in ijskoud water, maar het is eindelijk het laatste trainingsonderdeel van Fase 2. Ze zijn nog steeds BUD/S-trainees, maar zijn nu een eind gevorderd op de weg naar de SEAL-status.

Fase 3

Dit is de fase waarin springladingtechnieken en tactiek worden behandeld, reden dat deze periode vaak de landoorlogfase wordt genoemd. Gedurende de negen weken durende training van Fase 3 leert de klas de grondbeginselen van strijd op het land, d.w.z., de vaardigheden van de marinecommando. Eerst komt de uitreiking van de veldgevechtsuitrusting: de zogeheten *H-gear* (het canvas draagsysteem voor het meesjouwen van de bewapening), plus veldfles, patroontassen, rugzak en slaapzak. Vervolgens leren de trainees – alsof ze een stelletje rekruten zijn – hoe zij hun standaarduitrusting moeten meedragen en afstellen. Ze zijn nu zeelieden die de grondbeginselen van de soldaat moeten leren. Net als in Fase 2 wordt er gestreefd naar pr's in hardlopen, zwemmen en de stormbaan nemen, maar de prestatielimieten worden opnieuw aangescherpt: de pr's van Fase 2 zijn niet meer goed genoeg. Veel conditietraining wordt uitgevoerd met volle bepakking.

De eerste week van Fase 3 is grotendeels gewijd aan navigatie in het terrein. De trainees leren kaartlezen, met een kompas omgaan en afstanden meten door hun passen te tellen. Bovendien worden ze vertrouwd gemaakt met hun wapens. Er wordt begonnen met het pistool: het Sig Sauer-automatische pistool, kaliber 9mm, waarmee iedere Navy SEAL is uitgerust. Na lessen in het instructielokaal op het gebied van terreinnavigatie en wapenveiligheid wordt de klas vanuit het Naval Special Warfare Center vervoerd maar de Naval Special Mountain Training Facility in La Posta. Een ruig militair oefenterrein in de Laguna Mountains, circa 130 km ten oosten van

San Diego. Hier oefenen de trainees in terreinnavigatie overdag en 's nachts en moeten zij zich op de pistoolschietbaan kwalificeren voor het Sig Sauer-pistool.

Week 2 brengt meer training met wapens en de veilige omgang ermee, plus schietkwalificaties. Nu maken de BUD/S-trainees kennis met het belangrijkste wapen van de SEAL, het M4-geweer. Dit is een variant op de M16, maar met een kortere loop en inklapbare kolf. De SEAL-kandidaten van Fase 3 brengen een volle week door op de schietbaan van Camp Pendleton (Californië) om zich te kwalificeren voor de M4. Ze worden ook in de gelegenheid gesteld te schieten met allerlei shotguns en submachinegeweren uit het wapenarsenaal van de SEALs. Aan het eind van die week wordt er een schietwedstrijd gehouden. De trainees moeten met twee man tegelijk twee doelen aanvallen en onder vuur nemen. Ze beginnen staande, met hun M4 in de aanslag. Op een teken van de instructeur laten ze zich op een knie zakken en nemen een metalen silhouet op een afstand van 25 m onder vuur. Zodra een schutter een *ping* heeft gehoord (omdat hij raak schoot) laat hij zich voorover vallen en richt op het tweede doel, een silhouet op 50 m afstand. De schutter die als eerste twee *pings* realiseert is de winnaar. Hierna komen alle winnaars weer twee aan twee tegen elkaar uit, net zo lang tot de beste schutter naar voren is gekomen. Hij wordt hiervoor geëerd met een bivakmes; in het plaatje is zijn naam als topschutter van zijn klas gegraveerd.

Voor de derde en vierde week zijn de SEAL-kandidaten terug in het Center voor demolitietraining – instructie in de omgang met explosieven, zowel op het droge als in het water. Iedere SEAL moet vertrouwd zijn met een grote verscheidenheid aan militaire of geïmproviseerde opblaastechnieken en de veilige omgang met explosieven. Zij leren de grondbeginselen van het scherp stellen van elektrische en niet-elektrische springladingen. Op het strand bij het Naval Special Warfare Center kunnen eenvoudige explosieven met ontstekingen in elkaar worden gezet en gedetoneerd, maar het zwaardere werk wordt gedaan op het eiland San Clemente.

In tal van opzichten *is* dit eiland Fase 3. San Clemente is een van de Channel Islands voor de Zuid-Californische kust. Het is een ruige, met rotsblokken bezaaide strook land, overwoekerd door wilde grassen, ijs-kruid en cactussen – massa's opuntia's (*prickly pear*) en echinocereus (*golden snake*). Bij helder weer is Santa Catalina in het noordoosten zichtbaar. Op de noordpunt van San Clemente ligt Camp Al Huey, een trainingsfaciliteit voor de BUD/S-training. Hier vinden de trainees al-les wat zij voor deze training nodig hebben: slaapbarak, kantine, arse-naal, lokalen voor wapenreiniging en -onderhoud en klaslokalen. Er zijn voorts schietbanen, demolitieterreinen, handgranaatbanen en een stormbaan. Slechts vier weken training op San Clemente scheiden de kandidaten van hun BUD/S-graduatie, maar het zijn vier lange, lange weken. Op San Clemente wordt er zonder onderbreking vier weken lang zeven dagen per week getraind.

Ook de wapentraining wordt op San Clemente voortgezet. De trainees leren omgaan met het M4-geweer en het Sig Sauer-pistool in gevechtssituaties. Vuren in gevechtssituaties vereist dat er snel en accuraat wordt geschoten, waarbij de magazijnen razendsnel wor-den verwisseld en er onafgebroken op het doel wordt gevuurd. Dit vereist scherpschuttersvaardigheid en het snel manipuleren van de magazijnen. Vervolgens gaan de schietoefeningen over in terugtrek-oefeningen bij onverwachts contact met de vijand (IADs = Imme-diate-Action Drills). Deze training leert de kandidaten hoe zij het contact met de vijand in een vuurgevecht kunnen beëindigen, of snel een vijandelijke positie kunnen aanvallen. Hiertoe wordt een SEAL-peloton in twee groepen (squads) verdeeld, waarbij de ene groep naar voren trekt, terwijl de tweede groep dekkingsvuur af-geeft. Dit impliceert dat iemand opzij en iets achter jou een doel on-der vuur neemt dat recht voor je ligt. Deze trainingsvorm vereist groot onderling vertrouwen. IAD-trainingen verlopen volgens een nauwgezette choreografie en worden door de instructeurs op de voet gevolgd. Ze gaan vooraf aan de 6,5km-loop en worden eerst bij daglicht en later 's nachts afgewerkt.

Op San Clemente leren BUD/S-trainees de vaardigheden van de oorlog te land, zoals zich in hinderlaag leggen (gevolgd door ver-snelde training hierin), gestructureerd zoeken, omgaan met gevan-genen, verkenningstechnieken en overvaltactieken. Ze krijgen hierover eerst instructie in het instructielokaal. Daarna wordt dit alles in gesimuleerde tactische situaties overdag in het veld geoefend, en vervolgens ook 's nachts.

Alles wat zij in het Center hebben geleerd, wordt bij zware demolitie-oefeningen op het eiland in praktijk gebracht. De kandidaten prepareren niet-elektrische springladingen waarvan de tijdontsteking met grote zorg wordt afgesteld, met inachtneming van een veiligheidsmarge. Deze springladingen worden dan uitgelegd bij de doelen en met elkaar verbonden door middel van een ontstekingskoord, ook wel *primacord* genoemd, dat op de kust uitkomt bij de detonator. Bij de kreet *Fire in the Hole!* wordt de detonator ingedrukt. Ook brengen ze ontstekingen aan in jutezakken vol C-4 (kneedbare springstof), MK-75 (met springstof gevulde plasticslang) en zogeheten *bangalore torpedos* (met springstof gevulde kunststofbuizen), tot een maximaal gewicht van 250 kg. Iedere springlading heeft een specifiek doel en er moeten allerlei bijzonderheden over worden geleerd, niet in het minst de veilige omgang ermee en de juiste manier om de lading te voorzien van een ontsteking en deze af te stellen. Met de basisvaardigheden die zij gedurende de demolitieweek van Fase 3 hadden geleerd, hebben Navy SEALs in Afghanistan tienduizenden kilo's aan wapens, munitie, springstoffen en andere uitrustingsstukken van Al-Qaïda opgeblazen. Na dit werk met zware demolities leren de trainees hoe zij zogeheten claymoremijnen moeten plaatsen en afstellen of springladingen kunnen improviseren. Vervolgens wordt er een hele middag besteed aan handgranaten en raketgranaten, kaliber 40 mm, afgevuurd vanaf de schouder.

De laatste trainingsweek op San Clemente is gevuld met veldtrainingen. Iedere ochtend krijgt een squad een probleem voorgeschoteld: een wagenpark vol legertrucks, een vijandelijke raketwerper, een vijandelijk basiskamp, waarna de trainees zelf hun missie beginnen te plannen, bijvoorbeeld bestaande uit een verkenningsmissie, een directe aanval, een demolitiehinderlaag of een overval. Ze doen die dag niets anders dan plannen, elkaar instrueren, repeteren en de missie verder voorbereiden.

's Nachts voeren zij gesimuleerde gevechtsmissies uit – een squad (acht man) per doel. Na zo'n operatie komen ze terug naar het instructielokaal. Iedere squadleider ondervraagt de leden van zijn squad en er worden ervaringen uitgewisseld. De instructeur levert commentaar op de uitvoering. Als de trainees geluk hebben, kunnen ze een paar uur slapen voordat ze voor een volgend gevechtsprobleem worden gesteld.

Iedere missie begint en eindigt met een strandoversteek: een *Over The Beach* of OTB-oefening. Kustoperaties behoren tot de belangrijkste tactische SEAL-vaardigheden waarmee kandidaten al tijdens Fase 1 vertrouwd worden gemaakt. In het kader van de BUD/S-training beginnen zij met deze strandoversteken bij daglicht, waarna ze die trainingen steeds opnieuw in het donker herhalen. Eerst roeien ze naar een doelgebied en verankeren daar hun IBS (de kleine opblaasbare rubberboot van de SEAL) op honderden meters van de kust. Van daaruit sturen ze zwemmende verkenners uit om de kust te verkennen. Pas daarna wordt de hele squad aan land gebracht. De mannen rennen over het zand en gaan vliegensvlug in dekking, even voorbij de hoogwaterlijn. SEALs zijn het kwetsbaarst als zij aan land komen, zodat deze oversteek uit zee naar de kust steeds opnieuw wordt geoefend – met volledige bepakking en volledige bewapening. Gedurende de gevechtstrainingen op San Clemente dragen zij zwemflippers over hun soldatenkistjes en blazen ze hun zwemvesten deels op om de zware bepakking te verlichten. Eenmaal aan land gespen ze de flippers aan hun H-gear om zich door het terrein te verplaatsen. Dit is koud, nat en smerig werk en het moet door en door worden getraind. Deze toekomstige SEALs zullen het in hun verdere training en later in hun pelotons steeds opnieuw moeten doen.

De vrijdag van Week 9 is *Graduation Day*, de dag waarop ze hun diploma krijgen. Dit is een grote dag voor de overlevenden van de BUD/S-training en een belangrijke stap op weg naar de status van Navy SEAL. Het Naval Special Warfare Center wordt gepavoiseerd en aan alle kanten wapperen vlaggen. Trotse ouders zien hun zoon naar het podium lopen om zijn diploma in ontvangst te nemen. De Indoc-klas van dat moment staat opzij van het podium opgesteld, stram in de houding, zodat ze de procedure bewonderend en vervuld van bange vermoedens kunnen volgen: hun beproevingen beginnen pas. De man die de felicitatietoespraak houdt, is altijd een actieve SEAL of een SEAL b.d. Hij spreekt zijn erkenning uit voor de nieuwe BUD/S-gegradueerden en zegt wat inspirerende dingen om hen aan te moedigen voor de voortgezette training. Dit is zowel voor de gegradueerden als de spreker altijd een ontroerend ogenblik. Ik kan het weten: ik heb de eer gehad bij twee BUD/S-graduaties het woord te mogen voeren.

Ik weet nog hoe ik mijn vrouw, Julia, voor de eerste keer meenam naar een BUD/S-graduatiedag. Te midden van alle feestelijkheden en ceremonies waarmee dit spektakel gepaard gaat, bevond zich een kleine groep mannen in wit galatenue. Zij stonden onder elkaar te praten, in afwachting van het begin van de plechtigheid.

'Kijk, schat,' zei ik, 'daar heb je onze toekomstige Navy SEALs.'

'Bedoel je dat groepje matrozen? Zijn dat de jongens die hun diploma krijgen?' Ik knikte. 'Bestaat niet!' antwoordde ze. 'Ze zien er zo gewoontjes uit, en ze zijn nog zo jong!'

Ze had gelijk: de kandidaat-SEALs zagen eruit als doorsneematrozen. Je zou ze onder de bemanning van een oorlogsschip of een groep marinepiloten er niet gemakkelijk tussenuit halen. Toch zijn ze bijzonder – héél bijzonder. Deze jonge kerels zijn aankomende krijgers en ze behoren nu al tot een bijzonder ras. Ze staan op het punt aan het echte werk te beginnen, namelijk het handwerk van de Navy SEAL-specialist. Hun wacht alleen nog de parachutistenopleidng en de SEAL-kwalificatietraining: de Finishing School. Zoals gezegd, hebben ze met hun BUD/S-graduatie een belangrijke stap gezet naar het verwerven van het Trident-insigne. Een voor een verlaten de gegradueerden het podium met hun diploma. En een voor een worden ze door de wachtende instructeurs gefeliciteerd – maar met de vermaning geconcentreerd te blijven en hard te werken: de training is nooit voorbij. Voor vandaag mogen zij echter hun prestatie vieren, samen met hun ouders en de rest van de Navy SEAL-gemeenschap. De ceremonie eindigt als de klasoudste de klas 'afbelt' door de scheepsbel drie keer te luiden. Weer een BUD/S-klas verlaat het Naval Special Warfare Center. Werkelijk een bijzondere dag. Ik herinner me mijn eigen BUD/S-graduatie als de dag van gisteren, maar die dag was het niet. Het was op 2 mei 1969.

De lucht in

Na de BUD/S-training kan de hele klas genieten van een week of twee verlof. Sommigen gaan naar hun familie thuis, anderen blijven in de buurt en genieten van de eenvoudige vrijheid die eruit bestaat dat ze niet voor dag en dauw hoeven op te staan voor een duurloop en niet het grootste deel van de dag koud en nat hoeven te zijn. Veel gegradueerden kampen nog met een hardnekkige blessure uit de basisopleiding. Hoewel zij inmiddels vrijwel ongevoelig zijn voor koud water en gebrek aan slaap, zijn ze toch uitgeput en enigszins gehavend. De luxe van ongelimiteerde slaap, versterkt door de euforie van het besef dat zij de BUD/S-training hebben doorstaan, geeft hun een onbeschrijflijk geluksgevoel. Er zijn heel wat jaren verstreken sinds ikzelf de graduatie haalde, maar ik kan me nog met gemak het gevoel van verkilling en uitputting herinneren, gevolgd door deze verrukkelijke paar dagen dat ik kon slapen zoveel ik wilde en lekker droog en warm kon blijven. Destijds gingen we direct naar de training voor gevorderden en de preoperatieve training. Tegenwoordig blijven BUD/S-gegradueerden toegevoegd aan het Naval Special War Center. Ze brengen nog steeds veel tijd door in het 'schoolgebouw': de opleiding is nog niet voorbij. Ze krijgen verlof, maar met het consigne om fit te blijven en zich mentaal voor te bereiden op de belangrijke trainingsfase die voor hen ligt.

Na dit korte verlof bezoeken de BUD/S-gegradueerden in klasverband de Army Airborne School, de parachutistenschool in Fort Benning (Georgia). Het is een cursus van drie weken die militairen kwalificeert voor de grondbeginselen van het doen van luchtlandingen achter vijandelijke linies. Gewoonlijk telt iedere BUD/S-klas wel enkele leden die al gekwalificeerd zijn en niet naar Fort Benning hoeven. Het moet echter een *militaire* kwalificatie zijn: zelfs civiele ervaring met het maken van een vrije val tijdens parachutespringen telt niet. In de loop van de cursus maken de BUD/S-gegradueerden en cursusgenoten uit andere krijgsmachtonderdelen vijf kwalificatiesprongen in totaal – een sprong met rugzak en geweer inbegrepen. Ze leren de elementaire aspecten van massale luchtlandingen en verwerven het zilveren parachutisteninsigne van het leger.

De *jump school* is een traditiegebonden, systematische cursus die gewone soldaten moet transformeren tot parachutisten. De cursus omvat dus veel meer dan alleen de eenvoudige instructie in militaire parachutistenvaardigheden. De cursus is erop gericht spirit en trots in het leger te cultiveren, en het zilveren parachutisteninsigne is verbonden met een zekere elitestatus. De factor trots speelt een grote rol bij luchtlandingstroepen en het begint in Amerika allemaal in Fort Benning. Wij militairen zijn in Irak van dichtbij getuige geweest van de trots en het professionalisme van de vermaarde 101e Luchtlandingsdivisie. Tot de talloze voorbeelden behoorde het geval van kapitein Tony Jones. Nadat hij zwaargewond was geraakt bij het zogeheten *fragging incident* in Koeweit, had Jones in een militair veldhospitaal het bed moeten houden. Toen hij hoorde dat de 101e Luchtlandingsdivisie op het punt stond in Irak te gaan landen, sloop de brave kapitein het veldhospitaal uit en liftte terug naar zijn eenheid – slechts gekleed in een ziekenhuishemd, zijn soldatenkistjes en een kogelwerend vest. De BUD/S-gegradueerden komen met hun eigen ideeën over wat bijzonder en elitair is naar Fort Benning. Toch zijn zij hier weer gewoon rekruten en moeten ze aantreden met hun medecursisten van de landmacht. Voor deze Navy-mannen lijken de fysieke eisen en het trainingsregime van de parachutistenschool kinderspel. Zo kan het gebeuren dat BUD/S-gegradueerden wat al te hanig of neerbuigend optreden als zij met het gewone leger leren uit een vliegtuig te springen. Zulke figuren lopen sigaren te paffen tijdens een duurloop of doen vijftig push-ups als er maar tien worden gevraagd. De onderofficieren-instructeurs hebben het allemaal al eens eerder gezien. Ze zien het tot op zekere hoogte door de vingers, maar als het moet, weten ze precies hoe ze de BUD/S-trainees op hun plaats kunnen zetten.

Hoewel de parachutistentraining van het leger waardevol is, zal het gros van de SEALs nooit de technieken voor massale luchtlandingen hoeven toe te passen die kenmerkend zijn voor landmachtoperaties. Misschien is drie weken wel te lang voor wat de BUD/S-gegradueerden ervan opsteken. Er zijn in het Center plannen voor het ontwikkelen van een eigen cursus in parachutespringen voor BUD/S-gegradueerden, afgestemd op de specifieke eisen van de maritieme specialist. Deze cursus zal onderdelen omvatten als vrijevaltraining (omschreven als HALO-junping: High-Altitude, Low-Opening Parachuting), naast de normale parachutistentraining. Het plan is nog in het tekentafelstadium, maar de cursus zal naar schatting vier weken duren, waarbij de BUD/S-gegradueerden vijf normale sprongen maken en gedurende dertig dagen vrije-valsprongen, zowel overdag als 's nachts.

Met hun zilveren parachutisteninsigne gaan de BUD/S-gegradueerden weer naar Coronado. Als zij nog eens vijf sprongen op hun conduitestaat hebben, zijn ze gekwalificeerd voor het gouden parachutistenspeldje van de Navy en het Korps Mariniers. Na deze stap op weg naar de Trident scheiden zich de wegen van de officieren onder de BUD/S-gegradueerden en die van de manschappen. De laatste groep (inclusief onderofficieren) begint aan de SEAL-Qualification Course (SQT). Deze cursus is de laatste grote hinderpaal die ze moeten nemen voordat zij zich officieel Navy SEALs mogen noemen. De groep officieren begint aan een reeks trainingen en cursussen voordat zij de leiding krijgen over een toekomstige SQT-klas met de onderofficieren en manschappen van de BUD/S-klas die na hen gradueert. Voor deze afzonderlijke behandeling van officieren is een aantal redenen.

De ontwikkeling van de geavanceerde SEAL-training tot de huidige versie van de SEAL Qualification Course heeft geleid tot een lang en kostbaar lesprogramma. De SQT – en niet de BUD/S-training – wordt nu gezien als de hoofdzaak in de opleiding tot Navy SEAL. De combinatie van cursussen en trainingen verlangt van de cursisten dat zij denken en leren en vereist dat officieren en onderofficieren plannen uitdenken en leidinggeven. De officieren worden naar specifieke cursussen gestuurd om aan deze zwaardere eisen te kunnen voldoen: ze cultiveren hier leidinggevende eigenschappen en maken zich vertrouwd met planningsmethoden. Er is echter meer. De tijdens de BUD/S-training ontstane vriendschapsbanden leiden vaak tot vervaging van de grenzen van verantwoordelijkheid en gezag tussen officieren en manschappen. Dit onderscheid, dat zijn waarde al heel lang heeft bewezen en vaak subtiel is in hechte eenheden van speciale troepen, is bij de uitvoering van speciale operaties essentieel. In de SEAL-gemeenschap zijn gegradueerden van dezelfde BUD/S-klas wapenbroeders voor het leven en niets zal dat veranderen. Alle SEALs zijn elkaars wapenbroeder, maar er bestaat een bijzonder hechte band tussen mensen die samen de uitputtingsslag en hetzelfde lijden hebben doorgemaakt van de Indoc- en BUD/S-training. Het is voor officieren echter beter met mannen te trainen (en hen te leiden) die een wat minder hechte band met hen hebben dan hun eigen klasgenoten. Ook stelt dit officieren in staat een rigoureuze trainingservaring te delen met nog een andere groep manschappen. Voor laatstgenoemden is het een kans om hun bekwaamheden en professionalisme te demonstreren aan een andere groep officieren. De mannen die de ontberingen van de BUD/S-training en de SEAL Qualification Course als klasgenoten hebben ondergaan, koesteren ten opzichte van elkaar gedurende hun hele militaire loopbaan een bijzondere genegenheid. Zulke banden blijven tot lang na hun tijd in het uniform bestaan. Bij mij is dat zeker het geval. Gedurende al die tijd worden er persoonlijke en professionele reputaties gevestigd. In de SEAL-teams is reputatie *alles*. De reputatie van een man begint tijdens de BUD/S-training en wordt in de SQT verder versterkt en verfijnd. Als iemand met grote moeite door de BUD/S-training heen is gekomen, kan hij de reputatie een zwakke trainee te zijn al snel overwinnen, als hij kan laten zien dat hij een sterke SQT-kandidaat is. Daarom gaan onderofficieren en manschappen na de BUD/S-graduatie direct door naar de Finishing School, terwijl officieren eerst deze interimopleiding moeten volgen.

Leiderschap

Op alle niveaus van de Navy SEAL-opleiding wordt leiderschap verwacht en gecultiveerd, vanaf het begin van de BUD/S- tot de pelotonstraining en de training in squadronsgewijze operaties. Dit leiderschap wordt vooral ontwikkeld uit de traditionele leiderschapsrollen binnen operationele SEAL-eenheden zoals deze in de loop der jaren zijn geëvolueerd. Leiderschap vormt een integraal bestanddeel van de SEAL-cultuur. Het BUD/S-motto 'Winnen is profijtelijk' wordt vervangen door 'Wij gaan deze missie zus en zo doen, dus volg me.' Veel van wat SEALs doen, zowel individueel als collectief, bestaat uit het zien van een taak, waarna er heel snel – op basis van training en ervaring – actie wordt ondernomen om het probleem op te lossen. Bij veel traditionele militaire eenheden geven officieren en onderofficieren de bevelen die door de manschappen moeten worden uitgevoerd. Geen orders, geen actie. In de operationele SEAL-pelotons worden er, als er werk aan de winkel is, meestal wat richtlijnen gegeven, maar niet altijd. Vaak ziet een SEAL zelf wat er moet gebeuren en doet hij dat ook. Andere keren is het bevel tot actie eenvoudig genoeg: 'Oké, mannen, zorg dat het gebeurt.' In het operationele SEAL-peloton is iedere man een leider. Dit komt nooit zonder veel intensieve trainingsarbeid en vertrouwen tussen de leden van het peloton tot stand.

Gedurende de hele BUD/S-training worden er aan officieren en onderofficieren onder de trainees hogere eisen op het vlak van leiderschap gesteld dan aan de overige klasgenoten. Zij hebben uiteraard aan de standaardmaatstaven moeten voldoen, maar moesten zorgen dat ook hun squads en bootbemanningen goed presteerden. Ook na de BUD/S-training moeten officieren en onderofficieren aan de gestelde prestatiemaatstaven voldoen, maar er wordt ook van hen verwacht dat zij blijkgeven van verantwoordelijk en vaak innovatief leiderschap. Gedurende de hele SQT en de teamsgewijze operationele trainingen is er een steeds duidelijker verdeling van verantwoordelijkheden. Van de manschappen wordt verwacht dat zij specialisten worden op gebieden als communicatie, duikoperaties, luchtlandingen, wapens en allerlei andere technische SEAL-activiteiten. De officieren moeten zich concentreren op missieplanning en tactische besluitvorming. Allemaal moeten zij qua fysieke conditie en professionele bekwaamheden aan verhoogde maatstaven voldoen.

De voornaamste trainingsonderdelen voor leiderschap aan het NSW Center zijn de Junior Officer Training Course (JOTC) en de Senior Petty Officer Training Course (SPOTC). De laatste trainingscursus is bedoeld voor BUD/S-officieren die al een of twee keer een peloton hebben geleid en worden klaargestoomd voor de verantwoordelijkheden van de pelotonsleider of de pelotonscommandant. De plichten en verantwoordelijkheden van deze belangrijke leiderschapsfuncties komen in latere hoofdstukken aan de orde. Beide leiderschapscursussen aan het Center worden steeds op een iets andere manier gegeven dan de eraan voorafgegane cursus. Nu eens gebeurt dit omdat de instructeur vervangen is, dan weer omdat er andere gastsprekers beschikbaar zijn. Door de bank genomen is de gecontinueerde visie van de commandanten van het NSW Center gericht op het aangrijpen van iedere gelegenheid tot het versterken van het leiderschapskaliber van zowel officieren als onderofficieren. De beide cursussen hebben veel met elkaar gemeen. Omdat de Junior Officer Training Course voorafgaat aan de uitreiking van het Trident-insigne, zal ik deze cursus hier behandelen.

De JOTC is momenteel een cursus van vijf weken. In de eerste drie weken ligt het accent zwaar op leiderschapseminars volgens een vast scenario. Er worden presentaties gehouden over de geschiedenis van de speciale oorlogvoering bij de marine, de relaties tussen hoofdkwartieren, de functie- en prestatiebeoordelingen van manschappen en spreken in het openbaar, dat alles aangevuld met een reeks lezingen door bekende actieve of niet meer actieve leden van de SEAL-gemeenschap. Gedurende deze weken in het instructielokaal leren de BUD/S-gegradueerde officieren veel over de speciale troepen van land- en luchtmacht. Ook leren ze hoe de Amerikaanse strijdkrachten oorlogvoeren en wat de rol is van het NSW Command in de hogere bevelshiërarchie bij oorlogsoperaties. Zij krijgen les in de administratieve en juridische verantwoordelijkheden van de SEAL-officier en maken zich vertrouwd met computersoftware die hen bij deze taken kan ondersteunen.

Iedere ochtend worden er groepsgewijze fysieke trainingen afgewerkt, gevolgd door een duurloop of zwemtraining. In de regel worden deze geleid door een onderofficier van de teams zelf, of iemand van de staf van het hoofdkwartier, bijvoorbeeld een pelotonsleider of plaatsvervangend pelotonscommandant. Op zijn minst een van de duurlopen tijdens de JOTC waarvan ik getuige ben geweest, werd geleid door kolonel Rick Smethers, commandant van het Center, en kolonel Bob Howard, commandant van NSW Group One. De aankomende officieren van die klas gaven toe dat geen van beide hogere officieren het hun gemakkelijk had gemaakt. Waar mogelijk wordt er geluncht in gezelschap van SEAL-officieren in actieve dienst. Er wordt tijdens de JOTC veel moeite gedaan om gegradueerden zoveel mogelijk tijd te laten doorbrengen in het gezelschap van officieren en onderofficieren van SEAL-teams die kortgeleden operationeel zijn geweest.

In de leiderschapsseminars worden casussen uit de praktijk behandeld. Het gaat dan over gebeurtenissen die zich in squads of pelotons hebben voorgedaan, zowel in actieve dienst als in Amerika zelf. Het draait allemaal om goed leiderschap of het gebrek eraan. Deze praktijkgevallen zijn zelden wit of zwart. De aankomende leiders moeten worstelen met allerlei grijstinten als er geen correcte oplossing is of er veel keuzemogelijkheden zijn – allemaal met negatieve consequenties. Van alle leden van de klas wordt verwacht dat zij spreekbeurten houden over een bepaald onderwerp, of voor de vuist weg spreken over een onverwachts opgegeven thema. Al deze spreekbeurten worden geregistreerd op video, zodat iedereen van de eigen prestaties en die van anderen kan leren. De lessen over de administratieve en juridische plichten van teamleiders zijn het minst populair, maar geen enkele leider kan onder zijn plichten en verantwoordelijkheden uit. Naast de lessen in standaardrapportage en persoonlijke evaluatiecriteria worden de cursisten attent gemaakt op de vele overheidsinstanties en -diensten die voor SEALs en hun familieleden beschikbaar zijn. Voor veel van deze jonge officieren is dit misschien de eerste keer – maar zeker niet de laatste – dat zij erop worden gewezen dat de zorg voor het welzijn van familieleden van hun mannen tot hun belangrijkste plichten behoort. De meeste deelnemers aan de leiderschapscursus met wie ik heb gesproken, zeggen dat de gastsprekers in die eerste drie weken het meest interessante onderdeel zijn. De meeste middagen van de JOTC omvatten een spreekbeurt van een SEAL-veteraan, die hun uit eigen ervaring vertelt van een specifieke gebeurtenis tijdens een gewapend conflict. Hiertoe behoren operaties in Vietnam, Grenada, Panama, de Golfoorlog, Somalië, Bosnië en Afghanistan. Kolonel b.d. Bob Cormley vertelt van zijn gevechtservaringen als jonge pelotonscommandant in Vietnam, en zijn ervaringen als commandant van SEAL-operaties in Grenada. Eerste luitenant b.d. 'Moki' Martin vertelt van het sneuvelen van de laatste SEAL in Vietnam en de worsteling om zijn lichaam uit vijandelijke wateren te bergen. Nu is er Irak. Veteranen van SEAL-team Three, net terug uit het Midden-Oosten, beschrijven hun strijd tegen de Iraakse Republikeinse Garde en Saddam Hoesseins paramilitaire organisatie, de Fedayien. Het accent ligt hierbij op leiderschap in gevechtsomstandigheden en de lessen die worden geleerd onder vijandelijk vuur.

Altijd worden de leiderschapsklassen toegesproken door 'de admiraal' die het hoogste bevel voert over het NSW Command: tijdens de JOTC voor officieren van BUD/S klas 238 vervulde schout-bij-nacht Eric Olsen zelfs twee spreekbeurten. De eerste keer zette hij uiteen wat hij van hen als aankomende marineofficieren verwachtte. Wat hij zei, kwam grotendeels overeen met wat hij twee jaar eerder tegen de officieren van BUD/S klas 228 had gezegd, kort nadat hij het bevel over het NSWC had overgenomen:

Ik verwacht van jullie dat je op het hoogste niveau van je kennis, bekwaamheden en gezag leiding geeft. Wees een teamgenoot. Het welzijn van het team weegt zwaarder dan wat goed is voor jezelf. Wees professioneel bij alles wat je doet. Wees alert, toon scherpte. Onderricht en leid je groep; wees de gids en mentor van je mannen. Wend nooit ervaring voor die je niet hebt.

Offer nooit datgene waarvan je weet dat het juist is op aan wat conventioneel is of aan voor de hand ligt. Leid het leven van een leider, gebaseerd op waarden, karakter, moed en toewijding. Je demonstreert jouw maatstaven het beste door wat je doet en wat je in jouw tegenwoordigheid toelaat.

Machtig leiders die onder je vallen om op het hoogste niveau van hun gezag te opereren. Moedig hen aan: train hen, schenk hun vertrouwen en eis dat ze aan de maatstaven voldoen. Houd steeds dit voor ogen: de belangrijkste maatstaf voor jouw prestaties zijn de prestaties van jouw mannen.

De tweede presentatie van 'de admiraal' was een verslag uit de eerste hand van de strijd in Mogadishu (Somalië). Hij was erbij – en niet als de enige SEAL. Ik heb andere SEALs gesproken die erbij waren, en de meesten leken een zekere voldoening te putten uit het feit dat niemand lijkt te weten dat zij erbij zijn geweest. Schout-bij-nacht Olson vergeleek zijn herinneringen aan die bloedige slag met het boek van Mark Bowden, *Black Hawk Down*, en de gelijknamige film. Hij maakte duidelijk dat Bowdens boek het geweld van die dag accuraat beschreven had, maar dat de details slechts zo goed waren als de informatie die hij had gekregen van degenen die bereid waren geweest hun persoonlijke versie van gebeurtenissen te geven. Vervolgens analyseerde hij de strijd met het oog op de lessen die eruit konden worden getrokken.

'Ondanks alle heldhaftigheid, het bloedbad en, inderdaad, de begane blunders, hebben we er een paar dingen van geleerd die ons een volgende keer kunnen helpen. Het waren geen goedkope lessen. Van begin tot eind waren er tweehonderd man van Task Force Rangers bij betrokken. Na afloop hadden we negenennegentig slachtoffers, waarvan zestien doden. Er zijn geen SEALs gesneuveld, maar wel verdienden we wat Purple Hearts. Tja, welke dingen hebben we ervan geleerd?' De admiraal telde ze af op zijn vingers en de cursisten maakten verwoed notities.

'Er waren wat belangrijke factoren, zoals het gebrek aan pantservoertuigen en het niet beschikbaar zijn van een AC-130, de gevechtshelikopter. Er komen nu eenmaal situaties voor waarin je domweg niet het materieel hebt dat je graag voor een missie zou hebben, vooral als je tijdens een missie op onvoorziene omstandigheden stuit. Bovendien hadden wij een missieomschrijving waarin stond dat we een bepaalde figuur moesten vangen: de krijgsheer en vroegere generaal Mohamed Farrah Aidid. Onze opdracht was dus de gevangenname van Aidid, wat inhield dat we zijn infrastructuur dienden te verwoesten en zijn voornaamste medewerkers oppakken. We moesten de vrede herstellen en bijdragen aan de oplossing van de honger in de wereld. Wat we ook bereikten, zolang we generaal Aidid niet te pakken kregen, betekende dat de mislukking van onze missie. Hoewel we veel tactische successen boekten, kregen we Aidid niet te pakken, dus was onze missie mislukt. Ondanks die gruwelijke vierentwintig uur kregen we hem niet in handen en dus was onze missie in dat opzicht mislukt. Onze verliezen in Mogadishu waren de voornaamste reden van onze nationale politiek met betrekking tot het inzetten van militaire macht – tot aan de elfde september 2001. Het is ook de reden dat we in Bosnië alleen de luchtmacht hebben ingezet, vanaf een hoogte van 6500 meter. Niemand wilde de politieke risico's van een nieuw Mogadishu nemen. Een beleid dat gericht is op de gevangenname van één enkele persoon, is een recept voor mislukking. Vrijwel hetzelfde kan worden gezegd van de strijd in Afghanistan, zolang we Bin-Laden niet te pakken krijgen. Gelukkig zijn we er in Afghanistan wel in geslaagd een wreed regime te verdrijven.'

'Sir, wat zou onze missie in dergelijke situaties moeten zijn?'

'De omschrijving zou zo algemeen mogelijk moeten zijn. In Somalië was dat de infrastructuur van de stammen die onze humanitaire inspanningen dwarsboomden. In Afghanistan is het Al-Qaïda en degenen die het terrorisme steunen. Naar mijn mening heeft het feit dat we er maar niet in slagen Bin-Laden te pakken te krijgen onze reputatie geschaad, zeker in de ogen van degenen die tegen onze belangen in die regio zijn gekant. We hebben het hier echter over grote vraagstukken, die ver uitgaan boven onze rangen, de mijne inbegrepen.

Laten we het liever hebben over zaken die wel in onze macht liggen, dus wat jullie als toekomstige leiders bij de marine kunnen doen door je peloton te trainen en voor te bereiden op speciale operaties. Om te beginnen kun je nooit genoeg medische voorbereidingen treffen en dito training in eerstehulp doen. Iedere man in een squad dient medisch geschoold te zijn. Je zult niet altijd je mannen het veld in sturen om gewonden uit de vuurlinie te bergen, maar degenen die je stuurt, moeten over de medische vaardigheden beschikken die nodig zijn om direct levensbedreigende verwondingen te behandelen. Wees erop ingesteld dat je de strijd en je missie moet voortzetten terwijl je je gewonden behandelt. In Mogadishu hadden we problemen met onze communicatie. We overvoerden het verbindingennet toen het er warm aan toeging en we niet de juiste oproepcodes gebruikten. Houd altijd je verbindingen op orde en volg de procedure. Zo, nu dit is gezegd nog het volgende: train hiervoor. Zorg bij al je op scenario's gebaseerde trainingen dat je, als er iemand neergaat, een radiostoring inbouwt. Train voor het slechtst denkbare scenario.' Admiraal Olson begon te ijsberen. 'Maak, als je een missie bij daglicht traint, plannen voor wat er kan gebeuren als je in het donker in het veld moet blijven, en vice versa. Toen wij die avond in Mogadishu met de ontzettingsgroep de strijd aangingen, was dat voor een missie overdag: zo snel mogelijk erin en eruit. We konden er pas de volgende ochtend uit. Een van mijn SEALs gaf me vlak voor ons vertrek een nachtkijker. Achteraf was pas duidelijk dat ik mijn werk nauwelijks zonder die kijker had kunnen doen.

Luchtsteun van nabij. Ken je steuneenheden en zorg dat je weet hoe je er gebruik van kunt maken. Onze piloten voor speciale operaties zijn de beste ter wereld. In ons geval hadden we vijftien uur lang aan de lopende band nabije luchtsteun – in uiterst gevaarlijke omstandigheden. Ze waren schitterend. Weet wat ze kunnen en wat niet. Gebruik deze dappere, bekwame piloten nooit lichtvaardig.

Kogelwerende vesten. Ze zijn zwaar en het was die dag smoorheet, maar een deel van de zestien bekwame kerels die we verloren, zouden het hebben gehaald als ze hun kogelwerende vest aan hadden gehad. Je SEALs zullen er zich misschien over beklagen, vooral bij trainingen op een warme dag, maar in een stedelijke oorlogszone kan dat ding je leven redden. Jullie zijn leiders: doe het juiste. Train zoals je van plan bent te vechten. Zie erop toe dat jij en je mannen *exact* zo trainen alsof het echt is.

Schout-bij-nacht Olson draaide zich om naar zijn jonge officieren. 'Dit is mijn laatste dag in deze baan en zoals jullie weten word ik opgevolgd door schout-bij-nacht Bert Calland. Het was een geweldige periode. Mijn volgende gevechten hebben plaats in het Pentagon.' Hij laste een pauze in. Toen hernam hij: 'Nog een laatste aandachtspunt over Somalië. In Mogadishu hebben onze mannen zich in groot gevaar begeven om alle lichamen te bergen die we konden bergen. Wij moeten ze thuisbrengen, dat maakt deel uit van wie en wat we zijn. Het is iets dat we *moeten* doen, zowel voor onszelf als voor de families van onze gevallen kameraden, maar het heeft ook te maken met beleid. Als we ergens bij betrokken zijn, is het altijd een moeilijke missie en zijn de ogen van de hele wereld op ons gericht. De lijken van Amerikanen die ze door de straten van Mogadishu hebben gesleept, hebben de Amerikaanse politiek voor langer dan een decennium veranderd. Het zal altijd een kwestie van beoordeling blijven, het riskeren van levens om de stoffelijke resten van onze eigen mensen thuis te brengen, maar het is iets dat we moeten doen als het maar even mogelijk is. Vroeg of laat zullen jullie dit moeten afwegen. Denk er van tevoren over na, want als je moet beslissen, is dat altijd in het heetst van de strijd onder de slechts mogelijke omstandigheden. Ik wens jullie allemaal geluk. Zorg goed voor jullie mannen.'

Het was Eric Olsons laatste JOTC-presentatie. Op 2 augustus 2002 werd hij opgevolgd door schout-bij-nacht (aanspreektitel admiraal) Bert Calland, die voor generaal Tommy Franks commandant speciale operaties in Afghanistan was geweest. Bert Calland bracht veel operationele ervaring in toen hij aan zijn nieuwe baan als 'de admiraal' begon. Vice-admiraal Eric Olson is op dit moment plaatsvervangend bevelhebber van het U.S. Special Operations Command.

Het grootste deel van de vierde week wordt doorgebracht in het instructielokaal voor grondige lessen in missieplanning en de kennismaking met de nieuwste versie van missieplanning-software en de capaciteiten van het SEAL Mission Support Center (MSC). Deze training in het plannen van operationele missies bouwt voort op de grondbeginselen die al in Fase 3 van de BUD/S-training zijn behandeld en geoefend. Het plannen van missies en het gebruik van steun bij die missies lijkt veel op een oefening in het alfabetisch ordenen van een verzameling letters. De huidige versie van de software voor missieplanning is bekend als SOMPE-M Special Operations Mission Planning Environment – Maritime. Het is een variant van Windows NT Office die de planners van operationele missies een beveiligd platform verschaft voor de toegang tot informatie, chats en witteboordenvergaderingen via het internet. Hierdoor zijn de immense militaire databanken (inclusief die van speciale operaties) beschikbaar voor de planners op zowel operationeel als tactisch niveau. Twee jaar geleden was er een ander systeem in gebruik en ik ga ervan uit dat het allemaal weer anders zal zijn als dit boek ter perse gaat. Ik ben er getuige van geweest hoe deze systemen zich in de loop der jaren hebben ontwikkeld: in hun evolutie worden deze programma's steeds gebruiksvriendelijker, betrouwbaarder en efficiënter, ook voor de SEAL-planner. Wat er allemaal met het SOMPE-M-systeem mogelijk is, is iets om een boek over te schrijven – je staat er echt versteld van.

Het Mission Support Center is een nieuw instrument ter ondersteuning van de operationele eenheden van het NSW Command. Het voorziet deze eenheden van informatie die *reachback* wordt genoemd. Het stelt taakgroepen en operationele elementen in staat om rechtstreeks 'ruggespraak' te houden met steuneenheden in de achterhoede voor operationele informatie en informatie over logistieke steun. SEAL-squadrons worden ingezet met een minimum aan operationele uitrusting. Het MSC coördineert en faciliteert hun steun met naar voren gerichte logistiek en de 'op afroep'-aanvoer van speciale, meer missiespecifieke uitrusting. Met betrekking tot informatie en inlichtingen is het MSC een soort operationele zoekmachine à la Google. Terwijl de mannen in het veld hun magazijnen herladen en missies oefenen, zorgt de MSC-staf voor het downloaden en combineren van relevante informatie ter ondersteuning van die missie. Ze kunnen de leider van een SEAL-patrouille nog net niet vertellen wat hem achter de volgende rij bomen of wegberm te wachten staat, maar ook dat zal niet lang meer duren.

Voor de laatste week van de JOTC gaan de nieuwe SEAL-officieren weer het veld in. In het ruige bergterrein van La Posta oefenen ze in razendsnel reageren, een onderdeel van leiderschap. De instructeurs zijn bewapend met losse flodders en artilleriesimulators. Gedurende deze veldtrainingsperiode hebben de cursisten geen scherpe munitie of losse flodders bij zich. Het gaat om gevechtspatrouilles van twee tot vier uur, en soms wat langer. Dit zijn korte, harde exercities, erop gericht om de cursisten te leren tijdens gesimuleerde gevechten snel tactische beslissingen in een operationele omgeving te nemen. De trainingen beginnen met een korte uiteenzetting over het te volgen scenario, waarin de situatie wordt toegelicht en de regels van oorlogvoering (*rules of engagement* of ROE) worden bepaald. Daarna vormen de cursisten een squad dat zich door vijandelijk territorium moet verplaatsen. De leiderschapsbeslissingen zijn voorbehouden aan de patrouilleleider en zijn plaatsvervanger. De rest van het squad moet zich oefenen in 'volgzaamheid'. Iedereen leert ervan. Na een gesimuleerd treffen stellen de cursisten zich op in een kring om commentaar op hun prestaties aan te horen. Na deze kritiek schuift iedereen in het squad een plaatsje op voor de volgende oefening. Zo gaat het vijf dagen achtereen door, met alleen korte pauzes voor een kant-en-klaarmaaltijd (veldrantsoen) of om wat water te drinken. De cursisten krijgen weinig slaap, en als ze er al kans toe krijgen, slapen ze in het veld.

'Dit was een van de beste oefeningen die we hebben gedaan,' vertelde tweede luitenant John Flattery me. 'Het was goed om voor de verandering eens niet twee lange dagen bezig te zijn met planning en briefing, en in plaats daarvan je uitrusting in orde te maken voor een veldtraining. Deze keer ging het allemaal om tactische besluitvorming en reacties op gewijzigde omstandigheden tijdens de uitvoering van een missie.'

'Ik heb een belangrijke les geleerd,' zei tweede luitenant Trent Bollinger. 'Als ik nu een patrouille moet leiden, zal ik de jongens van mijn squad veel beter op de hoogte houden van de tactische situatie. Ze hadden ons dat al tijdens de BUD/S-training voorgehouden, maar je begrijpt het niet echt totdat je 's nachts op patrouille bent en je afvraagt wat er aan het front gaande is.'

Alle officieren die aan de JOTC deelnamen, staken de loftrompet over hun training en waren er zeker van dat ze nu beter voorbereid waren op het leiderschap tijdens een missie. Ze zouden het liefst meteen aan de SQT beginnen, maar ze zullen eerst nog andere scholing moeten doorlopen. Eerst moeten ze de Range Safety Officers Course (RSOC) doen, gevolgd door de Diving Supervision Course (DSC) en de SERE-training (Survival, Evasion, Resistance, and Escape).

De cursus schietbaanveiligheid en de cursus toezicht duikoefeningen duren elk een week. Ze zijn erop gericht de trainees bekend te maken met de voorschriften van zowel de marine als het Naval Special Warfare Command op het gebied van veilige schiet- en duikoefeningen. Beide cursussen beginnen met een fikse dosis regels en voorschriften die deze activiteiten streng reguleren. Zo maken de officieren-trainees kennis met de procedures en checklists waaraan zij zich moeten houden bij alle schiet- en duikoefeningen. Voor de schietbaanveiligheidscursus bezoeken zij verschillende schietbanen, zowel overdekt als in de openlucht, om daar oefeningen te leiden. Ze fungeren om beurten als veiligheidsofficier onder het waakzaam oog van een gekwalificeerd instructeur. Voor de cursus toezicht duikoefeningen duiken ze zelf. Om zich te kwalificeren als toezichthouder duikoefeningen, moet iedere cursist zelf een duiktraining opzetten en deze leiden, waarbij hij persoonlijk al 'zijn' duikers moet checken voordat ze het water in gaan. Als gekwalificeerde toezichthouder schietbaan en duiktraining kunnen zij deze rollen vervullen tijdens de SEAL Qualification Course, hoewel deze rollen normaal worden vervuld door SQT-instructeurs. Tijdens hun training zijn zij als cursist actief op de schietbaan voor schietoefeningen, of in het water als gevechtsduiker. Hun toezichthoudende taken komen aan bod als zij eenmaal gekwalificeerde SEALs zijn en deel uitmaken van hun peloton.

De SERE – de cursus in overleven, ontwijken, weerstand bieden en ontsnappen – is een ander chapiter. Deze is verplicht voor iedere SEAL. Indien het vanwege elkaar overlappende SQT-datums en SERE-schema's niet mogelijk is de SERE tijdens hun verblijf in het NSW Center te doen, zullen ze er de tijd voor moeten vinden als zij al bij hun teams zijn gedetacheerd. De SERE-training is niet alleen vereist voor SEALs, maar ook voor bootbemanningen van het NSW Command, verkenners van het Korps Mariniers en alle vliegeniers en vliegtuigbemanningen van de Marine Luchtvaartdienst en het Korps Mariniers. Kortom, iedereen die ooit in vijandelijke wateren of boven vijandelijk terrein moet opereren ondergaat de SERE-training. Deze training wordt op verschillende locaties geleid door instructeurs van de Marine Luchtvaartdienst. De meeste SEALs gaan hiertoe naar de SERE-trainingsfaciliteit bij Warner Springs (Californië). Zij krijgen vijf dagen lang in het instructielokaal les in overlevingstechnieken en het helpen van reddingsteams voor het geval zij onvrijwillig op de grond terechtkomen of achter de vijandelijke linies klem komen te zitten. Ook maken ze zich vertrouwd met de militaire gedragscode en hoe deze relevant is voor de plicht van een krijgsgevangene om weerstand te bieden aan vijandelijke ondervraging, exploitatie en indoctrinatie. Dan brengen ze nog eens vijf dagen door in het veld om te worden getraind in overlevingstechnieken en ontwijkingstactieken. Deze veldoefening leidt onvermijdelijk tot gevangenname en opsluiting in de gevangenencompound van de SERE-faciliteit. Hier krijgen de trainees als 'krijgsgevangenen' een voorproefje van wat hun kan overkomen als zij krijgsgevangen worden gemaakt. Dit is zowel een psychisch als fysiek veeleisende ervaring, zelfs voor SEAL-trainees die niet onbekend zijn met pijn en lijden. Het merendeel van mijn vrienden bij het vliegend personeel van de marine vertelt verhalen over hun SERE-ervaringen; als zij deze hebben opgedaan met SEALs of SEAL-trainees, staan de beste van deze verhalen bol van de details over de weerspannigheid van hun 'medekrijgsgevangenen' onder de SEAL-trainees.

'Ze waren niet in staat die ene SEAL in de lik te houden,' vertelde een bevriende piloot me over zijn SERE-ervaringen. 'Iedere ochtend hadden we appel en dan was deze knaap afwezig. Al die andere SEALs kregen dan op hun lazer, omdat ze hun gegrijns daarover niet konden onderdrukken.'

Als de BUD/S-gegradueerde officieren hun post-BUD/S-cursussen achter de rug hebben, zijn ze eindelijk klaar om aan de SQT te beginnen, samen met de gegradueerde manschappen van de BUD/S-lichting na hun eigen klas. Voordat ik aan een beschrijving van de SQT van klas 2-02 begin, is het wellicht nuttig eerst wat inzicht te krijgen in de manier waarop andere Special Operations Forces (SOFs) hun officieren trainen, zowel tijdens de basis- als de voortgezette opleiding. Deze aanpak is totaal anders – en wel uit noodzaak.

De anderen

De Amerikaanse strijdkrachten hebben twee belangrijke speciale eenheden: de SOF-M voor de strijd op de grond, de Rangers en de Special Forces (SF), beter bekend als de Groene Baretten. Beide zijn uiterst bekwame organisaties voor speciale operaties, maar met sterk uiteenlopende primaire missies. Er zijn overlappende capaciteiten, maar ze trainen om meerdere redenen op verschillende manieren. De Rangers zijn eigenlijk luchtlandingstroepen die tot de lichte infanterie worden gerekend. Een veteraan van de Special Forces zei me dat hij ze ziet als stoottroepen. Het 75e Rangerregiment is naar mijn mening de beste lichte infanterie ter wereld. Zij specialiseren zich in luchtlandingen met een verrassingselement en opereren in compagnieën. Ze zijn licht bewapend, uiterst mobiel en werken zeer professioneel. Rangers kunnen grote afstanden door het terrein afleggen en zijn gereed voor de strijd als ze hun doel hebben bereikt. Hun officieren worden gerekruteerd onder infanterieofficieren van de landmacht. Zij kiezen hiervoor eerste luitenants die de basisopleiding infanterie hebben doorlopen en op pelotonsniveau ervaring bij de infanterie hebben opgedaan. De Rangers rekruteren ook kapiteins die de infanterieschool voor gevorderden hebben doorlopen en ervaring hebben opgedaan als commandant van een infanterie-compagnie. In beide gevallen gaat het om officieren die de cursus parachutespringen hebben doorlopen en in hun commando blijk hebben gegeven van superieure leiderschapskwaliteiten. Zij moeten de Ranger School hebben doorlopen.

De Special Forces hebben een heel andere primaire taak. Zij zijn experts op het gebied van onconventionele oorlogvoering en contrarebellie. De Groene Baretten zoeken mensen die er slag van hebben met andere mensen en culturen om te gaan. Hun officieren worden gerekruteerd uit kapiteins van de landmacht met bevelservaring op compagniesniveau en minimaal vijf jaar ervaring als landmachtofficier. Zij moeten gekwalificeerd parachutist zijn en worden met grote zorg geselecteerd op hun geschiktheid om met zowel reguliere strijdkrachten als paramilitaire eenheden om te gaan. Bovendien worden zij geselecteerd op volwassenheid en hun vermogen om in een instabiele, vijandige omgeving te opereren. Het maakt de Special Forces niet uit of een kandidaat-officier uit de infanterie komt, of uit de genietroepen. Vooral van belang zijn het vermogen om snel en toch rustig te denken en het vermogen om met mensen om te gaan. De opleiding tot officier Special Forces duurt twaalf tot veertien maanden. De nieuwe SF-M-officier wordt als bevelvoerend officier aan een eigen A-team toegevoegd en heeft dan in totaal minimaal zes jaar ervaring als militair.

De SF-M en de Rangers rekruteren ervaren onderofficieren en manschappen die zich als vrijwilliger melden en blijk hebben gegeven van superieure fysieke en mentale eigenschappen en een sterke motivatie. Zij specialiseren zich op gebieden als bewapening, verbindingen en eerstehulp. Hun opleiding kan een heel jaar duren. Voor Rangers – officieren, onderofficieren en manschappen – is de Ranger School maatgevend. Deze vooropleiding tot commando is een zware, acht weken durende beproeving die goed te vergelijken is met Fase 3 van de BUD/S-training. De trainees leren hier dat zij zich kunnen verplaatsen, strijd leveren en het voortouw nemen, zelfs als zij dagen achtereen hebben gemarcheerd zonder te slapen.

De reden van deze uiteenzetting is duidelijk maken dat de SEAL-teams niet uit een vijver vol infanterietalent kunnen putten voor het rekruteren van officieren, onderofficieren en manschappen. De marine bestaat nu eenmaal niet uit grondtroepen. Daarom is het NSW Command genoodzaakt aankomende kandidaat-officieren voor de SEALs te rekruteren uit zojuist afgestudeerde vaandrigs van de Marine Academie, het Naval Reserve Officer Training Corps (NROTC-M) en de Naval Officier Candidate School (NOCS). Niet minder dan 15 procent van de officieren is afkomstig van de vloot – het zijn officieren met twee tot drie jaar maritieme ervaring. Deze luitenants-ter-zee 3e klasse kennen het klappen van de zweep bij de marine en komen met bewezen leiderschapskwaliteiten naar de BUD/S-training, maar het zijn marinemensen, geen soldaten. Ze hebben niet de infanterievaardigheden die zo onontbeerlijk zijn bij oorlogsoperaties op de grond, vooral die van speciale strijdkrachten.

Dit geldt grotendeels ook voor de onderofficieren en manschappen. Zowel de Rangers als de Special Forces mogen uit een grote pool van getrainde infanteristen de beste rekruten kiezen. Velen van hen hebben al twee of drie jaar ervaring. De Rangers en de SF-M hebben opleidingsprogramma's die geschikt zijn voor het rekruteren van jongere mannen, mits zij aan de verzwaarde fysieke, mentale en psychische eisen voor speciale strijdkrachten voldoen. De meeste onderofficieren en manschappen in de BUD/S-training hebben hun basisopleiding pas enkele maanden achter de rug. Degenen die van de vloot komen zijn al wat ouder, en ze hebben wat maritieme ervaring, maar het zijn zeelieden.

De Special Tactics Teams (STTs) van de luchtmacht – de Combat Control en de Para-Rescue Teams – kampen met dezelfde problemen als het NSW Command. Zij rekruteren voor hun opleidingen mannen uit jonge officieren, onderofficieren en manschappen van de luchtmacht om er gespecialiseerde eenheden van te smeden. Zij vormen de kleinste grondcomponent onder de Special Operation Forces (SOF) en de eisen die zij aan rekruten stellen komen vrijwel overeen met die waaraan Navy SEAL-kandidaten moeten voldoen.

De SEALs hebben geen keuze: ze moeten hun eigen personeel opleiden. Dit begint met de BUD/S-training. Dat is de reden dat deze training dertig weken duurt en waarom het evenzeer een ziftingsprocedure als een trainingsprogramma is. Het is ook de reden dat de SQT zo belangrijk en veelomvattend is. Onderofficieren en manschappen zijn op zijn minst een jaar in de schoot van het Naval Special Warfare Center opgenomen; officieren zelfs nog iets langer. Zelfs als er een nieuwe SEAL is toegevoegd aan zijn team, wacht hem nog anderhalf jaar aan preoperationele training voor hij eraan toe is te worden ingezet in een conflict. Ook het klaarstomen van officieren en onderofficieren voor leiderschap in de SEAL-pelotons gaat gedurende deze voorbereidende training voor operationele inzet en zelfs daarna door. In latere hoofdstukken wordt de training van SEALs en SEAL-leiders in het pelotons- en teamverband nader besproken. Eerst nemen we echter kennis van de kern van iemands vorming tot Navy-SEAL: de SEAL Qualification Training (SQT).

Inademen, adem vasthouden, trekker naar drukpunt, vuren. Een SQT-instructeur leert
een schutter de juiste techniek voor de staande afvuurpositie. *Foto Dick Couch*

2

DE FINISHING SCHOOL

Op weg naar het Trident-insigne

Onderofficieren en manschappen die na de BUD/S-training de Army Airborne School hebben doorlopen en zich parachutist mogen noemen, gevolgd door de aanvullende opleidingen (zie vorig hoofdstuk), wachten vol spanning op het begin van hun SEAL Qualification Training. Manschappen die zonder blessures de BUD/S hebben doorlopen, kunnen pas acht maanden na het begin van de Indoctrination Course (Indoc) naar de SQT. Officieren beginnen gemiddeld zelfs tien maanden na het begin van de BUD/S aan hun SQT, mits alles vlot is gegaan en ze geen blessures hebben opgelopen.

Net zoals de noodzaak van amfibielandingen en het debacle bij het atol Tarawa tot de invoering van de helse week in de training van kikvorsmannen van de marine hebben geleid, is ook de huidige SQT ontwikkeld als gevolg van de in de strijd opgedane lessen. Deze training voor gevorderden kwam voort uit de noodzaak SEALs te trainen voor de strijd op de grond in Vietnam. Gedurende het midden van de jaren zestig van de vorige eeuw, toen SEALs volgens een rotatieschema werden ingezet in de beruchte oorlogszone Rung Sat in de Mekongdelta, bestond er nog geen officiële training voor SEALs onder auspiciën van het NSW Command die aan de te stellen eisen voor actief-operationele inzet voldeed. Over het algemeen werden de BUD/S-trainees toegevoegd aan Underwater Demolition Teams. De beide SEAL-teams uit die tijd bestonden uit veteranen van deze UDTs. De eerste inzet in Vietnam waren voor nieuwe SEALs in feite praktijktrainingen. De SEAL-teams ondervonden dadelijk dat aanvullende training voor de in te zetten pelotons noodzakelijk was; ervaring in een UDT was domweg niet toereikend. Er ontstond een praktijk waarbij SEAL-veteranen na hun terugkeer uit Vietnam praktische instructies begonnen te geven aan spoedig in te zetten SEALs. Toen nieuwe BUD/S-gegradueerden vanuit het Center direct naar de SEAL-teams werden gezonden, werd deze aanvullende trainingsvorm een eis voor iedere nieuwe SEAL. Het werd toen kadertraining genoemd en het kader (de instructeurs) bestond volledig uit Vietnam-veteranen. Hieruit ontwikkelde zich een formele teamtraining met de naam SEAL Basic Indoctrination (SBI). De vaardigheden die via die teamtraining werden verworven, waren duurbetaald, vaak met bloedige lessen in de strijd. In het begin werd er slechts onderricht gegeven in één ding: het uitvoeren van oorlogsoperaties in de jungle. Heel de training was gericht op opereren en overleven in Vietnam. Wij leerden hoe je in de jungle en de rijstvelden moest opereren, en verder niet veel. Dit was destijds de SEAL-training voor gevorderden, voorzover die in de begintijd reikte.

Zelf had ik in 1969 met SEAL-team Two de SEAL Cadre Training (SCT) aan de oostkust doorlopen, en die in 1970 nog eens overgedaan toen ik werd toegevoegd aan SEAL-team One in Coronado. Mijn instructeurs waren toen Harry Humphries, Ed Leisure en Bo Bohannon. Deze kaderleden en huns gelijken waren dragers van de praktijkkennis in de SEAL-teams en hun ervaring was van onschatbare waarde. Ik kan eerlijk erkennen dat de dingen die zij ons hebben geleerd mij en de andere nieuwe SEALs in de strijd het leven hebben gered. Momenteel is de SEAL-training voor gevorderden (SQT) sterk geformaliseerd en verfijnd. In mijn tijd ontwikkelden de instructeurs de lesstof al doende. In herinner me nu nog hoe een van hen zei: 'En nu opletten, want wat ik jullie ga demonstreren, kan je straks het leven redden. Toen ik voor het eerst in Vietnam werd ingezet, hadden we deze kennis en ervaring niet en dat heeft een van mijn teamgenoten het leven gekost. De informatie die ik jullie nu doorgeef, is met bloed betaald.' De lessen die instructeur Bohannon ons leerde waren niet afkomstig uit een goedgekeurd leerplan, noch werden er doekjes om gewonden. Ik weet nog hoe hij zich grote moeite gaf ons te laten zien hoe je een goede hinderlaag legt. 'Je moet dit in perspectief zien,' zei hij. 'Als je dit goed doet, is het in feite moord met voorbedachten rade – maar even snel en pijnloos als het laten inslapen van een hond.'

Op papier en oppervlakkig bezien is de SEAL-training voor gevorderden nu vriendelijker en zachtmoediger dan gedurende eind jaren zestig, begin jaren zeventig, maar ze is niet minder effectief en misschien zelfs veel professioneler. Afgaande op mijn waarnemingen tijdens het schrijven van dit boek geloof ik dat de formele training in militaire bekwaamheden en speciale operationele vaardigheden nu veel doelgerichter en vollediger is. Wat me bemoedigde, was dat ik trainees en hun instructeurs aan het eind van de trainingsdag tijdens de avondmaaltijd of achter een biertje met elkaar zag praten. Tijdens zulke pauzes tussen de onderdelen van het trainingsprogramma wordt er ook veel geleerd. Veel kaderinstructeurs hebben gevechtservaring opgedaan in Afghanistan, Bosnië, de Golfoorlog en Panama. Nu komt ook de ervaring uit Irak erbij. Als deze ouwe rotten over hun oorlogservaringen praten en vertellen wat ze ervan hebben geleerd, luisteren de SEAL-trainees aandachtig naar ze – net zoals ik destijds heb gedaan. Sommige dingen veranderen nooit, en da's maar goed ook. In een kleine militaire organisatie als de Naval Special Warfare dringen gevechtservaringen en de daaruit getrokken lessen vanuit de operationele eenheden vrijwel rechtstreeks door tot het hoofdkwartier.

Het Cadre Training/SEAL Basic Indoctrination-systeem (CTSBI) waarbij veteranen de nieuwe teamleden het klappen van de zweep bijbrachten, duurde voort tot midden jaren negentig, toen de NSW Groups deze trainingsarbeid op zich namen. Dit leidde tot een drastische verandering in de SEAL-training voor gevorderden, want de verantwoordelijkheid ervoor lag niet langer bij de afzonderlijke teams zelf. De nieuwe training voor gevorderden heette SEAL Tactical Training (STT) en werd geleid door NSW Group Two (voor SEALs aan de oostkust) en NSW Group One (voor SEALs aan de westkust). Deze benadering onder auspiciën van de NSW Groups maakte een zekere mate van standaardisatie mogelijk en leidde tot een efficiënter gebruik van trainingsfaciliteiten. Bovendien ontlastte het de individuele teams, zodat zij zich konden concentreren op de training van hun pelotons voor operationele inzet. Tijdens het STT-tijdperk vond de training aan de westkust plaats in de omgeving van San Diego en Camp Billy Machen. Dit is de NSW-faciliteit voor woestijntraining even ten noorden van de Mexicaanse grens, bij de Chocolate Mountains – drie uur rijden van San Diego. De teams aan de oostkust trainden hun STT-trainees in de omgeving van Little Creek, Camp Pickett en Camp A.P. Hill in Virginia. De STT-cursus duurde twaalf tot veertien weken. Na de STT vertrokken de nieuwe SEALs naar de teams, waar zij hun opleiding voltooiden met training in het grotere teamverband totdat ze aan alle eisen hadden voldaan. De teams beloonden hun volhouden met het Trident-insigne. In 2001 werd de SEAL-training voor gevorderden omgezet in de SEAL Qualification Training van nu: STT werd SQT. De SQT is de SEAL-training voor gevorderde BUD/S-gegradueerden en de opleiding wordt bekroond met de Trident. De SQT is dus een voorbereiding op oorlogsinzet in de SEAL-pelotons en duurt momenteel achttien weken.

De SQT wordt gezien als de voornaamste training in Naval Special Warfare. In deze cursus wordt meer geld, tijd en talent geïnvesteerd dan in alle andere trainingen onder auspiciën van het NSW Command. Het is een zware, moeilijke en gevaarlijke training. De aandacht van de media en het publiek is vooral gericht op de BUD/S-training, vanwege het uitputtende karakter en de lichamelijke misère die zo kenmerkend zijn voor deze basisopleiding. Maar al het zweet en bloed van de BUD/S en de daaropvolgende cursussen leiden slechts tot één ding: het verschaft een trainee een plaatsje aan de SQT-tafel. Het tempo en de professionele maatstaven liggen nog een paar tandjes hoger. Wie niet aan de SQT-maatstaven voldoet, wordt nooit een gekwalificeerde Navy SEAL en dus ook geen lid van een van de Navy SEAL-teams. De BUD/S-trainees die de SQT voltooien, hebben een lange, zware weg afgelegd. De instructeurs weten dat deze trainees gehard zijn en het nooit opgeven. Toch is dat niet voldoende. Nu moeten deze BUD/S-gegradueerden ook nog de professionele minimumbekwaamheden van de SEAL-strijder onder de knie krijgen. De meesten slagen daarin, maar niet allemaal.

Het grootste deel van wat nu volgt is afkomstig van SQT-klas 2-02. Hun achtergronden, ervaringen, beproevingen en mislukkingen zijn feiten, maar de namen van de trainees en hun instructeurs zijn veranderd om hun identiteit te beschermen. Veel van de mannen over wie je leest zijn nu operationeel actief in SEAL-pelotons. Velen van hen hebben ervaring opgedaan in de strijd in Irak en Afghanistan.

Klas 2-02 was de laatste SQT-klas voordat besloten werd officieren onder de BUD/S-gegradueerden terug te sturen naar de opleiding van een toekomstige SQT-lichting. De officieren die ik in klas 2-02 kon observeren, trainden samen met hun BUD/S-klasgenoten. Alle officieren van klas 2-02 waren het roerend eens met deze ingreep en wensten dat zij de leiderschapscursus van de JOTC aan het Center hadden kunnen doen voordat ze aan deze training voor gevorderden begonnen. De officieren in latere SQT-klassen hebben niets dat lof voor het postioneren van deze cursus in leiderschap vóór hun SQT. Ook de SQT-instructeurs zelf hebben krachtige bijval voor dit *rollback*-programma voor officieren laten horen. Sinds de graduatie van klas SQT klas 2-02 heb ik verscheidene trainingsstages van latere SQT-klassen gevolgd. Onderofficieren en manschappen trainen altijd samen met hun nieuwe officieren, die nu meer leiderschapsplichten op zich nemen en later voor advies en steun vertrouwen op hun nieuwe onderofficieren.

Net als iedere BUD/S-lichting is iedere SQT-lichting anders, met een eigen collectieve 'persoonlijkheid'. Mijn werk bij het NSW Center heeft me de kans gegeven een groot aantal van deze geweldige jonge kerels te ontmoeten. Vaak wordt me gevraagd een van de SEAL-basisklassen toe te spreken en veel cursisten van de SQT herinneren mij nog van presentaties die ik voor hun BUD/S-klas heb gegeven. Al doende ben ik steeds aangenaam verrast door het karakter en de vasthoudendheid van deze jonge strijders. Bij klas 4-02 maakte ik kennis met een vastberaden jongeman uit BUD/S-klas

228. Hij had daar in de herfst van 1999 de helse week doorgemaakt, maar was toen te uitgeput geweest om met die klas door te kunnen gaan. Hij had daarna met klas 240 opnieuw de BUD/S gedaan en zijn tweede helse week doorstaan, waarna hij de BUD/S had voltooid. Hij was met SQT-klas 4-02 gegradueerd en maakt nu deel uit van een SEAL-team. Het is bijna niet uit te leggen hoe goed het is een van deze geweldige jongens te zien worstelen met het zware trainingsprogramma, waarbij hij alle tegenspoed overwint en uiteindelijk toch zijn doel bereikt. Dit is exact waarom het allemaal draait.

SQT-klassen worden per jaar opeenvolgend genummerd: SQT-klas 4-02 was de vierde die in 2002 aan de training begon. Al naargelang de planning zijn er vier of vijf klassen per jaar. Het standaardcurriculum duurt vijftien weken. Na het met succes doorlopen van deze training krijgt de aankomende krijgsman de Trident: nu mag hij zich een Navy SEAL noemen. De SQT is echter nog niet voorbij: de nieuwe SEALs krijgen aansluitend meteen drie weken training in koud weer. Hiertoe wordt de klas naar Kodiak Island (Alaska) overgebracht. Deze koudweercomponent van de SEAL-training is betrekkelijk nieuw, althans, als een belangrijk bestanddeel van de training voor gevorderden bij het NSW Center. Vóór klas 4-02 was er nog geen koudweertraining. Ik ben als waarnemer bij de koudweertraining van klas 5-02 geweest. De training op Kodiak is ongelooflijk. Zelf woon ik in de bergen van Idaho en meende iets te weten van de omstandigheden bij koud weer, maar daar denk ik nu anders over. Wat op mij zo mogelijk nog meer indruk maakte dan de zware omstandigheden op Kodiak in de februarimaand, waren de energie en het enthousiasme waarmee de nieuwe SEALs aan deze training begonnen. Maar nu loop ik op mezelf vooruit: laten we bij het begin beginnen.

Het begin

SQT Building, hoofdinstructielokaal, 08:00 U. Verscheidene jaren geleden was ditzelfde gebouw op de Naval Amphibious Base in Coronado de behuizing van SEAL Delivery Vehicle Team One. Tegenwoordig is dit SDV-team gelegerd op Hawaï, dichter bij de onderzeebootbasis van de Pacific Fleet. Het gebouw met zijn instructielokalen, duikerslokaal, loodsen voor algemene uitrusting en aanlegsteigers is het thuis van de SEAL Qualification Training. De BUD/S-gegradueerden die aan deze training beginnen zijn nog geen Navy SEALs; dat zijn ze pas als ze deze training met goed gevolg hebben doorstaan. Na hun SQT-graduatie zijn ze vertrokken met de Trident, het embleem van de Navy SEAL. In de ogen van de marine en de rest van de wereld zijn ze SEALs. Maar in de ogen van hun teamgenoten zijn het groentjes – onervaren en in vele opzichten nog lang niet voorbereid op de normale taken in een SEAL-peloton. Toch weten de veteranen onder de SEALs heel goed dat deze jonge leden van het peloton nieuwe energie en talenten inbrengen. Zij zijn het levensbloed en de toekomst van de teams. Veteranen weten dat het tot hun taak behoort de nieuwe SEALs verder te trainen en als hun mentor te fungeren, om hen te helpen zich tot volwaardige krijgslieden te ontwikkelen. Geen misverstand, deze nieuwe SEALs zijn in alle opzichten klaar om te beginnen aan de trainingscyclus die hen tot volwaardige leden van een operationeel SEAL-peloton zal maken. Aan het begin van de SQT zijn het echter nog leerlingen, in beslag genomen door de beproeving die hun wacht. Op die dag zijn ze misschien even onzeker en bevreesd als toen ze aan de Indoc zijn begonnen, helemaal aan het begin van de BUD/S, wat nu een eeuwigheid geleden lijkt.

Highway 75 loopt vanuit Coronado naar Imperial Beach aan de grens tussen Mexico en de Verenigde Staten, dwars door de Naval Amphibious Base. Aan de westzijde zijn de SEAL-teams van de westkust en het NSW Center waar de BUD/S-training plaatsvindt. Aan de oostzijde van de snelweg ligt het grootste deel van de Naval Amphibious Base. Aan de noordkant van deze basis vindt de SQT plaats, op ruime afstand van het Center en de BUD/S-training. Hier wachten de leden van SQT klas 2-02 op het begin van het laatste traject van hun lange weg naar de Trident. Het wordt stil in de klas als een stevige man van in de dertig rustig binnenkomt en zich voor de klas posteert.

'Juist, mannen, ik heb jullie onverdeelde aandacht nodig. Dit is de inleiding tot de SEAL Qualification Training. Vanmorgen geef ik jullie wat belangrijke informatie over wat je tijdens deze training zoal te doen krijgt, dus luister goed en maak notities. Ik ben sergeant-majoor Mike Collier, belast met de SQT.'

In het lokaal zijn vierenvijftig SQT-trainees verzameld. Iedere nieuwe klas krijgt van sergeant-majoor Mike Collier of adjudant-officier Mike Loo deze eerste *indoctrination briefing*. Net als alle SEAL-trainingen is ook de SQT een cursus die steeds verder evolueert. De SQT van klas 2-02 zal net even anders en iets beter zijn dan die van klas 1-02. In de SEAL-gemeenschap wordt deze training gezien als de vooralsnog meest effectieve voorbereiding van BUD/S-gegradueerden op actieve dienst in een SEAL-peloton. Veel ervaren SEAL-instructeurs hebben hier een aandeel in gehad, maar niemand kan toegewijder aan deze hoogwaardige training zijn geweest dan sergeant-majoor Mike Collier en adjudant Mike Loo. De cursus is hún schepping en het succes van de trainees bij een operationeel peloton is een afspiegeling van de professionele reputatie van deze twee SQT-instructeurs. Zij nemen hun verantwoordelijkheden hoogst ernstig. Het gros van SQT klas 2-02 bestaat uit gegradueerden van BUD/S-klas 237 (een uitzonderlijk grote klas, die met ruim tweehonderd man is begonnen, waarvan er eenenvijftig zijn gegradueerd). Drie leden van klas 2-02 zijn al in het bezit van de Trident. Twee van hen zijn SEALs die net zijn teruggekeerd uit een operatiegebied, de derde is een reservist die weer in actieve dienst komt. Twee jaar geleden liep ik mee met BUD/S-klas 228. Zelf heb ik ook het gevoel dat ik voor mijn training voor gevorderden terugkeer in actieve dienst.

Op de voorste rij herken ik een BUD/S-gegradueerde die ik me herinner uit klas 228 – de klas die de hoofdrol speelt in mijn eerdere boek, *De SEALs elite* – , en ik ga hem even gedag zeggen. Hij is het echter niet, het is zijn eeneiige tweelingbroer die net met klas 237 is gegradueerd. De broer die ik heb gekend, was een echte steunpilaar voor klas 228. Hij leek sprekend op hem en was maar liefst als beste van klas 237 gegradueerd. Er zijn vier officieren in de klas, maar het zijn geen van alle officieren van de Marine Academie, een zeldzaamheid voor een BUD/S-klas. Twee van de officieren zijn onlangs gegradueerd na een militaire cursus, de een aan het Virginia Military Institute (VMI), de ander na zijn studie bij het Corps of Cadets aan Texas A&M University (A&M staat voor Agricultural and Mechanical). De derde is een academicus van Rhodes, die met een doctoraat politieke wetenschappen is afgestudeerd aan Oxford. De vierde officier was surfer van beroep voordat hij aan de BUD/S-training begon. Hij was afgestudeerd aan de Santa Clara University nadat hij twee jaar lang de Marine Academie had gevolgd. Aan de academie was hij kamergenoot van de beste van klas 228 geweest. Toen hij de BUD/S-graduatie van zijn voormalige kamergenoot bijwoonde, had hij besloten dat ook hij een SEAL wilde worden. Zijn loopbaan van surfer naar Navy SEAL is fascinerend, maar in feite is de route van iedere SQT-trainee uniek.

Het contingent onderofficieren en manschappen van BUD/S klas 237 is een indrukwekkende groep. Ze behoren tot een van drie algemene categorieën. Ongeveer een derde deel heeft een collegediploma. Velen van hen hadden gehoopt na hun studie een officiersopleiding te kunnen volgen die hen tot de BUD/S zou voeren, maar toen dit een brug te ver bleek, namen zij dienst voor de kans een Navy SEAL te worden. Een ander derde deel diende al bij de marine, maar besloot op zoek te gaan naar een 'andere soort marine'. Het laatste derde deel was rechtstreeks van de middelbare school naar de BUD/S-training gegaan, soms na een of twee semesters aan een college. Een paar van hen hadden zich stierlijk verveeld in een burgerbaan, zodat zij naar het rekruteringsbureau van de marine waren gestapt, op zoek naar meer afwisseling. Veel van degenen met het diploma middelbare school zijn tussen de negentien en eenentwintig jaar oud. Ze hebben een stevig lichaam en een fris gezicht, maar ze worden snel volwassen. Binnen enkele maanden zullen ze als SEAL in een peloton dienen. Een van hen is de zoon van een Navy SEAL; zijn vader dient op dit moment als adjudant-onderofficier (*Command Master Chief* = opperschipper) in de Naval Special Warfare Unit, een marinebasis op het eiland Guam (Micronesië). Een andere trainee is geboren in Korea en werd als wees door een Amerikaans gezin in Los Angeles geadopteerd. Hij is hier omdat hij het land dat hem heeft opgenomen wil dienen. De hoogste onderofficier is een bekwame kwartiermeester met een zachte stem die al verscheidene jaren bij de vloot heeft gediend. Voordat hij bij de marine ging, heeft hij als soldaat bij het leger gediend. Het merendeel van de trainees behoort etnisch tot het blanke ras. Vier hunner hebben wortels in Latijns-Amerika, drie zijn van komaf Koreaans en een is een Afro-Amerikaan. Hun lengte varieert van twee meter tot een meter vijfenzeventig. De zwaarste onder hen weegt bijna 104 kg, de lichtste heeft zijn gewicht opgevoerd tot 56 kg. Bij zijn BUD/S-graduatie woog hij nog maar 53 kg, wat hem qua gewicht tot de taaiste van zijn klas maakt. Vier SQT-trainees hebben in het Korps Mariniers gediend, maar slechts een hunner is afkomstig uit het leger. De hoogste in rang is klassenoudste.

'Laat me om te beginnen de meerderheid onder jullie die onlangs is gegradueerd van de BUD/S mijn gelukwensen. Tegen de houders van de Trident zeg ik: welkom terug en welkom bij de SQT. Iedereen hier heeft vijftien belangrijke weken voor de boeg, vermoedelijk wel de belangrijkste vijftien weken van jullie hele SEAL-loopbaan. Dit is de beste cursus van Naval Special Warfare. Hier werken de beste instructeurs van het Center. Onze staf bestaat uit vierentwintig man. Wij belichamen samen bijna driehonderd jaar aan Naval Special Warfare-ervaring. Wij zijn dus een hulpbron waaruit je kunt putten. Doe er je voordeel mee.' Collier tikt op zijn laptop op de lessenaar en op het scherm achter hem explodeert een blauwe PowerPoint-dia.

DE ESSENTIE VAN NAVAL SPECIAL WARFARE
BESTAAT UIT DE INTEGRITEIT VAN DE KRIJGSMAN
EN DE EENHEID VAN HET PELOTON.

'Hier draait het allemaal om, heren. Mijn verantwoordelijkheid – en die van elk lid van ons trainingskader – is zorgen dat iedereen hier een effectief lid van een SEAL-peloton wordt. Wij zijn er om jullie te trainen, als jullie mentors te fungeren en verder alles te doen wat nodig is om je voor te bereiden op de strijd. Tijdens jullie verblijf hier zul je het heel druk hebben. Vijftien weken is geen lange tijd en jullie zullen een paar belangrijke dingen onder de knie moeten krijgen. Wees aandachtig en doe wat er van je wordt gevraagd, dan kunnen we jullie straks op de derde juli de Trident opspelden. Wij kennen de Trident toe en nemen die verantwoordelijkheid heel serieus. Wie ons niet heeft laten zien dat hij er klaar voor is en een Trident verdient, wordt geen Navy SEAL. Zo simpel is het. Er zijn teamgenoten van ons die deelnemen aan de strijd; we hebben in Afghanistan zojuist twee SEALs verloren. Deze training is zeer reëel en vol risico's. Jullie verantwoordelijkheid bestaat uit luisteren, leren, veilig trainen en de bekwaamheden verwerven die jullie zeer binnenkort hard nodig hebben. Wij verwachten dezelfde prestatieniveaus en motivatie waarmee jullie door de BUD/S-training zijn gekomen, plus twee keer zoveel professionalisme. Maak van leren en je vaardigheden verbeteren je persoonlijke engagement. Als je straks in je peloton bent, wordt er van je verwacht dat je weet wat je te doen staat. Alleen als je ons laat zien dat je die vaardigheden meester bent, kom je met succes door deze cursus. Dit is een grote klas. We zullen niemand in enig aspect van de training tekortdoen, maar daarvoor hebben we jullie medewerking nodig. Wees attent, stel vragen en zorg dat je uitrusting altijd naar behoren is verzorgd en klaar voor gebruik. Kom voor elk onderdeel van de training op tijd – dus vijf minuten te vroeg en met je volledige uitrusting. Zorg ook dat je altijd pen en papier bij je hebt.

Je wordt hier geregeld getest. Aan het eind van iedere fase wordt er een schriftelijk tentamen afgenomen en kun je in het veld voor die fase slagen. Ook is er een schriftelijk eindexamen dat alle trainingsfasen omvat. Belangrijker nog: de hele gemeenschap volgt jullie op de voet. Iedereen hier kent het grote belang van reputatie. Gedurende de SQT ben je in de gelegenheid verder aan je reputatie te bouwen. De mannen van je SEAL-team weten straks of je het hier goed hebt gedaan, of net genoeg om er doorheen te komen. Als je niet gemotiveerd bent en geen verantwoordelijke, positieve en volwassen houding aan de dag legt, weten zij dat straks ook. Nogmaals, je reputatie staat op het spel.'

Sergeant-majoor Collier gaat nu in hoog tempo verder met zijn PowerPoint-presentatie en neemt een litanie van logistieke en administratieve punten door. Steeds als hij toekomt aan een wapen, springstoffen of veiligheidskwesties wordt zijn tempo trager.

'Je ziet op je dagschema dat er voor de meeste dagen fysieke training is gepland. Nu eens om half zeven, dan weer om zeven uur. Als we de vorige avond in het veld zijn geweest, kan het zelfs half acht worden. We organiseren de fysieke trainingen hier niet zoals je in de BUD/S-training gewend was. Je moet het helemaal zelf doen. Zorg goed voor je uitrusting en zorg goed voor je lichaam. Straks in Camp Billy Machen worden jullie opgetrommeld voor een geforceerde gevechtsmars van 21 km. Als je hier verslapt, betaal je daar straks in de woestijn de tol voor, misschien wel de zwaarste. De Combat Conditioning Course of CCC is geen wandeling, maar een trainings-onderdeel dat wordt geklokt. Wie niet binnen de tijd aankomt, komt niet door deze cursus. Meer hoef ik niet te zeggen.

Nu wil ik het hebben over je instelling. Je zult jezelf zowel mentaal als fysiek moeten trainen. Wij zijn krijgslieden; je bereid je voor op strijd. Sta daar bij stil. Je bent hier niet om je even op oorlog voor te bereiden en dan te maken dat je wegkomt. Verspil onze tijd niet. Dit is een krijgsmansschool en we trainen voor oorlog. In feite is het zelfs meer dan dat: wij trainen voor het privilege onze natie te mogen dienen.

Gedrag. Ik wil dat jullie – nee, ik stá erop – dat jullie onze strijd-makkers van de speciale bootteams en de luchtmacht respecteren. Behandel hen altijd beleefd en professioneel; ze verdienen het en je hebt kans dat je samen met hen de oorlog in moet. Iedereen hier is vertrouwd met de regels over drinken, rijden en illegale drugs. Drugs – dat spreekt toch vanzelf? Waarom begin ik er nog over? Wie een bekeuring wegens rijden onder invloed krijgt, mag uitzien naar een andere job. Hier en in de teams wordt dat niet getolereerd.

Over integriteit gesproken. Gedraag je altijd zo dat je door ieder-een wordt gerespecteerd. Als je twijfelt of iets goed of fout is, ga dan uit van het laatste. We hebben het gehad over respect voor anderen. Dit is niet alleen respect voor je klasgenoten en ons kader, hier in de

SQT, maar ook voor je uitrusting. Dat laatste is heilig voor ons. Wie een loopje neemt met veiligheid krijgt een schop onder de kont. Als je een onveilige situatie ziet of tijdens een oefening met hoog risico twijfelt, vraag dan om een time-out tijdens de training. Wij hier respecteren de TTOs. We trainen hard, maar wel veilig.

Volwassenheid. Het gros van jullie is nog geen SEAL, maar iedereen hier vertegenwoordigt de gemeenschap van Naval Special Warfare. Je vertegenwoordigt niet alleen mij, maar ook kolonel Dick Couch, hier achter in het lokaal, die dertig jaar geleden deel van de teams uitmaakte. Gedraag je dus ook buiten diensttijd naar behoren. Blijf geconcentreerd als je hier bent. De officieren van deze klas moeten zich voortdurend afvragen: *heb ik alles gedaan wat in mijn vermogen lag om mezelf voor te bereiden op het leiden van mannen?* Nu is het nog maar training. In de nabije toekomst zul je je mensen in de strijd leiding moeten geven. Alle onderofficieren en manschappen moeten hun specialisaties cultiveren: straks zijn jullie de experts in jullie teams. Bereid je daarom op alle mogelijke manieren voor op jouw specifieke bijdrage aan het succes van een missie.

Teamwork. Teamgeest is buitengewoon belangrijk. Vaak is het alles. Je moet elkaar helpen. Je kunt onmogelijk trots zijn op jezelf als je tegenover een strijdmakker in gebreke blijft of niet naar behoren presteert. Ieder van ons heeft zwakke punten. Werk eraan en help elkaar eraan te werken. Daar varen we allemaal wel bij. Dit is waar het bij teamwork om gaat.'

De sergeant-majoor knipt de PowerPoint uit en laat zijn blik langs de gezichten dwalen. 'Onthoud goed dat we van iedereen honderd procent inzet verwachten, mentaal én fysiek. Leg dus een positieve en constructieve houding aan de dag. Wees een teammaat en werk samen – ondersteun elkaar. In de SEAL-teams hangt je leven er vanaf. Train zoals je straks moet vechten, want je zult vechten zoals je traint. En vergis je niet, heren, wij zijn in oorlog. Ons land is in oorlog. Gedurende de komende paar maanden hebben we daarom jullie onverdeelde concentratie en medewerking nodig. Jullie en het trainingskader zullen moeten samenwerken. Iedereen zal zijn stinkende best moeten doen om jullie klaar te stomen voor de strijd.

Nog vragen?' Geen vragen. 'Mooi, neem vijf minuten pauze en kom dan terug in het instructielokaal. Instructeur Thomas zal hier op jullie wachten. De SQT gaat beginnen. Ik wens jullie allemaal geluk en hoop dat ik iedereen hier op de derde juli terug zal zien als klas 2-02 wordt beloond met de Trident.'

Krijgslieden en heelmeesters

Medisch korpsman Gordon Thomas maakt pas zeven jaar deel uit van de teams. Hij is twee keer in een conflict ingezet: beide keren met SEAL-team Four, en hij geeft nu sinds anderhalf jaar instructie in eerstehulpverlening in de strijd. Thomas maakt een zeer gedreven indruk als hij voor de klas heen en weer loopt. Hij is een geboren leraar – heel dynamisch en glashelder, door en door vertrouwd met zijn onderwerp.

'Goed, mannen, we gaan het zo doen. Jullie zijn lid van een speciaal operatieteam van vierentwintig man. Je bent zojuist per boot aan wal gezet en te voet op weg naar je missiedoel, een cocaïnelaboratorium in een bijna ondoordringbare jungle. Iedereen in het team is opgewonden; de inlichtingen die jullie hebben meegekregen zijn eersteklas en er is alle reden om te verwachten dat het verrassingselement in jullie voordeel is. De geschatte numerieke sterkte van de opponent is vijftien man, met automatische wapens. Je moet vijf kilometer afleggen door zwaar terrein om je doelwit te bereiken. Jullie vorderen goed – geruisloos en waakzaam – en doen alles zoals het moet. Tegen de tijd dat je het doelwit nadert, activeert jullie voorste man een booby-trap, zodat er vlak voor de patrouille een luide explosie plaatsvindt. Jullie voorste man is van het pad geblazen: hij heeft geen pols en ademt niet. De leider van de patrouille was de tweede man in de rij. Hij heeft een gapende wond in zijn been en zijn dijslagader bloedt. Inmiddels liggen jullie onder zwaar vuur, want de opponent heeft gereageerd. Jullie evacuatiepunt ligt aan de rivier, een kilometer van het doelwit. Jij bent de vervanger van de patrouilleleider. Wat staat je te doen?' Er valt een stilte in het lokaal. 'Kom nou,' zegt instructeur Thomas, 'help me een handje. Jullie teamge-noten liggen hier dood te bloeden. De slechteriken zijn bezig jullie in te sluiten. Je hoort de kogels over je hoofd snerpen.' Degenen die oorlogservaring hebben, horen in gedachten het ultrasone 'pets' van een rakelings langskomende kogel. 'Nou, wat ga je doen?'

'Een drukpunt opzoeken om de bloeding te stelpen.'

'Reanimeren.'

'Medicament tegen shellshock geven.'

'Infuus aanleggen.'

Thomas steekt beide handen op.

'Bekijk het eens van deze kant. Jullie hebben een medisch én een tactisch probleem. Wij willen de beste afloop, zowel voor onze man – onze mannen, in dit geval – als voor onze missie. Goede medische hulp kan soms slechte tactiek zijn. En slechte tactiek kan iedereen noodlottig worden. Jullie liggen zwaar onder vuur; er zijn al twee van jullie schutters buiten gevecht. Gaan jullie echt reanimeren of een infuus aanleggen? Jullie zien er geen been in deze dingen tijdens een vuurgevecht te doen?'

Opnieuw stilte.

'Er zijn onder jullie een paar ambulanceverpleegkundigen, niet-waar?' Twee handen gaan omhoog.

'Jullie herinneren je nog hoe je werd geschoold in gevorderde le-vensreddende behandelingen bij zware verwondingen?' De twee mannen knikken synchroon. 'Juist – en we hebben allemaal geleerd hoe ze kogelwonden op Spoedgevallen behandelen. Dus wat jullie zo-even zeiden was volgens de ATLS benadering juist. Maar de Ran-gers in Mogadishu hebben ons veel geleerd over de behandeling van gewonden onder vuur. Wij doen het dus niet meer zo. Die Rangers hebben met hun bloed voor die lessen betaald en wij brengen hier in praktijk wat zij hebben geleerd.'

ATLS (*Advanced Trauma Life Support Techniques*) is de manier waarop medisch personeel zwaargewonden behandelt. Dit is een systematische aanpak in een gecontroleerde omgeving en volgens een vast protocol: reanimatie, een ruggenprik om de patiënt te im-mobiliseren, primair onderzoek, zuurstoftoevoer, infuus enzovoort.

Amerikaanse hospitaalsoldaten gingen in Vietnam en latere conflicten volgens dezelfde procedure te werk – tot Mogadishu. Een zorgvuldige analyse van het aantal sterfgevallen tijdens de strijd op de grond in Vietnam wees uit dat bijna 60 procent óf het gevolg was van kogels die het hoofd hadden doorboord, óf het gevolg van een chirurgisch niet meer te behandelen doorboring van de romp. Zelfs onder de meest gunstige omstandigheden zouden deze slachtoffers nauwelijks te redden zijn geweest. De rest van de gesneuvelden had echter gered kunnen worden. Zestig procent van deze categorie was tengevolge van wonden in armen of benen doodgebloed, en nog eens 30 procent was gestorven vanwege pneumothorax of klaplong.

'Er is een betere manier, mannen. Die heet "behandeling van gewonden in de strijd". Het komt er, tactisch gesproken, op neer dat we de gewonde behandelen, nieuwe gevallen vermijden en de missie voltooien. De tactische situatie geeft altijd de doorslag. Als eerste is er de behandeling onder vuur, zoals in ons vuurgevecht bij dat cocaïnelaboratorium, of zoals in die strandscène in *Saving Private Ryan*. De tactische situatie dicteert wat je te doen staat. Verder is er de tactische veldverzorging, als je niet onder vuur ligt en de hospik van je peloton de man kan behandelen – als hij tenminste niet zelf is geraakt. Want in dat geval zul je het zelf moeten doen. Tijdens de tactische veldverzorging kunnen er beslissingen worden genomen zolang de wapens zwijgen. Uiteindelijk blijft alleen de tactische evacuatiezorg over. Dat gebeurt echter pas als je bent opgepikt en op de terugweg bent. Tegenwoordig noemen we het *casevac*, steno voor *casualty evacuation* – in plaats van *medevac*. De eerste term wordt gebruikt als je een ambulance hebt, plus een team paramedici en alle mogelijke instrumenten. Dat is gewoonlijk niet aanwezig in een evacuatieheli of een bootje. Juist, we hebben nog steeds twee gewonden. De een ademt niet; de ander bloedt als een rund. Hoelang duurt het voordat een man doodbloedt vanwege een gat in de dijbeenslagader?'

Er gaat een hand omhoog. 'Een paar minuten?'

'Misschien, misschien niet. Je teammaat heeft hulp nodig, en snel. Dus wat doe je?'

Een andere hand. 'Vuur beantwoorden en de gewonden in dekking leggen.'

'Juist. De beste medische zorg op het slagveld is *superieure vuurkracht*. Mooi, de jongens liggen in dekking en we worden van dichterbij beschoten. De slechteriken denken inmiddels dat ze het met de verkeerde partij aan de stok hebben. Jullie hebben je voorste man en je patrouilleleider in dekking gelegd, zo goed mogelijk. De kogels snerpen je om de oren, maar je bent niet rechtstreeks in gevaar. Wat nu?'

'Bloeding stelpen.'

'Helemaal goed. De meest voorkombare doodsoorzaak op het slagveld is doodbloeden. De patiënt ademt, dus vergeet de luchtwegen. Hoe stoppen we de bloeding?'

'Tourniquet aanleggen?'

'Exact, een tourniquet. Volgens de ALTS-aanpak werd het gebruik van tourniquets ontraden. Direct druk uitoefenen is een optie, maar wie neemt er nou zijn wapen uit de strijd om een drukverband om de dij van de man aan te leggen? Als een tourniquet de bloeding kan stelpen en de man bij bewustzijn is, kan de gewonde misschien zelf weer zijn wapen hanteren. Als het maar even mogelijk is, moeten ook de gewonden het vuur beantwoorden. Ik zeg jullie dat tourniquets mensen het leven kunnen redden. In Vietnam hebben we vijfentwintigduizend man verloren die alleen maar in een arm of been geraakt waren en doodbloedden. Dat zijn vijfentwintigduizend namen in de muur: mannen die gered hadden kunnen worden als ze destijds hadden geweten wat wij inmiddels weten. Denk er dus over na. Goed, onze patrouilleleider bloedt dus als een rund – telt niet iedere seconde? Reken maar! Daarom wil ik dat jullie een triobandage, een zogeheten *cravat*, en een drukverband bij jullie dragen, en wel iedereen op dezelfde plek aan je tuig. Je hebt geen tijd om de man om te rollen en hem te gaan fouilleren, op zoek naar een tourniquet. Als hij op de vaste plek aan zijn tuig zit, pak je hem, brengt hem aan en neemt weer deel aan de strijd. Officieren, het is jullie taak bij iedere inspectie die voorafgaat aan een missie te controleren of iedere man zijn verbandspul op de voorgeschreven plek aan zijn tuig heeft zitten. Duidelijk?'

'*Hooyah,*' antwoorden de officieren. (*Hooyah* is de universele SEAL-uitroep van enthousiasme; recent BUD/S-gegradueerden gebruiken hem te pas en te onpas.)

Thomas spreekt verder over de klaplong op een manier die zijn cursisten kunnen volgen. Als een kogel iemands borstkas binnendringt, ontstaat er een eenzijdig doorlaatbare flapklep in de borstholte. Telkens als de gewonde inademt, dringt er lucht de borstholte binnen, die echter niet bij het uitademen kan ontsnappen. Dit leidt tot het inklappen van de long. De juiste behandeling is een holle naald in de zijkant van de borst om de borstholte te ontluchten. Het klinkt wreed, ik weet het,' knikt Thomas, 'maar we zullen jullie demonstreren hoe het wordt gedaan. Vertrouw me, jullie herkennen de symptomen van een klaplong gegarandeerd en dan weet je wat je te doen staat.'

Thomas borduurt voort op het thema 'medische zorg onder vuur'. Het vuurgevecht winnen, in leven blijven, dekking zoeken, de gewonden beschermen. Dan geeft hij uitleg over het BATS-protocol: bloeding stelpen, luchtweg vrijmaken, klaplong en shellshock behandelen.

'En nu onze voorste man. Wat gaan we met hem doen? Hij is jullie maat en jullie zijn samen met hem de BUD/S-training doorgekomen en hij was lid van je bootbemanning – kortom, een geweldige kerel. Je hebt hem de helft van je laatste soldij geleend. Hij ademt niet, heeft geen polsslag.' Opnieuw blijft het stil in het instructielokaal. 'Nu wordt het echt moeilijk. Op het slagveld kunnen we voor deze man niets doen – hij is dood, wat we ook doen. Zelfs als we niet onder vuur lagen is hij dood, maar dan kunnen we tenminste iets proberen. Waarschijnlijk zou hij ook dood zijn als hij per ambulance onderweg was naar het veldhospitaal. In Mogadishu probeerden ze mannen die geen schijn van kans hadden te reanimeren c.q. te behandelen. Dat heeft tijd en levens gekost. Je moet je hersens gebruiken. Wat doe je voor een man die niet te redden is? Wat komt er van de missie terecht? Je ligt onder vuur. Doe wat je kunt voor hen die nog baat bij je hulp kunnen hebben en neem dan weer deel aan de strijd. Tijdens de Israëlische verrassingsaanval van 4 juli 1976 op Entebbe (Oeganda) werd de commandant, overste Netanyahu – de naam klinkt bekend, nietwaar? Inderdaad, de broer van de premier – in zijn borst geraakt toen hij vooropging in de laatste stormloop. Hielden ze halt om hem te behandelen? Nee. Ze volgden hun bevelen op en stormden langs hem heen om hun doelwit – een buitengewoon belangrijk doelwit – te veroveren. De levens van honderdzes gegijzelden stonden op het spel. Er was geen tijd om een gewonde te behandelen.

Maar goed, laten we praten over de situatie dat je niet onder vuur ligt, althans, niet onder effectief vuur.' Thomas behandelt nu een andere tactische situatie. 'Jullie maken deel uit van een SOF-M-element en je missie is onderschepping van een colonne trucks vol wapens. Je maakt vanuit een M-130 een luchtlanding in bergachtig terrein. Je moet bijna zeven kilometer over rotsachtige grond naar je doelwit marcheren. De geplande evacuatie vindt plaats per helikopter, dicht bij het doelwit. Een van jullie mannen komt bij de parachutesprong in een boom terecht en loopt een open beenbreuk op: zijn linkerscheen- én linkerkuitbeen zijn gebroken.' Thomas toont een dia op het scherm, een close-up van een linkerbeen. De dia is in kleur: het bloed stroomt en de botten steken door de huid heen. 'Zoiets als dit.' Thomas houdt zijn hoofd schuin naar links en dan rechts – zijn professionele beoordeling van de verwonding. 'Dit soort dingen heb ik echt gezien. Dit is de werkelijkheid. En dit is jullie wapenbroeder. Hij is nauwelijks bij bewustzijn en vergaat van de pijn. Wat staat je te doen? Jullie liggen niet onder vuur, maar hebben toch een probleem. Dragen jullie hem mee om de missie af te maken? Het is een mogelijkheid, maar je hebt nog een lange weg te gaan. Kom je nog op tijd als je een man moet meezeulen? Het zou voor hem een uitermate zware tocht worden. Denk je dat je shellshock kunt voorkomen?' Thomas last een pauze in om het gewonde been nog eens te bestuderen. De leden van klas 2-02 kijken er gefascineerd naar. 'Als hij bij bewustzijn is, zal hij naar alle waarschijnlijkheid schreeuwen van pijn. Als hij bewusteloos is, zal hij kreunen. Dat kunnen we in een tactische situatie niet hebben. Misschien is het mogelijk een infuus aan te leggen en hem wat pijnstillers te laten slikken? Dat zou de pijn verlichten, maar dan is hij helemaal van de wereld – een bijna dode last.' Thomas wacht om zijn woorden te laten bezinken. 'Je begrijpt wat ik bedoel: allerlei opties, maar geen enkele goede keuze. Of vraag je om onmiddellijke evacuatie voor hem? Voor de man zelf is dat het beste, maar wat doet het met de missie? Hoeveel van onze eigen jongens kunnen straks gedood worden als wij de vijand niet van die nieuwe wapens beroven? Mag deze missie mislukken, of hebben de inlichtingen waarop ze berust een beperkte geldigheidsduur?' Thomas begint door het instructielokaal te dwalen. Het bloed en de botten zijn nog steeds op het scherm te zien. 'Of laten we een man achter om voor hem te zorgen, misschien onze hospik? Ik zou niet graag de eerste SEAL zijn die een man achterlaat – met de kans dat we hem nooit meer terugzien. Wie van jullie wil die eerste zijn? Al deze opties hebben negatieve effecten. De leider van de missie zal een tactische beslissing moeten nemen. Per slot van rekening is dat waarvoor we jullie officieren het grote geld betalen. Aan de andere kant kan ieder van ons zo'n besluit nemen. De man die op de grond ligt kán jullie officier zijn.

Bij het plannen van missies besteden we veel aandacht aan het aanvallen van het doel. We praten over tactische situaties in de trant van "stel dat…". Alternatieve manieren om het doelwit te bereiken of het te verlaten, of verschillende manieren om de aanval uit te voeren. Precies hetzelfde moeten we bij medische planningen doen. De Rangers in Mogadishu hebben geleerd dat, als zij wat medische uitrusting en noodverbanden in de helikopters en Humvees hadden verstouwd, de gewonde evacués beter hadden kunnen behandelen. Wij staan in het krijt bij de jongens van de landmacht: zij hebben ons veel geleerd. Niemand kan iedere medische noodsituatie voorzien, maar voor de meeste waarschijnlijke gebeurtenissen kun je bij je planning maatregelen nemen. Wij plannen en trainen voor de onverwachte contacten met de vijand. We noemen dat directe gevechtsoefeningen met vuurwapens of Immediate-Action Drills of IADs. Denk na over wat voor waarschijnlijke medische noodsituaties zich kunnen voordoen als je je missie plant. Bij een luchtlanding in ruw terrein kan iemand ongelukkig landen en gewond raken. In het ergste geval zit je met een dood teamlid op de grond, nog voor je aan je missie begint. Sta hier bij stil en maak er plannen voor. Doe alsof je een Ranger bent: hoop op het beste, plan voor het ergste.

Dit was dus de Tactical Combat Casualty Care (TCCC), de behandeling van gewonden onder vijandelijk vuur. Dit leer je niet in een medische opleiding, en evenmin in een ALTS- of EMT-cursus. Civiele artsen en verpleegkundigen hoeven niet te vechten als zij hun patiënten behandelen. Wij wel. Dit is wat we deze week gaan doen. Later vandaag nemen jullie je medische kit en zullen we jullie laten zien wat je kunt doen. Jullie worden in deze activiteit experts, allemaal. Let dus goed op. Er komt een schriftelijk tentamen. De echte test komt echter als je een teamgenoot het leven kunt redden. Of hij het jouwe. We vatten alles op vrijdag nog eens samen tijdens een veldoefening met medische behandelingen onder vijandelijk vuur.'

BAMMM! Door de rook van de artilleriesimulator rennen twee leden van klas 2-02 over het zandstrand. Ze dragen de lichte gevechtsuitrusting. Hun doel zijn twee mannen die op het strand liggen: de een met zijn gezicht in het zand en de ander kronkelend van pijn. De beide SEAL-trainees buigen zich over de gewonden. BAMMM! Weer een gesimuleerd artilleriesalvo. Een van de trainees grijpt zijn gewonde in de kraag en begint hem naar een duin te slepen om hem in dekking te brengen; de tweede trainee gooit zijn gewonde in de brandweergreep over zijn schouder. Ook hij gaat onderweg naar het duin dat dekking biedt.

'Maak voort, mannen, dit schiet niet op,' roept instructeur Bill Patrick hun toe. 'Jullie liggen nog onder vuur!' Patrick is een marineverpleegkundige die onlangs aan de instructiestaf is toegevoegd. Verpleegkundigen in SEAL-teams zijn geen gewone hospitaalsoldaten, maar volwaardige SEALs met een uitgebreide verpleegkundige opleiding. Ze worden 'korpsman' genoemd. Voordat Patrick naar de SQT werd overgeplaatst gaf hij in het Center instructie in de strijd van squads in vuurgevechten van nabij en het gevecht van man tegen man. Net als Thomas is hij krijgsman én heelmeester. SEAL-verpleegkundigen worden opgeleid aan het JFK Special Warfare Training Center in Fort Bragg (North Carolina).

Hier volgen zij met leden van de Groene Baretten van de landmacht de Special Forces Eighteen Delta Medical Training (SFEDM), een cursus van twaalf tot dertien maanden die hen tot volledig gekwalificeerde verpleegkundigen en experts in de verzorging van gewonden op het slagveld maakt. Ik heb de school in Fort Bragg bezocht. Woorden schieten tekort om deze militaire medische opleiding recht te doen. Als ik ooit een ongeluk op de snelweg krijg en zelf de goede samaritaan ter plaatse mocht kiezen, zou ik een in Fort Bragg opgeleide SEAL-verpleegkundige verkiezen boven een gewone arts. Of nou ja, ik zou natuurlijk ook genoegen nemen met een eersteklasarts op Spoedgevallen.

'In dekking!' dringt Patrick aan. 'Iedere seconde telt!'

Eenmaal in de luwte van het beschermende duin beginnen de trainees aan de verzorging van gewonden. Ze vorderen van procedures onder vijandelijk vuur tot tactische veldverzorging. De gewonden, andere leden van klas 2-02, zijn zo levensecht mogelijk toegetakeld. Ze zijn besmeurd met namaakbloed dat uit namaakkogelgaten (type Magic Marker) 'stroomt'. Hun kleren zijn gescheurd en ze hebben veel pijn. Eentje is cyanotisch – hij heeft duidelijk zuurstoftekort (zijn lippen zijn blauw geverfd) – en zijn gewonde strijdmakker heeft een aantal opgeplakte kogelwonden van rubber.

'Juist, jullie liggen niet meer onder vuur,' zegt Patrick. 'Wat gaat er nu gebeuren?'

'Tactische veldverzorging. Het BATS-protocol,' zegt een van de bergers.

'Exact. Bloeding stelpen, luchtweg vrijmaken, klaplong en shellshock behandelen. Aan de slag!'

De SEAL-verpleegkundigen gaan aan het werk terwijl Patrick nauwlettend toeziet en van de ene verzorger naar de andere loopt. 'Vertel me al werkende wat jullie doen,' zegt hij. Deze uitleg tijdens de hele behandeling maakt deel uit van het leerproces. 'En maak voort, deze jongens zijn er slecht aan toe. Praat ook tegen ze, dat werkt geruststellend voor je gewonde maat en als hij bij bewustzijn is, kan hij je helpen meer inzicht te krijgen in de ernst van zijn verwondingen.'

De verpleegkundigen werken koortsachtig – ze leggen tourniquets aan en bekloppen en porren de slachtoffers, op zoek naar nog meer verwondingen. De infuusflessen zijn geen simulatie; er worden echte holle naalden in de armen van de gewonden gestoken.

'Medevac of casevac?'

'Casevac, instructeur, dus evacuatie per ambulance.'

'We maken ze gereed. Blijf tegen ze praten en hun toestand beoordelen. Die kan elk ogenblik veranderen.'

Er worden ledematen gespalkt en omzwachteld.

Instructeur Thomas komt zelf even de gang van zaken in ogenschouw nemen, zonder iets te zeggen. Het zijn nu Patricks trainees en gewonde SEALs. We zien hoe de gewonden worden voorbereid op evacuatie van het slagveld. Na afloop zegt Patrick dat de gewonden zich kunnen gaan wassen en weer hun gevechtspak en lichte bepakking moeten aandoen. Dan krijgen de leerling-verpleegkundigen onder de SEALs opdracht om naar de moulageplaats te gaan, waar namaakgewonden worden geprepareerd. Nu mogen zij de rol van gewonden in vijandelijk vuur vervullen.

'Werkelijk indrukwekkend,' zeg ik tegen Thomas. 'Niet alleen de enscenering, maar ook de instructiekwaliteit en de aandacht voor het detail. Deze trainees lijken echt te weten wat ze doen. Je hebt ze de afgelopen week een flink eind op weg geholpen. In mijn tijd hadden we zoiets niet – niet in de verste verte.'

'Dat komt, sir,' antwoordt Thomas, 'doordat er nu in de hoogste echelons belang aan deze training wordt gehecht. Vergeet niet dat admiraal Olson er zelf bij was, toen met dat helse vuurgevecht in Mogadishu. In die strijd zijn er ook nog andere SEALs gewond geraakt.'

Navigatie op de grond

'Mijn naam is Henry Dega en ik ben voor dit onderdeel van de training jullie instructeur landnavigatie. Ik heb deelgenomen aan drie conflicten met SEAL-team One en was bij al deze missies de voorman.

Ik heb de twee maanden durende spoorzoekerscursus van de Britse Special Air Service (SAS) in Nieuw-Zeeland doorlopen en deelgenomen aan de Eco Challenge.' De Eco Challenge is een oriëntatiewedstrijd plus marathonloop onder televisieregistratie. 'Die oriëntatiemarathon was best aardig, maar voor jullie, die net de BUD/S hebben gedaan, was het niet meer dan een training en in vergelijking met de helse week stelt het niks voor. Het was meer een slapeloze vakantie. Zelf ben ik nog maar kort hier bij de SQT.' Dega laste een pauze in, op zoek naar de juiste woorden. 'Ik zal er tegenover jullie geen doekjes omwinden, mannen. Ik was hier liever niet heen gegaan. Ik was toegevoegd aan een operationeel peloton met de kans deel te nemen aan de strijd. Dat marsbevel werd op het laatste moment gewijzigd, en nu ben ik hier. Het peloton in kwestie is nu actief-operationeel en in het heetst van de strijd, zogezegd. Dit is, denk ik, een lesje in het primaat van de behoeften van de marine ten opzichte van onze persoonlijke verlangens. Nu is het dus mijn taak jullie te trainen en ik weet wat me te doen staat. Ook krijg ik de laatste tijd berichten van een paar van mijn vrienden in mijn vroegere pelotons, mannen die ik heb getraind in landnavigatie. Zij vechten nu in Afghanistan. Wat zij over mijn training zeggen, doet me goed. Ze moeten daar veel landnavigatie doen, want er komt veel kaartlezen en kompasgebruik aan te pas. Het zit er dik in dat jullie deze informatie ook gauw zelf nodig zullen hebben, dus vraag ik jullie onverdeelde aandacht.'

Dega is klein van stuk, maar stevig gebouwd, en hij verkeert in topconditie. Hij geniet in de teams de faam een kei te zijn op het gebied van oriëntatie en navigatie. De klas luistert ademloos – Dega's reputatie is hem vooruitgesneld naar klas 2-02.

'De komende paar dagen leren we kaartlezen en oefenen we ons in methoden voor navigatie in het terrein. Daarna gaan we naar Frazier Park voor een paar dagen in het veld – wat verplaatsingen en wat werken met kaarten en het kompas. Burgers betalen voor zulke lessen forse bedragen en wij mogen het als onderdeel van ons werk doen, niet gek, toch? Eerst iets over de uitrusting. Op wat uitzonderingen na worden SEAL-operaties uitgevoerd met respectievelijk eerste-, tweede- en derdelijnsuitrusting.

De eerstelijns- of basisgevechtsuitrusting is wat je draagt: camouflagepak, kistjes, vechtpet en wat je in je zakken hebt. Daar moeten ook pen en papier bij zitten, plus een waterdichte penlight, een stafkaart, een kompas, een gevechtsmes, een stroboscoop lamp, noodrantsoenen – misschien alleen een paar *powerbars* en je overlevingskit. Al dat spul moet in je camouflagepak mee. Ook je geweer – of eventueel je pistool – behoren ertoe. Hiermee kun je rennen, in dekking gaan en zo nodig wat vuren. En als je een paar dagen in het veld moet blijven tijdens een ontwijk- of ontsnappingsmanoeuvre, terug naar eigen territorium, kun je je ermee redden. Onthoud: je persoonlijke wapen maakt deel uit van je eerstelijnsuitrusting. Het mag nooit buiten handbereik zijn, zelfs niet als je slaapt.' Vervolgens geeft Dega een aantal nuttige tips voor het prepareren van een eerstelijnsuitrusting. Bijvoorbeeld het kort schroeien van klittenbandsluitingen met een aansteker, zodat ze minder geluid maken bij het openen, of het toevoegen van cafeïne, pijnstillers en wat powerbars aan de overlevingskit. Ook zegt hij wat voor handschoenen ze kunnen gebruiken en welke vingers eraf moeten.

'Tweedelijnsuitrusting. Dat is alles wat je aan je H-gear en webvest hangt, dus zoals je je normaal uitrust. Hier instrueren we je over het militaire standaardgevechtsharnas, het *H-harness*. Dit is het canvastuig dat je ook tijdens Fase 3 hebt gedragen, maar deze keer neem je het mee als je hier vertrekt en wordt toegevoegd aan de teams. De tweedelijnsuitrusting is tevens je operationele, dus compleet met je munitie en handgranaten. Bovendien draag je je persoonlijke medische kit en noodzender PRC-122 – die je misschien zelfs in je eerstelijnsuitrusting kunt opnemen. Plus noodrantsoenen voor vierentwintig uur en twee liter water. Als er ruimte voor is, zijn er nog wat kleinere dingen die je aan je H-gear kunt hangen: wapenreinigingskit, insectenverdrijver, wat waterzuiveringstabletten of filter, een paar karabijnhaken, een infuuszak en misschien wat extra noodverbanden. De definitieve samenstelling van de tweedelijnsuitrusting hangt af van het operatiegebied. Dit zijn de spullen waarmee je vecht. Volgens het handboek zou je ook een mes met vast lemmet moeten hebben. Ik weet dat sommigen van jullie de voorkeur geven aan de Gucci-veldsabel van vijfenveertig centimeter – ziet er cool uit, toch? Nou, het enige waarvoor dat ding goed is, is het graven van een gat om in te schijten. Mijn mening: een goed inklapbaar bivak-mes is alles wat je nodig hebt. Als je toch wat extra gewicht wilt mee-sjouwen, pak dan een extra magazijn – dat kan je leven redden. De eerstelijnsuitrusting heb je aan; de tweedelijnsuitrusting mag nooit buiten handbereik liggen. Als je heli een noodlanding mocht ma-ken, probeer dan in elk geval je tweedelijnsuitrusting mee te nemen. Zonder die spullen kun je niet vechten, althans, niet lang

Dega toont ze een combinatie van 'harnas' en 'webvest'. 'Dit is mijn persoonlijke H-gear, als je het zo wilt noemen. Dit wijkt fors af van het standaarddraagsysteem. Ik heb veel geld in dit ding gesto-ken, omdat ik me er lekker mee wil voelen: ik kan me er goed in be-wegen en kan er uitstekend mee vechten.' Dega's tweedelijnsuitrus-ting is even zorgvuldig op maat gemaakt als een maatpak van een kleermaker aan Savile Row (Londen). 'Het standaardgevechtsharnas is prima en misschien krijg je je team zover dat ze wat willen inves-teren in wat verbeteringen en wat maatwerk. Misschien moet er een voorschot aan te pas komen. Doe alles wat nodig is om het voor jou precies goed te maken. Het civiele alternatief is niet goedkoop, dus probeer het voordat je het koopt. De andere jongens in je peloton kunnen je erbij helpen.' Grijnzend laat hij erop volgen: 'Dit is ook een definitie van een SEAL-squad: zeven tot acht gasten die verschil-lend uitgerust zijn om allemaal hetzelfde te doen.'

De SQT-trainees krijgen ieder een standaardset van eerste-, twee-de- en derdelijnsuitrusting uitgereikt: hun persoonlijke uitrusting. Ze zullen er tijdens de SQT mee werken en mogen het onder supervisie modificeren, waarna ze het moeten meenemen als ze vertrekken.

'Je derdelijnsuitrusting is je rugzak,' vervolgt Dega, 'met, slaap-zak, mat, veldrantsoenen, water en extra dit en extra dat. Zorg dat je er een extra shirt van polypropyleen in stopt, om in te slapen. Sok-ken, toiletpapier – mij bevallen die natte doekjes goed, alsof je een douche in de bush hebt genomen, plus een zwarte wollen muts. Mo-gelijk zul je ook wat operationele uitrusting in je rugzak moeten proppen – zoals extra munitie, granaten en noem maar op. Je rugzak hangt over je tuig. Zorg dat ze bij elkaar passen. Controleer elk be-standdeel van je hele uitrusting en zorg dat alles veilig verankerd is en je nergens hindert. Plak alle losse bandjes met tape vast. Als je al-les draagt, spring je een paar keer flink op en neer om de zaak te tes-ten. Alles moet vastzitten en mag geen geluid maken. Als een riem kraakt, gebruik je wat WP-40 of andere lichte olie om hem stil te krijgen.

We hebben in Frazier Park twee dagen voordat het navigatiepro-bleem over grote afstand aan de orde is. Dat geeft jullie de tijd om je uitrusting in orde te maken. Zorg dat je kistjes lekker zitten en goed ingelopen zijn. Mijn voorkeur is Danners, maar je kunt gebruiken wat je wilt, zolang de enkel maar bedekt is. Géén sneakers. Tijdens die twee dagen in Frazier doen we wat dag- en nachtoefeningen: je kunt er wat van opsteken en het geeft je de kans te ervaren of je uit-rusting lekker zit. Bereid je goed voor op de kompascursus voor lan-ge afstanden. Die is omvangrijk en je hebt aardig wat tijd nodig om te studeren in de tijd die je voor jezelf hebt. Als we iemand op de weg snappen – en geloof me, we betrappen je als het zo is – krijg je acht-tien kilo bakstenen aan je bepakking. Trouwens, het is spijbelen, en daar krijg je in Afghanistan al helemaal de kans niet voor als je een bergrug moet oversteken om een vijandelijk basiskamp te bereiken. Géén persoonlijke gps! Je krijgt een verzegelde gps mee, maar die is uitsluitend voor noodsituaties. Navigeren doe je met je kaart, je kompas en je voetstappenteller – dat zijn de vaardigheden die we je moeten bijbrengen. In de teams beschik je over alle leuke elektroni-sche snufjes, maar niet hier. Hier gaat het om de elementaire vaar-digheden. Let goed op en doe het goed. Hou vol en ga af op je coör-dinatenpunten (*waypoints*), net zoals je tijdens een echte operatie zou volhouden om je doelwit te vinden. Accepteer geen mislukkin-gen en beduvel jezelf niet. Vragen?

Best, dan nemen we vijf minuten pauze en komen daarna hier te-rug. De volgende instructie gaat over kaartlezen.'

In de uitgestrekte woestenijen van Irak en Afghanistan bepalen SEALs hun posities met gps, maar hun marsroute moeten ze met behulp van kaart en kompas vinden. Als hun gps het begeeft, zullen

ze hun weg volledig aan de hand van kaarten, het kompas en de pas-
senteller moeten vinden, net zoals tijdens de SQT.

Voor het begin van de weekcursus landnavigatie krijgen de leden
van klas 2-02 twee dagen les in SEAL-verbindingen: verbale procedures, antennetheorie, satellietcommunicatie en gecodeerde bood-
schappen. Ze leren omgaan met zeven van de zender/ontvangerty-
pes die momenteel door de SEALs worden gebruikt. Tijdens de
SQT-veldoefeningen gebruiken ze alleen het type AN/PCR-118 – zeven stuks per squad. Na een dag les in kaartsymbolen (legenda) en
navigatiemethoden van Henry Dega klimt de klas in de truck voor
de rit van zeven uur naar Frazier Park (Californië).

Frazier Park is een kleine stad aan de rand van het Los Padres Na-
tional Forest. De trainees slaan hun kamp op in het woud, op ruime
afstand van de stad, en beginnen daar aan een veldoefening van anderhalve dag in terrein- en landnavigatie. Overdag werken ze aan
ongezien optrekken en stappen tellen, aangevuld met korte kaart-
lees- en kompasoefeningen. 's Nachts worden er marsoefeningen
gehouden, waarbij schuilplaatsen worden gebouwd en er in nachtelijk kompasgebruik wordt geoefend. Op de derde dag beginnen ze
aan een oefening in landnavigatie lange afstand die drie dagen
duurt. Ze proberen in koppels van twee man problemen op te lossen, blijven overdag in schuilplaatsen en trekken 's nachts verder.
Kortom, de SEALs werken 's nachts en schuilen overdag. Instructeur
Dega en zijn staf controleren hen, gaan na of zij hun schuilplaats
goed gekozen hebben en of ze hun poncho's en de natuurlijke vegetatie gebruiken voor camouflage. Sommige koppels van klas 2-02
blijken gemakkelijk te vinden; de betere zijn vrijwel onzichtbaar, zodat de kaderleden bijna over hen moeten struikelen voordat ze hen
kunnen vinden. Diverse keren per dag is er een communicatievens-
ster, een periode waarin ze zich met hun PRC-118 bij instructeur
Dega kunnen melden. Vaak moeten ze daarvoor naar hoger gelegen
terrein om verbinding te krijgen – het maakt allemaal deel uit van
leren communiceren in het veld.

Veel leden van klas 2-02 zijn stadsjongens. Ze hebben wel tijdens de BUD/S wat dagen in het veld doorgebracht, maar dit is hun eerste langere periode van veldoefeningen waarin ze 's nacht flinke afstanden moeten afleggen. Tijdens deze oefening van drie dagen en nachten dragen ze op zijn minst 25 kg aan uitrusting mee. Ze leggen ongeveer 50 km af en moeten zo'n 2400 m hoogteverschil overwinnen. De klas keert smerig en ongeschoren terug naar de SQT, maar ze hebben weinig averij opgelopen. De uitrusting wordt snel in de trucks gegooid en in de daartoe bestemde kooien gestopt. Ze krijgen een avondje vrij om zich te verschonen en een nachtje in een echt bed te slapen. De volgende ochtend wordt de uitrusting weer in orde gebracht en worden de wapens geladen voor de tocht naar La Posta.

Schietoefeningen

De Mountain Warfare Training Facility (MWTF) van het Naval Special Warfare Center is bekend als La Posta, een oefenterrein van ruim 450 ha. ten oosten van San Diego in de Laguna Mountains. Hier wordt de schietvaardigheid van de SQT-trainees verfijnd tot die van de scherpschutter onder vijandelijk vuur. Het optreden van het instructiekader tijdens de medische cursus en de landnavigatieoefeningen was informeel, maar in La Posta gaat het er zelfs gemoedelijk aan toe. Het is niet het soort losse omgang dat onder gelijken normaal is, maar de omgang tussen professionals. Misschien is dit zo omdat hier met scherp wordt geoefend.

Deze sfeerverandering is wellicht deels toe te schrijven aan de drie Trident-houders in de klas. Voor het eerst hebben de recente BUD/S-gradueerden zij aan zij met gekwalificeerde Navy SEALs getraind. Tijdens de BUD/S maakten afknijpen en pijnlijden deel uit van de procedure. De BUD/S-trainees hebben echter geleerd ermee te leven. Niet dat de SQT-instructeurs hun vermogen om een trainee een uitbrander te geven verloren hebben, maar nu gebeurt het vrijwel alleen nog vanwege een onachtzaamheid op het gebied van veiligheid of een gebrek aan aandacht voor het detail. De BUD/S-gegradueerden zijn nu ouderejaarsstudenten in deze uiterst specifieke manier van oorlogvoering. Bij het uitvoeren van hun trainingstaken lijken ze zich hiervan bewust. Ik kan heel goed het verschil ervaren met mijn tijd bij BUD/S-klas 228.

'Mannen, jullie hebben het vandaag niet gek gedaan met jullie vertrouwdheidstraining.' De klas bevindt zich in La Posta's hoofdinstructielokaal en de man op het podium is hun pistoolinstructeur. 'We moeten zorgen dat een paar man zich alsnog kwalificeert, maar daar zullen we aan werken. Voor dit moment concentreren we op het vechten met pistool. Sommige jongens zullen denken dat dit het onvervalste wildwestwerk is, maar sta even stil bij het volgende.

Dat pistool tegen je been is je reserveparachute! Als je ernaar moet grijpen, zit je altijd al lelijk in de nesten. Dan zit je zonder munitie voor je primaire wapen of je hebt een vastloper, of de een of andere dondersteen is je te na gekomen, zodat je geen tijd hebt gehad je wapen te herladen. Je zult dus snel moeten handelen – door hem te doden voordat hij jou koud maakt. Dus grijp je naar je pistool.'

Klas 2-02 heeft de dag doorgebracht op de schietbaan om zich vertrouwd te maken met het Smith & Wesson-pistool 686 en het MK23 Mod0-pistool. De MK23 is een pistool van het kaliber .45, dat volgens de Special Forces-specificaties wordt gemaakt door Heckler & Koch. Beide handvuurwapens hebben hun voordelen, maar ze bieden SEALs slechts beperkte gebruiksmogelijkheden. Het secundaire SEAL-wapen dat in de teams wordt gebruikt, zoniet uitgereikt dan toch gekozen, is de Sig Sauer P226, kaliber 9mm. Dit is een relatief licht, veilig en veelzijdig semiautomatisch pistool waarmee zestien schoten snel kunnen worden afgevuurd. Elk lid van klas 2-02 in het instructielokaal heeft een Sig P226 op zijn dij. Zoals gewoonlijk bij instructiedagdelen voor klas 2-02, is slechts de helft van de klas aanwezig. De andere helft komt later aan de beurt. Dit geeft de instructeurs meer tijd voor iedere individuele schutter.

'Houd met betrekking tot vuurgevechten voor ogen dat de technieken die je tijdens de basiskwalificatie voor schutters hebt geleerd nog steeds van waarde zijn.' De SQT-instructeur voor handvuurwapens is sergeant Matt Reilly. Hij is al veertien jaar bij de marine en is vier keer lid geweest van een operationeel peloton bij respectievelijk

Team Three en Team Five. Hij heeft diverse civiele schuttersopleidingen gevolgd, zoals de John Shaw School en de Chandler Shooting School. Hij is een prima schutter en, in dit geval van meer belang, kan anderen de kunst bijbrengen. Als instructeur is hij sterk gefocust, maar de glinstering in zijn ogen verraadt dat hij van zowel het lesgeven als de schietoefeningen geniet.

'In een vuurgevecht, heren, zijn vloeiende bewegingen het snelst. Daarom wil ik dat jullie je vanaf het begin concentreren op de grondbeginselen. Doe eerst de oefeningen in langzaam tempo, de snelheid komt vanzelf. Wat zijn de voornaamste dingen bij het afvuren van een handvuurwapen? In het vizier nemen, drukpunt opzoeken en adem inhouden. Als het erom gaat dat vuurgevecht te winnen, zul je razendsnel moeten zijn, nietwaar? Ook dan draait alles echter om de basisbeginselen. Vizieruitlijning, zichtfocus vooruit en goeie trekkerdiscipline.' Reilly weidt nog wat minuten uit over deze grondbeginselen, maar gaat dan over op schieten in een vuurgevecht. 'In een vuurgevecht moet je agressief zijn. Houding: voeten gespreid, knieën licht gebogen, armen recht, schouders naar voren en de ellebogen strak. Stop de spanning in je schouders, om je armen en je greep meer ontspannen te houden.' Hij laat de klas opstaan. Ze trekken hun wapen en nemen de stahouding van de schutter aan.

'Dit noemen we de vuurhouding. In deze houding kun je met je secundaire wapen de meeste schade aanrichten, want je kijkt over je wapen heen en bent klaar om te vuren. Dit is de houding die je zo snel mogelijk moet aannemen. Er zijn nog twee andere schiethoudingen die we jullie zullen leren terwijl je bezig bent deze houding aan te nemen, maar dit is de houding die je wilt. Oké, iedereen kan weer gaan zitten. Let weer op.' De klas zit en alle ogen zijn op Reilly gericht terwijl hij zich een kwartslag naar opzij draait en zijn Sig P226 weer in de holster steekt. 'Juist, iedereen, kijk goed naar me. Ik maak de holster los en trek mijn wapen. Merk op dat ik naar mijn vuurhouding ben ingezakt, de knieën gebogen en de rug recht maar iets naar voren hellend – een en al agressie. Zodra het pistool de holster verlaat, richt ik het wapen horizontaal, dus in een vloeiende trek- en draaibeweging zodat de loop horizontaal ligt zodra hij de holster heeft verlaten. Merk ook op dat mijn ogen geen moment het doel hebben losgelaten. Als het moet, ben ik klaar om vanuit de holsterhouding te vuren. Als de onverlaat me al bijna met een honkbalknuppel heeft bereikt, begin ik nu al te vuren. Vanuit de holsterhouding neem ik de overgangshouding aan – het wapen met beide handen stevig vast, midden voor het lichaam ter hoogte van de koppelriem. Merk op dat ik de loop nog steeds horizontaal heb gehouden. Uiteindelijk neem ik de vuurhouding aan. Ik ben dus gereed om te vuren zodra het wapen het holster verlaat. In één vloeiende beweging ziet dat zo uit.' Reilly brengt zijn handen voor zijn lichaam alsof hij een geweer vasthoudt. '*Klik!* Mijn primaire wapen loopt vast! Verdomme, wat nu? Meteen naar mijn secundaire wapen.' Zijn bewegingen zijn zo snel dat ze een waas lijken. In een fractie van een seconde is zijn pistool uit de holster en gaat hij via de overgangshouding naar de vuurhouding terwijl hij voortdurend de trekker overhaalt – heel vloeiend en flitsend snel.

'Zo gaat dit in zijn werk. Ik heb dit al een paar keer moeten doen,' grijnst hij, 'maar ik wil dat jullie langzaam beginnen en je concentreren op de juiste bewegingen, die geleidelijk in elkaar overgaan.'

Gedurende het volgende uur oefent klas 2-02 zich in het trekken van de Sig. De trainees vuren denkbeeldige patronen af zowel in de holster- als de overgangs- en de vuurhouding. De SQT-instructeurs lopen tussen hen door om hen te coachen en hun bewegingen te corrigeren.

'Mooi, mannen, luister nu. Oefen dit schieten vanuit deze houdingen vanavond op zijn minst een half uur lang, zonder patronen, en herhaal dat morgenochtend voordat we naar de schietbaan gaan. O, en probeer dit. Houd je pistool horizontaal in de holsterhouding en leg een muntje op het vizier. Als je je wapen niet horizontaal houdt, valt de munt eraf. Als je het wapen droog kunt afvuren zonder dat de munt valt, weet je wat horizontaal is en heb je een goeie trekkerdiscipline. Doe dit tien keer en ga dan uit de holsterhouding naar de overgangshouding en vuur nog eens tien keer droog, maar zo dat het muntje niet valt. Vervolgens ga je uit de holster- naar de vuurhouding voor nog eens tien keer droog vuren. Wat bereik je hiermee? Je oefent je in de vaste gewoonte je wapen horizontaal te houden en het dwingt je tot een goeie trekkerdiscipline. Dat voorkomt dat je al tijdens deze bewegingen kogels in de grond schiet. We willen ze niet laten dansen; we willen ze lek schieten. Ga eerst langzaam en weloverwogen te werk, heel geleidelijk. De snelheid komt vanzelf. Oefenen en nog eens oefenen. Doe jezelf niet tekort met deze droogvuuroefeningen. Straks, op de schietbaan, heb je er profijt van.'

De volgende dag is klas 2-02 op de schietbaan om goed met handvuurwapens te leren schieten. Het gaat achtereenvolgens in slakkentempo, op een sukkeldrafje en met volle snelheid. Eerst diverse magazijnen in de holsterhouding, dan in de overgangs- en vervolgens in de vuurhouding. Nu komen de leden van de klas in beweging. Ze vuren onderwijl vanuit alle houdingen, maar concentreren zich op het overbrengen van het wapen vanuit de holster naar de vuurhouding om zuiver en effectief te schieten. De instructeurs lopen achter de schutters langs om hen te coachen en aan te moedigen. Er vallen alleen harde woorden als iemand iets onveiligs doet. De veiligheidsprocedures zijn iets soepeler dan tijdens de BUD/S-training, maar ze worden niet minder zorgvuldig in acht genomen. 'Dit zijn de regels voor de grote jongens, niet die van de BUD/S,' houdt Reilly hen voor, 'maar blijf altijd aan de veilige kant; je moet er steeds volledig met je kop bij zijn.'

Er volgen geklokte schutterskwalificaties: de schutter moet een achterover scharnierend stalen plaatje van vijfentwintig bij vijfentwintig centimeter op een afstand van vijftien meter raken. Soms trccdt er een storing bij op, zoals een magazijnvervanging of vastlopend wapen. Tegen het eind van de dag verplaatsen de trainees zich zijwaarts over de schietbanen om in beweging op verschillende doelwitten te vuren. De instructeurs lopen snel achter hen aan, buiten hun schootsveld, waarbij ze tegen hen aan stoten om obstakels te simuleren en te proberen hun ritme te verstoren. Alle oefeningen en geklokte trainingsonderdelen beginnen met de schutter met het gezicht naar het doelwit, waarbij hij doet alsof zijn primaire wapen hem in de steek heeft gelaten: wapen trekken en vuren, trekken en vuren.

'Blijf in beweging… blijf vuren… Magazijn verwisselen… Vizier richten en focussen!' De magazijnen zijn doelbewust deels geladen met plastickogels om een blindganger of vastloper te simuleren. 'Kloppen, rammelen, *pang*! Zorg dat je wapen weer in de strijd komt!'

Na afloop zijn er winnaars en verliezers. Twee schutters staan met hun handen op borsthoogte en doen alsof ze een geweer vasthouden.

'En… schiet ze aan flarden!' roept Reilly.

De twee trainees trekken hun pistool, springen overeind naar de vuurhouding en beginnen te vuren.

Bang-ping! Bang-ping! Het is een eliminatieoefening in wedstrijdverband: pistool trekken en zes stalen doelwitten laten omklappen. Wie ze als eerste allemaal om krijgt, is de winnaar. Na iedere ronde blijft er van het aantal deelnemers nog maar de helft over. Uiteindelijk staan er nog twee schutters: sergeant Dan Nixon van BUD/S-klas 237 is een fractie van een seconde eerder dan luitenant Jacob Allen, een Trident-houder die zal worden toegevoegd aan Team Two. De luitenant is een eersteklas schutter, maar hij eindigt op het nippertje als tweede. Gelukkig is dit een training; in een echt vuurgevecht zijn er geen tweede plaatsen.

'Mooi, mannen, we stoppen ermee,' zegt Reilly. 'Dit was een prima oefendag op de schietbaan. Jullie maken vorderingen. Sommigen meer dan anderen, maar wat ik zie bevalt me. Je blijft altijd schieten totdat de kloothommel is uitgeschakeld. Richt je altijd eerst op het grootste gevaar. Als je die hufter hebt neergelegd, bestrijk je het schootsveld dat jouw verantwoordelijkheid is: breed blikveld, je wapen volgt je ogen. Zodra je een ander doelwit ziet, focus je je – kijk over je vizier en *Pang!* Neer met de rotzak!' Reilly doet het onder het praten voor. 'Als hij nog beweegt, schiet je nog eens. *Pang! Pang!* Bedenk dat we jullie leren je pistool zo snel te trekken dat je dat secundaire wapen in een oogwenk in de strijd kunt gooien. We hebben jullie geleerd accuraat te vuren om te zorgen dat je zo nodig op vijftien meter afstand dat hoofd kunt raken. Er komt misschien een dag dat het leven van een gegijzelde afhankelijk is van jouw vermogen om zo'n gijzelnemer al met je eerste schot uit te schakelen. Begrepen, iedereen?' De leden van klas 2-02 knikken synchroon.

'Meer heb ik niet. Ga op deze voet verder. Jullie hebben hier op de schietbaan de juiste houding getoond. De juiste instelling kweekt goeie schutters.' Reilly wendt zich tot een instructeur naast hem. 'Billy, jij hebt ze nu in het instructielokaal nodig?'

'Ik zou zeggen, meteen na het bikken, zeg half zeven.'

Die avond staat sergeant Will Gautier voor klas 2-02. 'Heren, vanavond maken jullie kennis met de Heckler & Koch MP5A. En geloof me, je gaat van deze pistoolmitrailleur houden. Je kunt er veel mee doen. In de teams gebruiken we dit wapen vooral bij het enteren van schepen en vuurgevechten van nabij.'

Sergeant Neil Ventorello bekijkt zijn MP5 eens goed. Hij is afkomstig uit Chicago en heeft voor zijn dienstneming bij de marine en het begin van de BUD/S-training van klas 237 nooit een vuurwapen afgevuurd. Dat is inmiddels ruim een jaar terug. Hij was eigenlijk een klas eerder begonnen, maar is toen tijdens de training geblesseerd geraakt. Hij werd in Fase 2 toegevoegd aan klas 237. Ventorello is geen geboren scherpschutter, maar hij werkt er hard aan. In deze klas is hij slechts een doorsneepistoolschutter, maar hij heeft zich toch gekwalificeerd als expert voor twee van de drie handvuurwapens. Luitenant Allen heeft hem tijdens de eerste ronde van de schietwedstrijd met gemak afgetroefd. Deze pistoolmitrailleur ligt hem lekker in de handen, compact en degelijk. *Misschien zal ik het beter doen met de MP5*, houdt hij zichzelf voor. Misschien is dit schatje wel mijn wapen. De trainees hoeven met de MP5 geen prestatielimieten te halen, maar er zullen wel wedstrijden worden gehouden – iedereen komt aan de weet of hij goed of beter is met deze pistoolmitrailleur. Onder leiding van instructeur Gautier begint Ventorello het wapen uit elkaar te nemen, waarbij hij de onderdelen keurig in de juiste volgorde op de tafel voor hem uitstalt.

De volgende dag is klas 2-02 terug op de schietbaan. Hun Sig Sauer-pistool is tegen hun dij vastgegord, en de patroontassen hangen tegen de andere dij. De Sig-magazijnen hebben vijftien patronen; de

MP5-magazijnen bevatten er dertig. Na een ronde die tot doel heeft de schutters vertrouwd te maken met de MP5, beginnen de vuurgevechtsoefeningen. Eerst leren ze gebruik te maken van het door een afschermring omgeven vizier. Als het doelwit in de ring zichtbaar is, doorboren de kogels het doelwit. Net als bij de pistooloefeningen beginnen ze met een enkel doelwit, voordat er wordt overgegaan tot tweevoudige salvo's op een enkel doelwit. In vergelijking met de Sig is de MP5 gemakkelijk te hanteren en tamelijk accuraat. Er wordt geoefend met het verwisselen van het magazijn en vervolgens met de overgang van de MP5 naar vuren met de Sig. Die middag wordt er weer geoefend tijdens verplaatsing: schietwedstrijden waarbij zowel accuratesse als snelheid zwaar tellen. Het MP5-wedstrijdtraject wordt twee aan twee gelopen, zodat de trainees niet alleen aandacht moeten hebben voor hun doelwit, maar ook voor hun oefenpartner.

'Zijn jullie klaar?'

'Jawel, instructeur!' klinkt het unisono. Een van de twee oefenpartners is Ventorello; de ander is een klasgenoot die hem in het pistoolschieten ruimschoots de baas is geweest. Toen ze gisteren voor het eerst met het pistool oefenden, droegen ze allebei hun tweedelijnsuitrusting.

'Juist: Leg ze neer!'

Ventorello en zijn oefenpartner bestormen de heuvel, om een hek heen en terug op de schietbaan. Dan drukken ze een munitiekist vol 9mm-patronen twintig keer boven hun hoofd. Na dit gewichtheffen rennen de schutters naar de vuurlijn. Ze nemen hun pistoolmitrailleur van de schouder waaraan het wapen onder het rennen heeft gehangen en brengen het in de vuurpositie. Het hardlopen en gewichtheffen is ervoor om de schutters aan het hijgen te brengen, zoals ze ook tijdens een lopend vuurgevecht zouden doen, of als ze door een gebouw of schip zouden rennen om bij hun doelwit te komen. Ventorello's oefenpartner bereikt de vuurlijn een paar stappen eerder dan hij. Eerst moeten ze met hun MP5 twee van de stalen plaatjes raken – twee keer vuren, *Ping! Ping!*

Ventorello raakt zijn plaatjes het eerst en heeft nu een halve seconde voorsprong op zijn oefenpartner. De MP5 bevalt hem en het genoegen lijkt wederzijds. Hij wipt de veiligheidspal om en laat het wapen langs zijn zij vallen terwijl hij zijn Sig trekt. De beide schutters beginnen de zes stalen plaatjes omver te schieten zo snel als ze ze in het vizier krijgen en afdrukken. Ventorello heeft zeven schoten voor de zes nodig, zijn oefenpartner maar zes. Ventorello legt de veiligheidspal van de Sig om en steekt hem terug in het holster. Terug naar de MP5. De twee schutters gaan exact gelijk op.

'Hebbes,' fluistert Ventorello terwijl hij razendsnel het stalen plaatje van vijfentwintig bij vijfentwintig centimeter op vijftien meter afstand in het vizier brengt en vuurt.

BANG-ping! Klaar! Beide schutters zekeren hun wapen en brengen het weer naar opzij, voordat ze een stap terug doen van de vuurlijn.

'En we hebben een winnaar! Goed geschoten, Ventorello! Jij ook, Patterson, maar je hebt verloren. Jij mag nog een rondje rennen om de poort.'

Ventorello en Patterson kijken elkaar grijnzend aan. 'Volgende keer misschien, Pat…'

'Reken maar, Neil. De volgende keer.'

De oefeningen gaan de hele dag door, en ook de volgende dag. Op passende momenten zijn er wedstrijden, met winnaars en verliezers. Voor de winnaars is het een kans zich een beetje te verkneukelen, voor de verliezers betekent het een rondje hardlopen of een aantal push-ups. Het is nog steeds profijtelijk een winnaar te zijn. Wat dat betreft is er weinig verschil met de BUD/S-training. Van pistoolmitrailleur naar pistool en vice versa. Met de Sig Sauer wordt ook het vuren in staande houding geoefend en linkshandigen moeten met de rechterhand oefenen en rechtshandigen met de linker. Ook moeten de magazijnen met één hand worden verwisseld om een verwonding te simuleren. De vaardigheid met het pistool verbetert gaandeweg, maar iedereen is blij met de MP5-pistoolmitrailleur. Het schieten gebeurt nog met het doelwit in het vizier, maar de trainees zijn nog maar een stap verwijderd van gelijktijdig schieten met beide wapens. Matt Reilly en Will Gautier houden hen gefocust op de grondbeginselen: goede bewegingscoördinatie en het strikt in acht nemen van de veiligheidsprocedures. Er wordt echter veel geschoten. De oefeningen worden steeds complexer en het competitie-element neemt toe. Nu eens is het een wedstrijd van man tegen man, dan weer van squad tegen squad. Het is echter geen BUD/S, zodat de verliezers geen BUD/S-sancties hoeven te vrezen, maar ze betalen wel de tol. Gedurende de SQT wordt het een kwestie van persoonlijke en professionele trots. Ook dat is een van de lessen van deze training.

Iedere dag moeten de trainees een kwalificatieronde doen met een van de handvuurwapens. Op de laatste dag is dat een jachtgeweer – bij de SQT een Remington 870, kaliber 12. Er wordt voornamelijk van achter een barricade gevuurd, maar op verschillende doelwitten. De 870 heeft vier patronen in het magazijn en een in de loop. De mannen leren ermee schieten en het wapen te laden met slechts één patroon in de kamer. 'Benut iedere adempauze in een vuurgevecht om te herladen,' houdt Gautier hun voor, 'zodat je meer patronen in je magazijn hebt. Vuur nooit je laatste patroon af als het even kan.' Vergeleken met de 9mm-wapens maakt de 870 veel lawaai en ook heeft de shotgun een zware terugstoot. Een paar trainees hebben nooit eerder een jachtgeweer afgevuurd. Het mechanische aspect en de bewegingen zijn gelijk, maar het duurt even voordat de schutter gewend raakt aan het kogelronde vizier en de zware terugstoot. Ook voor het jachtgeweer geldt wat ze bij de overige wapens hebben ervaren: hoe meer ze schieten, hoe beter ze erin worden.

'Oké, mannen, stoppen maar.' Reilly verzamelt hen in een kring om zich heen. 'Jullie hebben hier een week lang flink wat geschoten. Jullie hebben veel geleerd en ik heb al hier en daar een aankomend topschutter ontdekt. Onthoud: concentreer je op de mechanische aspecten en bewegingen. Als je straks bij je peloton bent, oefen dan als het maar even mogelijk is. Goed schieten in een vuurgevecht is een aan te leren vaardigheid en bij te weinig oefenen treedt er sleet op. Een goeie schutter blijft voortdurend oefenen. Dat is namelijk waarop het allemaal neerkomt, mannen: wij zijn schutters in de strijd. Vergeet dat nooit.'

Achtentwintig man – iets meer dan de helft van klas 2-02 – heeft nu zijn gevechtskwalificatiecursus (*Combat Qualification Course* of CQC) achter de rug. Zonder uitzondering zijn ze nu expert in het hanteren van op zijn minst een van de gebruikte wapens. Dat heeft vijf dagen training gekost, plus de inspanningen van vier uiterst bekwame schietinstructeurs en meer dan 52.000 patronen, waarvan ruim 45.000 voor het Sig Sauerpistool, kaliber 9mm en de H&K MP5-pistoolmitrailleur. Ze hebben tijdens de oefening om met het wapen vertrouwd te raken slechts één keer toestemming gekregen om volautomatisch te vuren met de MP5: een magazijn in salvo's van twee tot drie patronen. Al deze duizenden patronen zijn stuk voor stuk afgevuurd om deze BUD/S-gegradueerden op te voeden tot echte Navy SEALs.

De achtentwintig *combat shooters* van klas 2-02 vertrekken uit La Posta en arriveren de volgende maandagochtend om half acht bij Camp Pendleton. De marinebasis bij Camp Pendleton is een grote militaire kustfaciliteit op 80 km ten noorden van San Diego. In Pendleton beschikken de SEALs over een schietbaan voor geweren, eentje voor pistolen en een loods vol obstakels voor training in de strijd van man tegen man, een zogeheten *kill house*. Deze oefenloods is gebouwd op grond die van het Korps Mariniers is geleend. Het zijn voornamelijk SEAL-pelotons die gebruikmaken van de pistool-schietbaan en de oefenloods, maar de geweerschietbaan wordt door alle pelotons, SQT-trainees en BUD/S-trainees volop gebruikt. Vanmorgen is de klas heel vroeg opgestaan om met hun wapens en de nodige munitie vanuit Coronado naar de marinebasis te rijden. Vandaag zijn de omstandigheden, de criteria en de wapens anders, maar het doel is hetzelfde: raak schieten op doelen. Om 08:00 zijn alle achtentwintig gekwalificeerde schutters in het instructielokaal. Ook nu is sergeant Will Gautier hun instructeur.

'Deze week gaat het allemaal om scherpschieten. Daar gaan we ons de komende paar dagen in oefenen, aangevuld met wat training in bewegend vuren. Hierbij bouwen we voort op wat jullie al in Fase 3 van de BUD/S-training hebben geleerd. Het gaat er ook nu om de doelwitten effectief te raken, maar nu op uiteenlopende afstanden: honderd, tweehonderd, driehonderd en zelfs vijfhonderd meter. We brengen jullie de juiste schietgewoonten bij en hopelijk hoeven we niemand slechte gewoonten af te leren. Ik weet dat het gros van jullie al expert is op het geweer, maar we doen het nog eens een x-aantal keren over. Als jullie hier straks weggaan, ben je een goed schutter en weet je wat je te doen staat om een betere schutter te worden. Tegen die tijd weet je waar je kogels heengaan en waarom ze dat doen.'

Sluipschuttersinstructeur Gautier dient al elf jaar bij de marine. Hij heeft allerlei schietopleidingen gevolgd. Ook heeft hij drie keer deelgenomen aan echte missies van SEAL-team Five en heeft hij een periode in Bosnië gediend. Inmiddels is Gautier twee jaar bij de SQT en wil hij niets liever dan terug naar een operationeel peloton – terug de strijd in.

'Juist,' vervolgt Gautier. 'Wat is het belangrijkste aspect van effectief schieten? Wie? Iemand?'

'Inschieten.'

'Exact. En wat is het tweede, maar even belangrijke?'

'Trekkerdiscipline. Het drukpunt opzoeken.'

'Helemaal goed. Alles wat wij jullie hier leren en laten doen, is gericht op de versterking van die twee basispijlers van goed schieten. Alles wat je doet – zuiver richten, bot-op-botsteun, ademdiscipline, stevig contact tussen wang en kolf, de juiste vuurhouding – staat in dienst van effectieve vizieruitlijning. En dan komt de beheersing van het drukpunt. Als je dit goed doet, raak je altijd de roos.'

Gautier neemt met hen nog eens de basisbeginselen van goed schieten en het bewegingsaspect door. Ze hebben het over elevatie en windcompensatie, of over de juiste manier van treffergroepering en het steeds meer naderen van de roos. Tot slot wordt er gesproken over de voorkeurswapens van de SEAL-teams. Gautier houdt met gestrekte armen een M4-geweer, kaliber 5.56mm, omhoog, alsof hij het aan de goden wil offeren.

'Dit hier is een M4A1-karabijn, jongens. Als ik er mijn geld op moet zetten, is dit voor mij het beste militaire wapen ter wereld. Een verkorte versie van dit geweer vervangt de MP5 voor vuurgevechten op de korte afstand. De M4 is ongeveer van hetzelfde formaat als de MP5 en hij is met de standaardloop iets langer, maar hij vuurt veel accurater en met betere patronen. De 5.56 mm-patroon is weliswaar van een klein kaliber, maar het is een ongelooflijk snelle patroon: zo'n 900-1000 meter per seconde. Je kunt er heel veel schade mee aanrichten en je zult zien dat je met dit wapen iemand op grote afstand kunt neerleggen. Bovendien is het een veelzijdig wapen. Dankzij het railsysteem kun je er allerlei spul aan klikken: het telescoopvizier dat het doel vier keer vergroot, een laservizier, de lasergeleider, een staaflantaarn of een thermisch vizier voor de nacht. Dit is het wapen waarmee jullie straks de oorlog in gaan. Leer het goed te gebruiken, dan kun je een grote bak ellende over de slechteriken uitstorten.'

Die middag verkast klas 2-02 naar de schietbaan. Ze stellen hun M4s af op tweehonderd meter. Algauw zijn de trainees bij harde wind volop aan het schieten: ze groeperen hun treffers binnen een straal van vijftien tot twintig centimeter en brengen de treffers steeds dichter naar de roos door hun vizier steeds verder bij te stellen. Deze viziercorrecties worden weleens 'geweerdoping' genoemd. De trainees schenken aandacht aan de omstandigheden en de windsterkte, -wrijving en -richting, en aan de elevatie van hun M4s. Iedere SQT-cursist heeft een klein notitieboekje van vestzakformaat bij zich: het *wheel book*. Hierin noteren ze naast alle andere data ook hun persoonlijke schietresultaten, zodat ze deze de volgende dagen als referentie kunnen gebruiken. Het M4-geweer is hun persoonlijke wapen gedurende de hele SQT.

De volgende dag wordt er opnieuw met de M4 geschoten, en weer op tweehonderd meter. De treffergroepen worden dichter en de scores beter. Op de geweerschietbaan is er dit keer geen wedstrijd, hoewel er wel wordt gewed op wie de beste schutter zal zijn. De schietinstructeurs beginnen de echte talenten te herkennen, naast de schutters die wat hulp nodig hebben. Zelfs de goede hebben coaching nodig om beter te worden, maar de instructeurs besteden de meeste tijd aan de minder goede schutters. Onder SEALs is iedere prestatie onder expertniveau, de hoogste schutterskwalificatie bij de marine, *slecht*. Aan het begin van de middag wordt er met het M14-geweer geschoten.

'De M14 is een ouder wapen,' legt instructeur Ted Dimarco de klas uit. 'De leden van het SEAL-peloton van kolonel Couch hebben dit geweer in Vietnam gebruikt. We beschouwen het nog steeds als een uitstekend wapen. Tegenwoordig gebruiken we het vooral bij koud weer en in de woestijn. Het is degelijk, betrouwbaar en accuraat. In Afghanistan hebben veel SEALs het M14-geweer. Zowel de SEALs als de mariniers gebruiken het als een reservewapen voor hun sluipschuttersteams. De M14 vuurt kogels van het kaliber 7.62mm af, zoals we die ook gebruiken voor onze mitrailleur, de MK43. Die patroon heeft een zware uitwerking. SEALs zijn de enige operatieve eenheden die het M14-geweer als hun primaire wapen gebruiken, of op zijn minst als een van hun primaire wapens.'

De M14 en klas 2-02 zijn maar korte tijd samen – ongeveer veertig patronen de man. Volgens het schema gaat het om niet meer dan een oefening om vertrouwd te raken met dit wapen. De oefentijd is voor de trainees lang genoeg om te ontdekken dat het wapen een soepel trekkermechanisme heeft en dat de M14 het meest accurate wapen is waarmee zij in hun korte marineloopbaan hebben geschoten. Later die dag zijn ze terug met hun M4. Eerst wordt er ingeschoten op driehonderd meter. Dan is het tijd voor de stormloopoefening.

'Klaar op links? Klaar op rechts? De vijand nadert! Begin te vuren!'

Klas 2-02 laat zich plat op de grond vallen en er barst een reeks salvo's los die langs de rij schutters golft. De doelwitten, driehonderd meter verderop, zijn niet langer metalen plaatjes, maar menselijke silhouetten. De trainees krijgen vijfendertig seconden om twintig schoten te lossen. Will Gautier loopt op de rij toe een schopt lichtjes tegen de schoen van vaandrig Julio Garcia. De vaandrig zal straks tijdens de bestormingsoefening als pelotonsleider fungeren.

'Staakt het vuren!' beveelt hij.

'STAAKT HET VUREN!' brult de rij schutters.

'Omhoog!' roept Garcia.

'OMHOOG!' echoot de rij. De mannen verlaten de 300 m-linie en stormen naar voren.

Ze dragen hun H-gear met complete tweedelijnsuitrusting en volle veldfles. Onder het vuren en lopen verwisselen ze hun magazijnen en kijken naar rechts en naar links om de rij in rechte lijn te houden. Iedere patroon die in hun eerste magazijn van twintig scherpe patronen achterblijft, telt niet mee in de score. Achter de rij schutters lopen de instructeurs. Ze roepen aanmoedigingen en overtuigen zich ervan dat alles veilig verloopt. Zelf loop ik achter de instructeurs. De laatste keer dat de trainees met scherpe munitie een vijandelijke linie hebben bestormd, was tijdens Fase 3 van de BUD/S-training op San Clemente.

'Klaar!' roept Garcia terwijl hij de berm op tweehonderd meter nadert.

'KLAAR!' antwoordt de rij schutters.

'Neer!'

'NEER!'

Bij de 200 m-linie laten ze zich op een knie vallen en richten.

'Vuur!' brult Garcia en de tirailleerlinie opent het vuur. Dit keer hebben ze dertig seconden om hun magazijn van twintig patronen leeg te schieten. Opnieuw schopt Gautier licht tegen de schoen van Garcia.

'Omhoog – naar voren!' brult Garcia. De rij schutters herhaalt het commando en stormt naar voren.

Tijdens de stormloop blijven ze op de silhouetten vuren en verwisselen ze van magazijn. Bij de 100 m-linie blijven de trainees staan om vanuit de 'losse schiethouding' staande te vuren. Dit keer hebben ze vijfentwintig seconden voor het afvuren van alle twintig patronen.

Hierna krijgen ze van Gautier een minuut de tijd om hun uitrusting weer goed te hangen, de lege magazijnen vast te strippen en de volle gereed te maken voor nog meer schieten. 'Mooi, vaandrig Garcia – maai ze neer!'

'Vuur!' brult Garcia.

Opnieuw hebben ze vijfentwintig seconden per magazijn. Deze eerste stormloopoefening op de schietbaan van Pendleton wordt de *rattle-battle* genoemd. Hierbij wordt vanaf de 100 m-linie staande geschoten. Op die afstand lijken de silhouetten in hun ringvizier groot. Dit zijn de gemakkelijke doelwitten, waarbij iedere treffer meetelt.

'STAAKT HET VUREN!' Het bevel golft langs de rij.

'Klaar!' brult Garcia.

'KLAAR!' antwoordt de rij.

'Terug!'

'TERUG!

De trainees buigen naar rechts- of linksom af en rennen terug naar de 200 m-linie. Ook nu worden de magazijnen onder het lopen verwisseld. Dan wordt er vanaf de 200 m-linie vanuit de geknielde houding gevuurd, en nog een laatste maal vanaf de 300 m-linie vanuit lighouding.

'Dit is om ze voor te bereiden op de training in Camp Billy Machen en de IADs, de directe gevechtsexercities, daar. We willen ze zover brengen dat de vurende stormloop weer een gewoonte voor ze wordt terwijl er nog andere mensen aan het rennen en schieten zijn. Ze moeten allemaal zoveel mogelijk treffers boeken, maar ook aandacht schenken aan waar hun medetrainees zijn. In de woestijn voeren we dit verder op en deze makkers zullen merken dat het er daar heel wat sneller aan toegaat dan wanneer ze eenmaal bij hun peloton zijn.'

Nadat de trainees hun wapen hebben schoongemaakt, laat Gautier hen bij zich komen om kritiek aan te horen. Hij legt ze uit wat ze goed hebben gedaan en wat niet, en wat ze moeten doen om hun stormloop en schieten te verbeteren. Voor deze oefening is de minimumscore 60 treffers op het doelwit. Het merendeel scoort ruim boven de 80 treffers. Twee man van klas 2-02 komen in de buurt van respectievelijk 100 en zelfs 120 treffers.

'Iedereen heeft weer zes magazijnen van twintig patronen en de wapens zijn herladen? Mooi, we doen het nog eens over. Jullie weten nu wat er van je wordt verwacht en ik wil die scores omhoog zien gaan. Rechts klaar? Links klaar? De vijand nadert. Oké, Garcia, je bent zojuist geraakt. Waar is sergeant Jackson?'

'Ik ben hier, Will.'

'Jij hebt nu de leiding, Jackson. Breng deze gasten in actie.'

Sergeant Shawn Jackson rept zich naar het midden van de rij schutters en vaandrig Garcia neemt zijn plaats in op de flank.

'Klaar? Neer!' brult Jackson. 'Begin te vuren!'

De volgende morgen is er een nieuwe standaardkwalificatie van de marine. Nog meer rattle-battle; daarna wordt overgegaan tot oefeningen waarbij sluipschutters op bewegende doelen vuren. Dit keer bewegen alleen de doelwitten. Het is een oefening met steeds zwaardere eisen. Op de 100 m-linie moeten de schutters zeven doelen raken (vier bewegende en drie opklappende doelwitten) met niet meer dan zeven patronen. Een bewegend doelwit is een silhouet dat zich in wandeltempo van links naar rechts en vice versa verplaatst. Het silhouet (op een stok) wordt door een andere trainee van klas 2-02 in een loopgraaf over twintig passen verplaatst. Aan het eind van die afstand, of in geval van een treffer, 'valt het silhouet om'. Het andere doelwit is een silhouet op een stok dat een andere trainee slechts drie seconden omhoogsteekt als de sluipschutter vanaf de 100 m-linie vuurt. De schutter moet het klapsilhouet of het bewegende doelwit met één keer vuren raken. Hetzelfde gebeurt vanaf de 200 m- en de 300 m-linie, alleen is het klapsilhouet dan respectievelijk vijf en zeven seconden te zien. Het bewegende doelwit blijft op dezelfde manier bewegen.

'Ze missen zelden op honderd meter, maar naarmate de afstand toeneemt wordt het moeilijker voor ze,' legt instructeur Dimarco me uit. 'We leren ze bij de bewegende doelen op honderd meter op het midden van het silhouet te richten. Op twee- en driehonderd meter leren we ze richten op de voorste rand van het silhouet. De 5.56 mm-patroon is zo snel dat ze het doelwit nauwelijks hoeven te volgen. In de regel haalt iedereen de kwalificatie, tenzij ze te ongeduldig met de trekker omgaan omdat ze denken te weinig tijd te hebben.'

Alle achtentwintig leden van klas 2-02 kwalificeren zich voor deze test, die *snaps and movers* wordt genoemd. Ze moeten minimaal vijftien op een totaal van eenentwintig treffers scoren. Bijna de helft boekt twintig treffers en zes man haalt zelfs de maximale score. De laatste M4-kwalificatietest staat bekend als de *lane shoots snaps*.

Hierbij lopen de schutters in lange rijen van de 200 m-linie naar de 100 m-linie. Onderweg houden ze halt om op de opklapsilhouetten te vuren. Ook nu worden de eisen steeds zwaarder, maar iedereen haalt het. Sommigen scoren net het minimumaantal of iets meer treffers, anderen raken de silhouetten keer op keer. Tijdens de BUD/S blonken leden van de klas uit op grond van hun fysieke vermogens. Wie konden het hardst lopen of zwemmen? Wie scoorden de snelste tijd op de stormbaan? Tijdens de SQT gaat het om de beste vaardigheden. Wie zijn de beste en meest constante schutters? Wie kunnen het beste met kaart en kompas navigeren? De scores worden alle geregistreerd; hier worden reputaties gevestigd.

Op donderdag volgt de laatste Navy Qualification Course. Slechts vier trainees hebben de standaardmarinecursus niet gehaald. 'Dat zijn onze probleemkinderen,' legt Gordy Thomas uit. Hij is de verpleegkundige voor schutterstraining in Camp Pendleton, maar is bovendien gekwalificeerd scherpschutter en schietinstructeur. 'Het is eenvoudigweg een kwestie van meer tijd en meer zelfvertrouwen. Soms krijgen we iedereen waar hij moet zijn. Je hebt er af en toe een of twee die we niet kunnen bereiken. Iedereen die hier vertrekt, weet echter waarmee hij problemen heeft en wat hij moet doen om een betere schutter te worden. De bevelvoerend officier van een SEAL-team wil onder geen beding dat een van zijn SEALs niet het lintje voor de expert-geweerschutter of de expert-pistoolschutter heeft.'

Wij mij boeide, was de manier waarop Gautier, Thomas en de overige SQT-schietinstructeurs te werk gaan met de mindere schutters. Een van hen bestudeert de man terwijl hij schiet; de andere instructeur geeft aanwijzingen. Dit gaat zo een poosje door, tot hij een stap terugdoet voor overleg met een collega-instructeur en dan weer verdergaat. De tweede instructeur observeert eveneens de mindere schutter voor een poosje voordat *hij* de man begint te coachen. Iedere instructeur weet dat goed schieten berust op de juiste bewegings-coördinatie – maar hij weet ook dat hij wellicht niet in staat is het probleem van een schutter op te lossen, waar een andere instructeur dat wel voor elkaar krijgt. Bij iedere schutter met problemen gaan de instructeurs als teams te werk om 's mans scores op te vijzelen.

Die donderdagmiddag schieten de trainees voor de laatste oefening met hun M4. Deze keer is het een oefening waarbij gevuurd wordt op silhouetten op vijfhonderd meter afstand. Het gaat erom de SEAL-trainees ervan te doordringen dat zij een opponent met hun M4-geweer op meer dan 400 m kunnen raken. Ze hebben ingeschoten op 300 m. Om op een doel op vijfhonderd meter te vuren, hoeven ze de elevatieknop van hun achtervizier alleen van 300 m naar 500 m te draaien om raak te kunnen schieten. Niet iedere kogel raakt het silhouet, maar als klas scoren ze meer treffers dan missers. Een paar van de betere schutters schieten constant raak – op meer dan 400 m!

Op vrijdag, als het merendeel van de klas de barak aan kant brengt en de uitrustingen inlaadt voor de terugrit naar het Naval Special Warfare Center, zijn de vier schutters die zich nog niet hebben gekwalificeerd terug op de schietbaan. Twee van hen voldoen aan de expert-kwalificatie, de andere twee komen er heel dicht bij.

De strijd op korte afstand

'Zo ziet het er straks uit, mannen. Dit is het fundament van alles wat jullie deze week gaan doen gedurende jullie Close Quarter Defense-training of CQD. Let eens op de benen van sergeant-majoor Dalton – licht gebogen, klaar om snel naar voren – of iedere andere richting – te gaan. Zijn gewicht wordt gedragen door zijn hielen. Let op de stand van zijn armen – hij houdt ze – met de harde kant van zijn onderarmen en handen – voor zich om zijn gezicht en het midden van zijn borst te beschermen. In deze houding kan hij klappen afweren of opvangen en zijn vitale lichaamsgebieden beschermen. Dit wordt de veerkracht- en krachtpunthouding genoemd. Klaar, majoor?'

Dalton knikt. Sergeant-majoor Ray Dalton is niet groot van stuk, maar CQD-instructeur Jack Meyers, een fors gebouwde sergeant een, is bijna een meter negentig lang en hij weegt ruim honderd kilo. Hij loopt om Dalton heen en raakt hem met een reeks gemeenharde schoppen tegen zijn benen en romp. Dan duwt hij hem een paar keer hard weg en schopt hem opnieuw. Daltons voeten zijn voortdurend in staccatobeweging en hij vangt de klappen en trappen op. Hij komt met een ruk terug in de spronghouding, als een slang paraat om toe te slaan.

'Het lichaam kan veel hebben. De majoor zal hier een paar blauwe plekken en bulten aan overhouden, maar je hebt gezien dat hij niet is neergegaan; hij is nog steeds in staat om te vechten en zijn kracht te beschermen. Bedankt, majoor.' Dalton richt zich op en stapt opzij. 'Begrijp me goed, we zijn er niet op uit om klappen op te vangen zonder erop te reageren. Niemand zal jullie op deze manier te grazen nemen zonder dat hij er zelf flink voor zal moeten incasseren. Deze demonstratie was echter bedoeld je te laten zien dat je het een en ander kunt incasseren en toch nog van je af kunt bijten. We leren deze vaardigheden aan en trainen onszelf erin, zodat we – als het aankomt op een gevecht van man tegen man of als een of andere kloothommel kans heeft gezien te dichtbij te komen – wat klappen kunnen krijgen en toch het gevecht winnen. We zullen jullie ook laten zien hoe je agressief kunt zijn om je persoonlijke ruimte te beheersen. We mixen het hier een beetje. Er zal veel fysiek contact zijn. We zullen laten ondervinden hoe je je agressie kunt oproepen en weer terugschroeven. We gaan jullie tevens demonstreren hoe je als een krijgsman kunt knokken, gewapend of ongewapend, zij aan zij met je teamgenoten of, als het nodig is, ook alleen. Het enige wat we hierbij van jullie vragen, is je onverdeelde aandacht. Blijf gemotiveerd, oefen intensief. Jullie zullen deze week veel leren.'

Het instructieonderwerp is CQD, de strijd van nabij of het gevecht van man tegen man. Sergeant-majoor Ray Dalton is deze week belast met de training van klas 2-02. Zijn instructeurs trainen ook pelotons die zich voorbereiden op operationele inzet. Omdat CQD-training betrekkelijk nieuw is in de teams, heeft niet iedereen in de operationele pelotons deze ondergaan. Een van de BUD/S-instructeurs die vanuit het Center terug is in een operationele eenheid, voegt zich bij de klas. 'Ik heb deze training tijdens mijn laatste pelotonsvoorbereiding gemist,' vertelt hij me. 'Dit is een mooie kans om dat gemis in te halen.' Ray Dalton dient al ruim zestien jaar bij de marine en is vijf keer onder het NSW Command operationeel geweest, meestal als lid van SEAL-team Five. De overige vijf CQD-instructeurs zijn eveneens veteranen, met drie of meer operationele missies op hun conduitestaat.

De een week durende CQD-training is het populairste deel van de SQT, als we de commentaren van de cursisten mogen geloven. De meeste tijd wordt doorgebracht op de matten van de CQD-trainingshal. Deze en andere faciliteiten van de NSW-trainingen liggen op wat kilometers afstand van het Center, even ten noorden van Imperial Beach. Onlangs werd het Center de eigenaar van een voormalig communicatiecentrum dat in onbruik was geraakt (vier hectare groot), plus een paar kilometer westkust. De nieuwe aanwinst werd voortvarend in gebruik genomen voor de gevorderde SEAL-training. De trainingshal is geen sportdojo; de instructeurs en pupillen oefenen in hun camouflagebroek, T-shirt en soldatenkistjes. Tot voor kort is het gebouw in gebruik geweest als draaierij en machinebankwerkerij, en de rubbermatten op de vloer zijn van industriële kwaliteit. De trainees beginnen met de veerkracht- en krachtpunthouding – de lichaamshouding die sergeant-majoor Dalton in staat stelde de aanvallen van instructeur Meyers te weerstaan. Ze vallen uit naar voren en trekken zich terug en verplaatsen zich van links naar rechts en vice versa, behoedzaam en snel, terwijl ze hun beschermend-agressieve lichaamshouding in stand houden. De CQD-instructeurs zitten er bovenop: ze corrigeren en af en toe duwen of schoppen ze de trainees om hun bewegingscoördinatie te testen. Dit is een training met volop lichaamscontact, zowel voor de trainees als hun instructeurs. Vooraf hebben de trainees hun horloge en ring moeten afdoen en hun nagels moeten knippen. Na een aantal oefeningen waarin hun vermogen tot het handhaven van de veerkrachthouding wordt getest, moeten de trainees echt spitsroeden lopen: ze moeten tussen twee rijen mannen door die hen op alle mogelijke manieren proberen te stompen of te schoppen.

'Kom naar me toe! Kom naar mijn stemgeluid!'

'Sta op. Kom overeind!'

'Ellebogen naar binnen, handen op!'

'Kom naar mij toe!'

Tien trainees vormen de dubbele rij waar een van hun medetrainees doorheen moet. Het slachtoffer draagt een hoofdbeschermer die veel lijkt op het masker van de catcher op het honkbalveld en hij werkt zich tussen de twee rijen door naar voren. De trainees zijn uitgerust met stevige handbeschermers en ze raken hem waar ze maar kunnen. Hij komt met gesloten ogen naar voren, slechts gewapend met zijn afwerende armen en veerkrachthouding. Doordat zijn ogen dicht zijn, kan hij niet op de klappen en schoppen anticiperen – hij kan ze alleen maar opvangen. Zo leert hij de waarde en het nut van de veerkracht- en krachtpunthouding kennen. Een trainee wordt vaak tegen de grond geslagen (op de mat), maar het trappen en stompen gaat door. Hij moet niet alleen zijn waardigheid bewaren, maar ook zijn lichaamshouding. Keer op keer moet hij opstaan om de rest van deze beproeving te ondergaan. Aan het begin en het eind van de dubbele rij staat een instructeur. Ze geven aanwijzingen en moedigen aan, waarbij ze de stand van de armen en het lichaamsevenwicht van de trainee controleren. De SQT-trainees van BUD/S-klas 237 zijn al bijna negen maanden achtereen in training voor de SEAL-status. Dit is echter de eerste keer dat ze worden afgetuigd, soms hard genoeg om tegen de grond te gaan. Allemaal hebben ze builen op de onderarmen waarmee ze de klappen hebben afgeweerd, en hier en daar ook een schram. In de CQD-training wordt kracht aangewend, maar het grootste deel van die eerste trainingsdag is gewijd aan leren klappen op te vangen en de beschermende agressiehouding te handhaven. Het klinkt misschien wreed, maar het deed me goed om te zien hoe de SEAL-trainees elkaar onder handen namen – ze leerden klappen te incasseren en toch door te gaan. Dit was geen gevecht, maar ze werden gevoelig geraakt en dat zet ze aan het denken over hoe je moet vechten.

In de CQD-training gaat het ook om agressiebeheersing. Agressie is nodig in een gevecht, maar het moet gekanaliseerd zijn, en waar nodig worden getemperd. Tegen het eind van de eerste dag krijgen de trainees hun eerste 'bokslessen'. Twee trainees stappen een met plakband op de mat aangegeven rechthoek van 120 x 240cm binnen, slechts uitgerust met leren handschoenen en een beschermende helm. De oefening houdt in dat ze hun opponent uit de rechthoek moeten verdrijven met de op het hoofd gerichte klappen die zij hebben geleerd uit te delen vanuit de veerkrachtspositie. Dit is geen wedstrijdje in oorvijgen uitdelen: het is een minigevecht en agressie telt zwaar. De klappen worden toegediend met de harde zijkant van de hand. De vechters trakteren elkaar op een regen aan klappen totdat een van beide het veld moet ruimen. SEAL-trainees willen van nature en door hun training altijd winnen. Het kader deelt geen straffen uit aan de verliezers, maar het is nog steeds profijtelijk te winnen. Als jij verliest, gebeurt dat voor de ogen van je klasgenoten. Daarom zijn het verwoede gevechten van tien tot vijftien seconden, onder de luide bijval van de toeschouwers. Voor veel trainees is het een eerste echt gevecht, maar niet voor degenen die een vechtsport hebben beoefend of een moeilijke jeugd hebben gehad. Tot aan dit moment van hun SEAL-carrière en zeker in de SQT hebben de trainees een steile leercurve laten zien. Alles wat ze hebben geleerd, bestond echter uit fysieke training en formele militaire oefeningen: schieten, duiken, navigeren in een rubberbootje enzovoort. De CQD-training is een soort wekroep. Ze beginnen nu echt te leren vechten, vooral als het een strijd van man tegen man wordt.

De Close Quarter Defense-training is de schepping en het levenswerk van Duane Dieter. Zijn training voor het gevecht van nabij werd in 1995 in de teams geïntroduceerd en is sinds 1997 officieel. Zijn CQD-school heeft inmiddels al vijf jaar SEALs en hele SEAL-pelotons getraind. Het is een mengeling van krijgsmanskunst, vechten in commandostijl en de spirituele eisen die aan een echte krijgsman worden gesteld. SEALs doen veel dingen. Iedere nuttige techniek voor het man-tegen-mangevecht moet razendsnel kunnen worden aangepast aan de operationele omstandigheden waarin SEALs moeten werken. Zo'n techniek moet de gevechtskracht van SEALs vergroten en binnen een beperkte trainingsperiode tot een effectief wapen worden ontwikkeld. Aangezien SEALs in allerlei oorlogsomstandigheden effectief moeten kunnen opereren, moet iedere individuele SEAL in staat zijn om zijn innerlijke agressie op te roepen en weer te temperen. Dit laat klas 2-02 kennismaken met het begrip 'innerlijke krijgsman': de plicht en verantwoordelijkheid van iedere krijgsman om zijn agressie te beheersen en verantwoordelijkheid te nemen voor de kracht die hij aanwendt. En tot slot: omdat het strijd van nabij of gevecht van man tegen man wordt genoemd, is het op grond van de aard van SEAL-operaties primair een offensieve vaardigheid. In het gevecht van man tegen man moet de SEAL in staat zijn een opponent te raken, te verminken of te doden – of dat laatste nu juist niet te doen. De CQD-training in deze aanwending van 'passend geweld' is erop gericht aan de operationele eisen voor SEALs te voldoen. De instructeurs zijn alle gekwalificeerd door Duane Dieter: hun diploma zegt dat zij bevoegd zijn trainees de technieken bij te brengen.

Toch is de CQD-training niet zozeer een training in het gevecht van man tegen man, maar het is ook geen training in zelfverdediging. Het gaat erom de persoonlijke ruimte te beheersen en een tactisch gevecht te winnen. Tijdens de oorlog in Irak enterden SEALs een Iraaks vrachtschip in internationale wateren dat in volle vaart op weg was naar Iraanse territoriale wateren. Vermoed werd dat het schip wapens en andere verboden waar vervoerde. De deuren van de stuurhut waren vastgelast, zodat de SEALs via de ramen naar binnen moesten. De eerste man die in de stuurhut doordrong, was een jonge SEAL-officier, vanwege deze 'inbraak' slechts gewapend met zijn pistool. Plotseling zag hij vier Irakezen tegenover zich, die weigerden hun handen op te steken. Het was vier tegen één. De jonge SEAL sprong in de veerkrachthouding en liep naar voren. In de wetenschap dat hij zijn persoonlijke ruimte moest blijven beheersen, sloeg hij een van de Irakezen neer met de kolf van zijn pistool, en een tweede met een harde karateklap van zijn hand. Binnen de kortste keren staken de overige twee hun handen op. Zijn CQD-training had hem in staat gesteld zijn ruimte te beheersen met niet-dodelijke methoden.

De schijnbaar defensieve gevechtstactiek zonder wapen die tijdens de SQT wordt getraind, verschaft de SEAL een basis vanwaaruit hij in een gegeven situatie proportioneel geweld kan aanwenden.

Die eerste dag wordt er ongewapend getraind om de veerkracht-houding en manuele gevechtstechniek te oefenen. De rest van die week zijn de trainees uitgerust met hun primaire én secundaire wapen, dus het M4-geweer en het Sig Sauer-pistool, net als op de schietbanen van La Posta en Camp Pendleton. Ze dragen een deel van hun tweedelijnsuitrusting. Nu wordt het hanteren van de wapens gecombineerd met de veerkrachthouding. Tijdens deze trainingssessies onthalen de CQD-instructeurs hun pupillen met leren handschoenen op harde klappen om hun veerkrachthouding te testen terwijl zij hun wapen vasthouden, klaar om te vuren of toe te slaan. De vorige dag hebben ze alleen met de hand klappen uitgedeeld; vandaag trainen ze het toedienen van klappen met de loop van hun M4 of pistool. Een harde stoot met de loop van een M4 kan even dodelijk zijn als een kogel. Ook doen ze overgangsoefeningen vanuit een gewapende naar ongewapende houding – altijd klaar om klappen op te vangen of af te weren en zelf aan te vallen.

Iedere ochtend beginnen de CQD-trainingen met fysieke operationele veldtraining (Physical Operational Training of OPT), geleid door een instructeur. Eerst neemt hij met de klas een reeks rek- en draaioefeningen door om elk gewricht 'op te warmen'. Daarna markeren ze de pas, waarbij de knieën tot op borsthoogte worden opgetild. Nu beginnen de handbewegingen – korte, precieze en met kracht uitgevoerde stoten en klappen. Ze oefenen de armen en handen in allerlei aanvalsbewegingen vanuit de veerkrachthouding. Dit heeft tot doel hun kracht en explosiviteit op te voeren. Er worden ook push-ups gedaan op de zijkant van de handpalmen of op hun vuisten. Vanuit de eenarmige opdrukhouding verplaatsen ze in hoog tempo hun gewicht van de ene naar de andere arm en vice versa – links, rechts, links rechts – waarbij ze de mat trakteren op een harde klap. Er worden 'kruiwagenraces' gehouden, waarbij de trainees zich met de harde zijkant van de handen over de mat verplaatsen. Het gros van de bewegingen bestaat uit korte gevechtsklappen, erop gericht om hun kracht op te voeren en tegelijk hun vermogen om doelgericht kracht aan te wenden te verbeteren. 'Dagelijkse fysieke training is een integraal deel van het leven als SEAL,' houden de instructeurs hen voor. 'Waarom zou je dan niet je fysieke trainingen benutten om jezelf tot een sterkere en effectievere krijgsman te ontwikkelen?'

Dit is een geweldige training,' verzekert een van de officieren van klas 2-02 me. 'Onze klas is nog niet zo in zijn element geweest en we hebben niet eerder zo'n hechte groep gevormd – de jongens lusten er wel pap van. Volgens mij heeft iedereen waardering voor het concept "de innerlijke krijgsman" dat we hier ontwikkelen. Het gaat erom het noodzakelijke niveau van agressie in de tactische situatie op te roepen. Er is een tijd om aan te vallen en een tijd om te vuren, maar als die beslissing gevallen is of als de slechteriken dat voor jou hebben gedaan, ga je het gevecht aan met proportioneel geweld óf je schiet om te doden.'

In de CQD-training worden twee volle dagen besteed aan gevangenenbeheersing. Niet iedereen hoeft te worden gedood en niet iedereen verdient de dood,' houdt instructeur Jon Rhodes klas 2-02 voor. Hij is de leidinggevende onderofficier voor CQD-training en een begaafd instructeur. Hij heeft een zachte stem, kent zijn zaakjes en is op en top een professional. 'Sommige mensen geven het al op zonder zich te verzetten, andere geven het pas op als het gevecht verloren is. Die mensen zijn tot op zekere hoogte makke schapen. Het niveau van meegaandheid bepaalt de zwaarte van het toe te passen geweld. Je moet ze goed in bedwang kunnen houden terwijl je jezelf en je teamgenoten beschermt. Je past niet meer geweld toe dan ze verdienen. Ook nu is iedere situatie verschillend en heb je een drievoudige test: hoe groot is je gevechtskracht, hoe groot is die van de tegenstander die je onder de duim probeert te houden, en wat is de tactische situatie? Je zou zo denken dat de bemanning van een neutraal koopvaardijschip dat je entert op verdenking van contrabande zal verschillen van een paar Al-Qaïda-hufters die je in Afghanistan uit hun hol trekt. Ga je anders met ze om? Begrijpen jullie wat ik bedoel? Het gevaar zal vaak het geweldsniveau dicteren.'

We gaan jullie gevangenenbeheersing van man tot man leren, maar onthoud dat je dit altijd met een teamgenoot of zelfs meerdere teamgenoten moet doen. Een van je maten wordt met zijn wapen permanent bij de hufter geposteerd om hem onder schot te houden. Maar terwijl je de man in bedwang houdt en fouilleert, moet je steeds klaar zijn om te reageren, al is hij nog zo meegaand en doet hij alles wat je hem opdraagt. Je neemt niets als vanzelfsprekend aan! Als de man zich abrupt op je stort, moet je meteen je agressie kunnen oproepen. We zullen demonstreren hoe je een gevangene effectief in bedwang houdt en hoe je het pijnniveau opvoert als hij mocht denken dat hij er genoeg van heeft en ergens anders heen wil.'

De klas leert hoe ze krijgsgevangenen onder controle kunnen houden. Het wordt omschreven als *The Four Ss*: (*Seal, Stabilize, Secure, and Search*). *To seal* (immobiliseren) is een houdgreep die de SEAL in staat stelt de gevangene in bedwang te houden en een tegenstribbelende man desnoods veel pijn te doen. De trainees leren verschillende houdgrepen. Een 'gestabiliseerde' gevangene is er een die in een specifieke houding plat op de grond ligt, met het gezicht naar de grond: hij doet exact wat hem gezegd wordt en wordt door een tweede SEAL in de houdgreep gehouden om zijn medewerking af te dwingen. Vervolgens leren de trainees hoe ze een gevangene naar behoren in de boeien moeten slaan, waarbij de controle over hem in stand blijft. Dit heet *secure the prisoner*. Tot slot leren ze hoe een geboeide gevangene moet worden gefouilleerd, waarvoor diverse manieren bestaan. Gedurende de hele Four Ss-procedure moet de SEAL erop voorbereid zijn zo nodig het pijn/agressieniveau aan te passen aan het verzet van de gevangene: zijn 'verdiende loon'. Ook moet hij erop voorbereid zijn snel los te laten en zo nodig te vechten als de tactische situatie dat rechtvaardigt.

'Je kunt met zo'n kerel geen worstelwedstrijd aangaan,' zegt Rhodes. 'Als je hem niet goed in de houdgreep kunt nemen om hem in bedwang te houden, laat je los en stapt achteruit terwijl je een agressieve lichaamshouding in stand blijft houden. Blijf in de goede veerkrachthouding en lijn je wapen uit. Neem afstand van het gevaar als je het niet volledig kunt beheersen. Als hij nog steeds denkt verzet te kunnen plegen, is hij nu een kandidaat voor een aanval met een wapen of een karateklap, uit te voeren door jezelf of je maat. Als hij besluit de situatie te escaleren door zelf een wapen of mes te trekken, heeft hij zojuist een kogel verdiend. Houd altijd voor ogen dat de ernst van het gevaar het geweldsniveau dicteert. Als hij doet wat hem gezegd wordt en meegaand blijft, overkomt hem niets. Hij mag zelf kiezen. Daarentegen moet jij altijd jezelf en je teamgenoten beschermen.'

De trainees en hun partners doen de ene oefening in het beheersen van krijgsgevangenen na de andere om deze vaardigheden te trainen. Ze leren hoe ze gladjes van de rol van schutter in die van gevangenbewaarder moeten overgaan, al moeten ze van het ene moment op het andere weer kunnen deelnemen aan een vuurgevecht. Het merendeel van de training wordt gedaan met teams van twee man, waarbij de ene trainee de rol van SEAL vervult, terwijl zijn trainingspartner de rol van de gevangene speelt. De kwaliteit van de training is sterk van de laatste afhankelijk. De gevangene moet de vereiste hoeveelheid verzet bieden en kan tevens de SEAL coachen. Tevens fungeert hij in deze training als het brandpunt voor de agressie en het toegepaste pijnniveau. Het is menens en de trainingpartner die de gevangene speelt moet degene die de SEAL-rol vervult vaak aftikken of luid *rood!* schreeuwen als de pijn te hevig wordt.

'Praat met elkaar,' houdt Jon Rhodes hun voor. 'Als je de SEAL speelt, moet je je ervan overtuigen dat het met je partner in orde is. En gevangenen, laat je partner weten hoe hij het doet. Je voelt vanzelf of zijn houdgreep goed is of niet. Laat hem ook weten of hij het iets rustiger aan moet doen. We bezorgen elkaar hier pijn en ongemak; te veel pijn is slecht, maar een beetje ongemak kan ermee door.'

Dalton en zijn instructeurs dwalen tussen de oefenkoppels door. Ze doen voor, geven aanwijzingen en overtuigen zich vooral van de veiligheid van deze training. Na de man-tegen-manoefeningen trainen hun pupillen de technieken voor gevangenenbeheersing in een team van drie of vier man, waarbij ze te maken krijgen met tegenstribbelende gevangenen. Deze trainees dragen hun helm en kogelwerende vest en weigeren te doen wat hun wordt opgedragen, of ze bieden zorgvuldig geïnstrueerd verzet. Vaak dragen ze verborgen wapens of een mes van rubber bij zich.

'Op de grond liggen! Gezicht omlaag, op de grond! NU!'

Ze zijn met vier man en houden hun wapens gericht op de gevangene. Die laat zich op zijn knieën vallen.

'Op de grond, gezicht tegen de grond!' Hij doet wat hem gezegd wordt.

'Omrollen. Nog eens! Kruis je benen en druk je handen boven je hoofd tegen de grond. Wend je gezicht af!' De gevangene werkt mee – tot nu toe.

Het team sluit de man in. Twee geven dekking terwijl de andere twee naar de gevangene stappen. Nog voordat ze hem goed hebben kunnen boeien, gaat hij in de aanval.

'Los!' roept de trainee die de gevangene in bedwang moet houden. De twee mannen die zich over de gevangene hebben gebogen springen op en nemen weer de veerkrachthouding aan. Binnen enkele seconden is de zo-even nog zo meegaande gevangene op de been, maar opnieuw ziet hij vier wapens op zich gericht. Hij stapt op een van zijn kwelgeesten toe, maar wordt met een stoot van een loop tegen zijn door plexiglas beschermde gezicht voor zijn lef beloond. Hij gaat hard neer, precies zoals hij zou hebben gedaan zonder hoofdbescherming en kogelwerend vest. In een mum van tijd hebben twee trainees hem weer in de houdgreep. Ze doen hem de boeien om, fouilleren hem en slepen hem weg.

'Einde oefening! roept Meyers. De actie stopt. 'Alles goed met je?' De trainee die de verzet biedende gevangene heeft gespeeld, doet zijn hoofdbescherming af en knikt. Zijn gezicht is rood van inspanning. Het is geen kleinigheid om tijdens een CQD-training een gevangene te moeten spelen. Het is echter niet de bedoeling zachtzinnig op te treden: een goede training gaat gepaard met wat pijn en ongemakken.

'Goed gedaan,' verzekert Meyers de groep. 'Twijfelt iemand eraan dat deze man zijn verdiende loon kreeg? Betwijfelt iemand dat Daniels, als hij zijn hoofdbescherming niet had gedragen, knock-out zou zijn gegaan en pas met boeien om in een detentielocatie zou zijn bijgekomen? En jullie, die de gevangene in bedwang moesten houden en bewaken, hebben uitstekend werk geleverd. Toen hij zich tegen jullie keerde, namen jullie meteen afstand van het gevaar. Vergeet niet om tijdens de training met elkaar te praten. Iedere situatie is anders. Praat er samen over: op die manier wordt de samenwerking steeds beter. Mooi, nu verwisselen we van rol en doen het nog eens over.'

Tijdens de Four Ss-training moeten de instructeurs hen diverse keren waarschuwen voor dingen die ze misschien ooit op de televisie hebben gezien. Een gevangene opdragen zijn op de grond liggende wapen weg te schoppen of je een wapen te overhandigen dat hij aan de vingers van zijn linkerhand heeft hangen, is Hollywood-onzin. In werkelijkheid draait alles om het herkennen van gevaar, dat gevaar minimaliseren en de situatie beheersen.

Op de laatste dag worden alle onderdelen geïntegreerd. Dit keer wordt de rol van de gevangene vervuld door kandidaat-SEALs die nog op het begin van hun Indoc en BUD/S-training wachten. Het is geen gemakkelijke klus en het zijn allemaal vrijwilligers. Ze dragen hun volledige lichaamspantser en beschermende hoofdbedekking. Ze dragen allerlei soorten kleding over hun lichaamspantser om te doen alsof ze de bemanningsleden van een koopvaardijschip zijn, of een stelletje woestijnguerrilla's. Sommigen zijn gewapend, hetgeen betekent dat ze terug kunnen schieten, anderen niet. In iedere situatie komt het gevaar uit een andere hoek, wat de CQD-trainees dwingt om er op passende wijze op te reageren, volgens de vooraf bepaalde regels voor oorlogvoering. Sommige situaties vragen om zelfbeheersing; andere om dodelijk geweld. De CQD-trainees krijgen een scenario op en hun wordt een paar minuten de tijd gegund om de regels voor oorlogvoering die in de actuele situatie van kracht zijn te bestuderen. Dan gaat het spel op de wagen, hoewel het beslist geen spelletje is als de CQD-trainees een deur intrappen en een ruimte bestormen. In de arena hebben ze slechts een fractie van een seconde om te reageren. Wat is het gevaar? Hoeveel geweld is noodzakelijk? Het meegaandheidsniveau van de 'gevangenen' varieert van woedende protesten tot het trekken van een wapen om terug te schieten.

De factor die deze trainingen zo realistisch en waardevol maakt, wordt *simunitions* genoemd. Een 'simulatiekit' bestaat uit Sig Sauerpistolen en M4-geweren waarvan de patroonkamer is uitgeboord en de loop is vervangen – dat alles voor het afvuren van 9 mm-verfpatronen. Het zijn echter geen 'recreatiewapens', maar dezelfde wapens waarmee de SEAL-trainees zich in La Posta en Camp Pendleton hebben gekwalificeerd. Het enige verschil is de dodelijkheid van de patronen. De vuurkracht blijft gelijk. De trainees dragen maskers, maar de patroonlading bijt evengoed als ze op een blote arm op romp terechtkomt. De trainees gebruiken al hun technieken: karateklappen, slagen met de wapenkolf en vuren op het doel. Ze moeten in een vijandige omgeving gevangenen in bedwang houden en de situatie blijven beheersen. Bovendien wordt er op ze geschoten, waarbij ze soms worden geraakt. Elk trainingsscenario is een afspiegeling van een bepaald aspect van een reële SEAL-operatietaak. Iedere situatie is erop berekend hun vaardigheden op de proef te stellen en een beroep te doen op alle gevechtstechnieken die ze voorgaande vier dagen hebben getraind. De CQD-trainees moeten hun hersens gebruiken, maar als er geen tijd is om na te denken, reageren ze op de manieren die ze hebben geoefend. Het is realistisch vechten en hun lichaam wordt overspoeld door emoties en adrenaline. Tegen het eind van de CQD-training heeft elk lid van klas 2-02 klappen uitgedeeld en geïncasseerd, ervaring opgedaan met ongewapend vechten en deelgenomen aan een vuurgevecht. Ze zijn het er allemaal over eens dat dit de boeiendste training is geweest die ze hebben gekregen sinds ze dienst bij de marine hebben genomen.

'Jullie hebben allemaal uitstekend gewerkt,' verzekert Jon Rhodes hun. De leidinggevende CQD-onderofficier geeft klas 2-02 een laatste briefing, maar sergeant-majoor Dalton is er ook bij. 'Jullie zijn in korte tijd ver gekomen. We hebben veel lesmateriaal behandeld. Denk erover na en train er verder in als dat maar even mogelijk is. Je zult er straks wat inspanningen en tijd in moeten investeren om vaardig te worden in deze gevechtstechnieken. Jullie hebben echter gezien dat het werkt, nietwaar? Ook als je straks bij je peloton bent, kom je hier nog terug voor verdere training. Hoe meer je ze oefent, hoe beter je in deze vaardigheden wordt. En je zult ze nodig hebben – aan boord van een of ander schip, of in een afgelegen dorp waar een terroristenbende zelf wordt opgeleid. Knoop dit in je oren: zorg dat je de situatie onder controle hebt en het gevaar minimaliseert. Neem het initiatief. Laat je niet door de een of andere hufter overbluffen. Roep je agressie op als dat nodig is en schroef haar terug zodra dat kan. Als je het gevaar kunt bezweren, kun je misschien vermijden dat je iemand moet doden die niet per se dood hoeft. Vergeet nooit dat je zelf verantwoordelijk bent als je die kogels afvuurt en iemands licht uitdoet. Je zult je voor de acties die je onderneemt moeten verantwoorden. Dat is geen geringe verantwoordelijkheid. Dankzij deze training heb je een betere keuze. Je zult meestal in staat zijn de situatie te beheersen, zodat je niemand het leven hoeft te benemen. Laat je opponent de keuze maken. Maar luister goed: als een slechterik een bedreiging is voor jou en je teamgenoten en hij wil niet anders, dan schiet je en blijf je dat doen totdat hij dood is. Aarzel niet, net als in de scenario's die ieder van jullie heeft doorgewerkt. Ze krijgen wat ze verdienen – niet minder, maar ook niet meer.'

'Majoor?'

Sergeant-majoor Dalton spreekt de klas een laatste maal toe. 'Wij zouden graag zien dat jullie straks wat tijd besteden aan het leveren van commentaar op deze cursus. Wees specifiek. Wij lezen het allemaal en leren ervan. Als er een manier is om deze training te verbeteren, zal de volgende klas zijn voordeel doen met wat jullie erover hebben gezegd. We wensen jullie veel geluk bij de rest van de SQT en uiteraard ook veel geluk straks in de teams.'

Die vrijdagmiddag keren de mannen van klas 2-02, nadat ze hun wapens hebben schoongemaakt en de slaapbarak aan kant hebben gemaakt, terug naar het SQT-gebouw waar ze in de trucks klimmen voor verdere training in Camp Billy Machen.

In de woestijn

'Het gaat jullie bevallen, daar in Bill Machen,' verzekert Henry Dega klas 2-02 tijdens de voorbereiding op de woestijntraining. 'Het lijkt veel op Camp Al Huey op het eiland San Clemente, waar jullie in

Fase 3 van de BUD/S hebben getraind. Je vindt er alles wat voor de SEAL-training nodig is, maar niets van de afleiding die je hier op The Strand tegenkomt. De schietbanen zijn vlakbij en er is ongelimiteerde ruimte voor oefeningen in schieten, patrouilleren en het werken met springladingen.' Dega geeft ze een lijst van dingen die ze aan hun eerste-, tweede- en derdelijnsuitrusting moeten toevoegen, plus de aanvullende uitrusting die ze nodig zullen hebben voor een trainingsperiode van drie weken in Camp Machen. 'Over het eten hoef je niet in te zitten,' beweert Dega. 'We eten daar als vorsten.'

Camp Billy Machen, de faciliteit voor woestijntraining van het Naval Special Warfare Center, ligt circa 220 km ten oosten van San Diego. De faciliteit maakt deel uit van het oefenterrein voor schietoefeningen van de luchtmacht: de Chocolate Mountain Aerial Gunnery Range. Alleen al het SEAL-gedeelte heeft een oppervlak van 170 km² aan woestijn en bergachtig oefenterrein. Het is een droge, dorre en onbewoonde streek, waar alleen een paar wilde ezels leven, en soms ook een illegale schrootverzamelaar. De SEALs doen hun best de ezels en de schrootverzamelaars niet te raken. De wilde ezels leven van de woestijnstruiken en de af en toe stromende waterloopjes in de woestijn. De schrootverzamelaars zijn 'woestijnratten' van de menselijke soort, die alle waarschuwingsborden negeren en het volledig omheinde oefenterrein binnendringen om schroot te verzamelen van de talloze aan flarden geschoten voertuigen die als doelwitten fungeren. Het terrein lijkt veel op dat van Centraal- en Zuid-Afghanistan en Centraal-Irak. Vanwege de Chocolat Mountains op de achtergrond vertoont het landschap ook veel overeenkomst met een aantal woestijnnaties in het Midden-Oosten en Centraal-Azië.

Het oefenkamp is genoemd naar sergeant Billy Machen, de eerste Navy SEAL die in actie is gesneuveld, tijdens een militaire operatie in Vietnam. Al sinds 1966 komen alle SEALs hierheen om te trainen. Zelf ben ik met mijn peloton van SEAL-team One hierheen gegaan ter voorbereiding op onze inzet in Vietnam, in 1970. Destijds bestond het kamp, dat nog niet naar Billy Machen was vernoemd, uit een reeks van overtollige mobilhomes die als slaapbarak en wapenopslagplaats werden gebruikt. Je sliep er nauwelijks beter dan gewoon op de grond, vooral 's zomers, als de temperatuur daar geregeld de 40 graden overstijgt. In de regel werd er 's nachts getraind en zaten we overdag in de schaduw, proberend koel te blijven. Destijds was er ook geen airconditioning. Tegenwoordig is dat allemaal sterk veranderd, dat wil zeggen, het kamp zelf, niet de temperaturen.

Camp Billy Machen heeft een ingrijpende transformatie ondergaan sinds die Vietnamtijd en die roestige stacaravans. Het moderne gebouw heeft een vloeroppervlak van 4600 m² met slaapzalen, instructielokalen, wapenkluizen en een cafetaria. In de naaste omgeving staat een loods voor wapenreiniging, er is een vlak terrein voor het prepareren van springladingen, en er is een speciaal daarop berekend gebouw voor munitieopslag met airconditioning. Het geheel heeft veel weg van een Amerikaans junior college, met dien verstande dat ze hier leden van speciale operationele eenheden dodelijke disciplines leren. Voor de leden van klas 2-02 is het trainingsprogramma zwaar. Ze trainen hier veertien tot zestien uur per etmaal en zeven dagen in de week, onder uiterst zware omstandigheden. Als ze echter terugkomen van de schietbanen en zware veldtrainingen, vinden ze hier een onderkomen met airconditioning, warm eten en een aangename slaapruimte. In Camp Billy Machen trainen SEAL-pelotons van zowel de oost- als westkust, maar uiteraard is het voor de SEAL-pelotons van de westkust een primair oefenterrein voor tactische training. Gelet op de huidige focus op Afghanistan, Irak en het zware terrein waarin de leden van Al-Qaïda zich vaak verborgen houden, is het een intensief benutte oefenfaciliteit.

De drie weken durende woestijntraining is een belangrijk bestanddeel van de SQT en de weg naar de Trident. Het is zowel voor individuele trainees als voor de hele klas een veeleisende trainingsstage, waarin zij blijk moeten geven van teamwork, een evenwichtig oordeel en fysiek uithoudingsvermogen. Eerdere klassen hebben de roep van het kamp al verbreid: in Camp Billy Machen beleef je meer plezier en moet je harder aan de bak dan tijdens iedere andere training die je hebt meegemaakt. In het kamp arriveren tweeënvijftig jonge kerels van SQT-klas 2-02 voor de training. Dat zijn er twee minder dan in het begin van de SQT. Eén man heeft tijdens de CQD–training zijn duim gebroken; de tweede liep op de stormbaan een gebroken arm op. Ze hebben allebei dat lichaamsdeel in het gips en worden straks toegevoegd aan SQT-klas 3-02.

Tijdens de eerste week in Camp Billy Machen is klas 2-02 op de schietbaan te vinden voor verdere wapentraining. Het eerste wat ze doen, is het inschieten van hun M4. Dit zullen ze steeds opnieuw moeten doen als ze eenmaal in hun operationele peloton zijn. Allerlei dingen kunnen het vizier van een wapen verstoren, zoals schokken tijdens vervoer, hoogteverschillen en schommelingen in de vochtigheidsgraad en temperatuur in het operatiegebied. In het SEAL-peloton zullen ze ook keer op keer hun laservizier, optisch vizier en ijzeren vizier moeten bijstellen. Een SEAL, zo krijgt hij voortdurend te horen, krijgt de tijd niet om te mikken, hij moet ráák schieten. Geen enkele SEAL voelt zich op zijn gemak als hij niet weet dat zijn wapen ingeschoten is en dat hij doelwitten kan raken. Als het even kan, neemt hij de tijd om zijn geweer in te schieten en te kalibreren. Als hun primaire wapens in orde zijn, beginnen de trainees aan een reeks instructieblokken. Ze worden vertrouwd gemaakt met de M79- en de M203-granaatwerper, de AK-47 en de .50-mitrailleur. Met de M79 en de M203 kunnen 40 mm-granaten worden afgevuurd, over afstanden tot 300 m. Dit is een aanzienlijke versterking van de vuurkracht en veelzijdigheid van een SEAL-eenheid. De schutters kunnen kiezen uit granaten met grote explosieve kracht (*high-explosives*), raketgranaten (flechettes), CD-gasgranaten en lichtkogels. De SEALs zien het M4-geweer en de M203-granaatwerper als een gecombineerd wapensysteem. Met de M4 kunnen ze een doelwit rechtstreeks onder vuur nemen; met de M203 indirect. De AK-47, met zijn herkenbare kromme magazijn en houten greep en kolf is het meest geproduceerde lichte vuurwapen ter wereld. Dit is het favoriete wapen van Al-Qaïda en bergstammen overal in Centraal-Azië. De zware .50-mitrailleur is misschien wel het dodelijkste schootsveldbestrijkende wapen voor statische verdediging ter wereld. Dit wapen bestaat al sinds 1926! Ook de SEALs van mijn generatie hebben deze mitrailleur in Vietnam gebruikt. Wapens als de zware .50 en de AK-47 behoren niet tot het arsenaal van de SEALs, maar ze zijn op nagenoeg elk slagveld te vinden. De trainees moeten er niet alleen mee leren vuren, maar ze moeten ook in staat zijn ze uit elkaar te halen, schoon te maken en weer te assembleren.

De MK43- en MK46-mitrailleur zijn recente toevoegingen aan het SEAL-arsenaal. Het zijn allebei volautomatische, schootsveld bestrijkende wapens. Een SEAL-element bestaat dikwijls uit een squad van acht man. Twee van hen kunnen zijn uitgerust met een automatisch wapen. Afhankelijk van de aard van de missie dragen de 'AW-mannen' een combinatie van deze twee wapens. De MK43 is een doorontwikkeling van de eerbiedwaardige M60, ontworpen als een wapen voor twee man, dus met een schutter en assistent-schutter. In Vietnam namen de SEALs de standaard-M60 en modificeerden dit wapen voor SEAL-missies. Ik weet nog goed hoe mijn .60-schutters hun standaardmitrailleur aanpasten: ze verwijderden de kolf, zaagden de loop af en vijlden metaal van het frame om gewicht te besparen. Op die manier kon het wapen door één patrouillelid worden gedragen en afgevuurd. Dit alles werd gedaan om één reden: de 7.62 mm-patroon. De lichtere 5.56 mm-patroon van het M4-geweer verhoudt zich tot de 7.62-patroon als de Boeing 737 tot de Boeing 747. En als de M60 spreekt, luistert iedere schutter die deelneemt aan het vuurgevecht. De MK43 is precies wat de vroegere SEALs van de M60-mitrailleur wilden. Het wapen is betrekkelijk licht – het weegt ca. 12,5 kg en heeft een patroonband met 100 patronen. Er wordt vanaf de schouder mee gevuurd en vuurt de 7.62 mm-patronen af in een tempo van maar liefst 600 per minuut! De MK46, de SEAL-versie van het aanvalswapen van stormtroepen van de landmacht, heeft ook een voorouder uit de Vietnamtijd, de legendarische Stoner-mitrailleur. Zowel de M46 als de Stoner worden gevoed met patroonbanden – waarvan de schakels onder het vuren elkaar loslaten – maar de patronen zijn kleiner van kaliber: slechts 5.56 mm in plaats van de 7.62 mm van de MK43. De 'Zaag', zoals de SEALs dit wapen noemen, weegt nog geen 9 kg en de patroonband heeft 200 patronen. Vergelijk dit met het gewicht van het geladen M4-geweer (3,4 kg). De Zaag is veel betrouwbaarder dan de oude Stoner. Zelf droeg ik een Stoner die me nooit in de steek heeft gelaten, maar veel SEALs van mijn generatie hebben het nog over het misselijkmakende gevoel dat je kreeg als je de trekker van de Stoner overhaalde en er niets gebeurde.

Delen van de klas doorlopen om beurten de wapenstations en iedereen krijgt de kans zich met elk wapen goed vertrouwd te maken. Op elk schietbaanstation is een SQT-instructeur bij de hand om aanwijzingen te geven en toe te zien op de veiligheid. Al deze oefeningen om vertrouwd te raken met deze wapens leiden onder de mannen tot gesprekken over het wapen dat zij het liefst zouden dragen als ze eenmaal deel uitmaken van een SEAL-peloton.

'Ik kies voor de *Pig*,' vertrouwt een van hen me toe; hij wil het liefst een MK43 dragen. De man met de MK43 wordt nog steeds M60-schutter genoemd en het wapen heeft de bijnaam 'de Pig' verworven. 'Hij weegt wel wat, maar het is het belangrijkste wapen van een squad.'

'Geef mij maar de Zaag,' zegt een ander. 'Een gemakkelijk te hanteren lichte mitrailleur – heel stabiel. Dat wapen heeft mijn voorkeur.' De SQT-instructeurs weten best dat deze mannen straks in hun peloton als groentjes worden beschouwd en dat de wapenkeuze wordt gedicteerd door de noden van het peloton en, uiteraard, de wapenkeuze van de ouwe hap in het peloton. Het kader zwijgt hier echter over en gunt ze het plezier van het moment. Toch zullen veel SQT-trainees bij hun eerste operationele missie de Zaag of de Pig dragen, misschien zelfs bij hun eerste vuurgevecht.

Na drie dagen trainen met de mitrailleurs, granaatwerpers en de AK-47 neemt de klas weer de M4 ter hand, dit keer met losse flodders. Het is ook tijd voor meer medische oefeningen. Ze patrouilleren in groepen van tien man door het terrein rondom het kamp en worden onder vuur genomen door in hinderlaag liggende instructeurs die met losse flodders schieten. Medisch korpsman Gordon Thomas vergezelt de trainees en wijst telkens iemand aan die 'neer is gegaan'. De trainees moeten dan het vuur beantwoorden en oefenen in wat er moet gebeuren met kameraden die niet meer aan de strijd kunnen deelnemen. Ze trekken zich terug in de oude golfplaatbarakken die ooit in Camp Billy Machen als slaapbarak hebben gediend. Hier worden de 'gewonden' behandeld, terwijl de instructeurs deze barakken bestormen met losse flodders en gesimuleerd artillerievuur – wat altijd gepaard gaat met massa's rook en veel kabaal. Dit creëert een verbazingwekkend authentiek geraas en gepingpong van kogels en de krakende explosies van mortieren. Realistischer kan niet, zonder scherpe munitie en dito mortiervuur. Het effect – zoniet het gevaar – is wat de Rangers destijds in Mogadishu hebben meegemaakt. De groep trainees moet de gewonde uit de barak voor evacuatie overbrengen naar het helikopterplatform. Onderweg worden ze opnieuw door de instructeurs aangevallen. Ze doen het vanuit een voertuig – ze beschieten de trainees in het voorbijrijden met losse flodders uit automatische wapens. Het SQT-kader zit in de laadbak van een Toyoto-pickup-truck en heeft de grootste lol: de instructeurs voelen zich een groep Somalische terroristen. Het resulteert in nog een gewonde. Nu moet de groep het hoofd blijven bieden aan vijandelijk vuur, voor de twee gewonden zorgen en toch vorderen naar de evacuatieplaats. De gewonden worden geëvacueerd in pickup-trucks die voor helikopters moeten doorgaan, maar de verzorgers moeten de gewonde mannen blijven behandelen en stabiliseren, met inbegrip van het aanleggen van een infuus terwijl ze in de laadbak van de truck woest op en neer schudden.

Deze gewondenoefening is een uitbreiding van de training die Thomas hen al tijdens hun eerste week SQT heeft laten doen. De oefening had een scène kunnen zijn uit de strijd in Mogadishu of ergens op een weg naar Bagdad, maar staat in feite voor iedere derdewereldsituatie waar het bloedheet en stoffig is en de dingen zich snel voltrekken. Het zet de SQT-trainees aan het denken over strijd voeren, verplaatsingen doen en gewonden verzorgen – allemaal tegelijk. Op vrijdagochtend krijgt klas 2-02 zijn eerste geklokte trainingssessie: de gevechtsstormloop (Combat Stress Course of CSC).

'Klaar… Maai ze neer!'

De eerste trainee rent met zijn M4 voor de borst over de woestijngrond. Hij draagt zijn eerste- en tweedelijnsuitrusting, klaar voor de strijd. Bij het eerste schietbaanstation lost hij vijf schoten in stahouding, en meteen rent hij verder. Onderweg verwisselt hij zijn magazijn. Bij station twee lost hij opnieuw vijf schoten en nog eens bij station drie, beide keren van achter een barricade. Hij rent verder en verwisselt intussen zijn magazijn. Met zijn wapen aan de schouder rent hij langs pennen die in zigzagformatie in de grond zijn gedreven, waarna hij een verzwaarde tractorband over een afstand van vijftien meter versleept. Dan gaat het rennend een helling op naar station vier, waar hij neerknielt voor nog eens vijf schoten. Dan rent hij omlaag naar een droge waterbedding, om een marker heen, en weer de helling op naar station vijf, waar hij zijn M79 laadt en een 40 mm-granaat afvuurt. Meteen stormt hij verder. Bij station zes, eveneens een vuurpositie, moet hij onder een muur door duiken en in de vuurhouding springen om schoten te lossen. Daarna moet hij weer onder de muur door terug, en dan onder prikkeldraad door naar station zeven. Hier moet hij een oefengranaat naar een doelwit lobben. Station acht, een M4-vuurpositie, is hiervandaan nog een korte ren, en vandaar kan hij naar de finish sprinten.

De stormloop wordt geklokt, waarbij seconden worden afgetrokken voor gemiste M4-doelen, verkeerd terechtgekomen granaten en onveilige of onjuiste manoeuvres. De juiste procedure telt zwaar: elk wapen moet na het lossen van schoten worden gezekerd, tot en met de laatste vuurpositie, station tien. Voor de SQT-trainees is dat al bijna een automatisme geworden – maar in de haast om een goede score te boeken vergissen ze zich af en toe. Vaandrig Garcia heeft de snelste tijd, totdat sergeant Jason Betters hem met maar liefst negen seconden aftroeft. De tijden worden via het mededelingenbord bij de mess bekendgemaakt.

De stormloop combineert diverse disciplines: rennen, vuren en denken. Jason Betters komt naar voren als de beste schutter van de klas. Hij behoorde op de schietkwalificaties al tot de besten, maar hij is onmiskenbaar de beste stormloop-SEAL met het M4-geweer.

'Ik ben opgegroeid op een paardenranch in het hart van Pennsylvania, waar ik veel heb kunnen jagen. Ik begon al op mijn negende met schieten.' Betters wordt na voltooiing van de SQT toegevoegd aan SEAL-team Two in het oosten. Hij is regelrecht vanuit de middelbare school bij de marine gegaan. 'Ik kan bijna niet wachten totdat ik naar de teams ga,' bekende hij. 'Dit werk bevalt me prima.'

Betters heeft bovendien een interessante parttimebaan gehad. Hij nam deel aan rodeo's waarbij hij ongezadelde wilde paarden bereed en probeerde zolang mogelijk te blijven zitten. Hij had veel succes in het plaatselijke rodeocircuit. Tijdens de terugrit na de Army Airborne Training (ATT) in Fort Benning naar het NSW Center heeft hij aan twee rodeo's deelgenomen en de tweede plaats behaald. 'Driehonderd smakkers voor acht minuten werk is net gek betaald.' Ik vroeg hem of hij van plan was bij te blijven klussen als hij eenmaal bij Team Two zit. 'We zien wel. Ik wil het graag een beetje bijhouden, maar mijn doel is een goeie SEAL voor het peloton worden. De teams en het peloton komen op de eerste plaats.'

De vrijdagmiddag is gewijd aan oefeningen in instinctief vuren en de voorstemantraining. Ze beginnen met oefeningen met scherpe munitie waarin het accent ligt op razendsnel effectief reageren door te richten en te schieten: beide ogen open en zoveel mogelijk kogels in de richting van het doelwit. Dit ligt in het verlengde van de cursus in operationeel schieten in La Posta: zorg voor een breed blikveld en zoek een doelwit; zorg voor een smal blikveld als er een doelwit opduikt. Treffers zijn uiteraard het beste, maar het gaat er ook om zo snel mogelijk zoveel mogelijk kogels af te vuren. De achterliggende gedachte is dat, als je team in een hinderlaag loopt, je zo snel mogelijk zult moeten vuren. De voorstemantraining is weer eens een soort spitsroeden lopen. Iedere trainee loopt over een voetpad tussen woestijnstruikgewas, waar hij wordt lastiggevallen door een instructeur die hem op enkele passen afstand volgt. Onderweg passeert hij gevaarszones: kleine open plekken, omgevallen bomen. De man in de arena is bewapend met een M4 en vuurt met losse flodders. Er wordt contact gemaakt als hij wordt geraakt of als hij, indien hij geluk heeft en zijn aanvallers ontdekt, als eerste schiet. Zijn aanvallers zijn trainees die in hinderlaag liggen en met losse flodders vuren. Het gaat erom razendsnel te reageren op het contact door het vuur te beantwoorden. Een tijdige reactie van een voorste man kan de hele patrouille redden en misschien ook zijn eigen leven, mits hij de vijand effectief kan bestrijden en zijn teamgenoten de gelegenheid biedt ook hun wapens in de strijd te gooien. Deze oefening geeft de trainees meteen ook een idee van hoe het is om de voorste man te zijn en in een hinderlaag te lopen.

Ook nu steekt één trainee met kop en schouders boven de anderen uit. Degenen die in het struikgewas liggen zijn sterk in het voordeel, maar toch merkt één trainee hen steeds op, zodat hij als eerste kan vuren. Hij levert altijd solide prestaties, maar heeft zich tot aan deze training nog niet onderscheiden. Sergeant Mike Kahala zat na de training zijn wapen schoon te maken toen ik hem ernaar vroeg.

'Geen idee, sir. Ik denk dat ik gewoon geluk heb gehad.'

'Heb je, voordat je dienst nam bij de marine, veel gejaagd?'

'Inderdaad, sir, heel veel zelfs, met mijn vader en mijn ooms.'

'Herten? Of vogels?'

'Geen van beide, sir. Zwijnen.'

'Wilde zwijnen?'

'Exact. Ik ben opgegroeid op het grootste eiland van Hawaï, sir,' legt hij uit. Kahala heeft de zangerige tongval van iemand die thuis het inheemse Hawaïaans spreekt. 'Groot gezin. Er wordt bij ons veel zwijnenvlees gegeten, zodat we er veel op jagen. Als je in de bush jacht maakt op zwijnen, is het uiterst belangrijk dat jij ze eerder ziet dan zij jou. Ik ben eens door een wilde beer aangevallen, en dat is geen pretje.'

'Ben je rechtstreeks van de middelbare school bij de marine gegaan?'

'Nee... Ik heb bijna een jaar lang wat rondgehangen, maar ik werkte mezelf in de nesten. Daarom heb ik dienst genomen om een SEAL te worden.'

'Kom je bij Delivery Vehicle Team One?' SDV-One heeft zijn basis op Ford Island, Pearl Harbor.

'Dat niet,' antwoord Kahala. 'Mijn moeder zei dat ik meer van de wereld moest zien; daarom heb ik gevraagd om Team Two aan de oostkust. Voordat ik bij de marine kwam, was ik nog nooit weggeweest van Big Island.'

In het weekeinde krijgt de klas zijn eerste nachtelijke schiettraining en maken de trainees kennis met nachtverkenning en nachtelijke surveillance. Dat betekent lange dagen in het instructielokaal en daarna nachtelijke schiet- en veldoefeningen. Op maandag zijn ze terug op de schietbaan voor de rattle-battle. In Camp Pendleton deden ze dat met hun eerste- en tweedelijnsuitrusting. Hier in Camp Billy Machen gaan ze het ook doen, maar nu met derdelijnsuitrusting, in de vorm van een 16 kg wegende verzwaring. Net als in Camp Pendleton bestaat iedere vuur- en bewegingstraining uit 120 geklokte schoten op afstanden tussen de 100 en 300 m. In de woestijnhitte van de ene vuurpositie naar de andere rennen, met een zware rugzak op je rug, is zwaar werk. Ook het vuren zelf wordt er fors door verzwaard, vooral in de lighouding. De trainees leren hoe ze de rugzak af moeten gooien om te voorkomen dat ze onder het vuren topzwaar zijn; bovendien kunnen ze de zware rugzak benutten voor meer stabiliteit. Ondanks dit alles mag iedere trainee die minder dan tachtig treffers boekt nog even minimaal dertig push-ups doen. Deze zwakke schutter moet zijn M4 over zijn handen leggen in de push-uphouding en zich in hoog tempo opdrukken terwijl hij zijn wapen zijn verontschuldigingen aanbiedt: 'Het spijt me, M4, dat ik je teleurgesteld heb: een… Het spijt me, M4, dat ik je teleurgesteld heb: twee…' Deze push-ups worden altijd uitgevoerd met de volledige eerste-, tweede- en derdelijnsuitrusting: niet minder dan 27 kg extra gewicht dat omhoog moet worden gedrukt van de woestijnbodem. De mannen van klas 2-02 blijven echter uitblinken, zowel met hun vaardigheden als op grond van hun uithoudingsvermogen. Twee mannen van de klas boeken meer dan 100 treffers op hun rattle-battledoelwitten. Een van de twee is Jason Betters.

Aan het begin van de tweede week in Camp Billy Machen trekt de klas eropuit voor een nachtelijke patrouille door de woestijn, waarbij hand- en armsignalen worden geoefend. Bij de landnavigatie-oefening in Frazier Park hebben ze in koppels gewerkt. Nu patrouilleren ze in squads van tien tot elf man, vanwege de omvang van de klas. Individueel zijn ze inmiddels vertrouwder met hun eerste-, tweede- en derdelijnsuitrusting. Die begint een deel van hen te worden. Iedere keer als ze de schietbaan op gaan of met volledige bepakking op patrouille moeten, stellen ze hier of daar een riempje bij of verschuiven een onderdeel van hun uitrusting een beetje. Veel leden van de klas dragen knie- en elleboogbeschermers van het soort dat rollerskaters gebruiken. Als ze zich nu op hun knieën laten vallen of zich plat op de grond gooien en in dekking naar een beveiligingspositie tijgeren, hebben ze minder last van de harde woestijnbodem. Ik heb op het eiland San Clemente eens BUD/S-klas 228 vergezeld op een nachtelijke patrouille tijdens Fase 3. SQT-klas 2-02 is bekwamer en het geluidsdiscipline is een stuk beter. Zo hoort het ook. De training in oorlogvoering te land gebeurt tijdens BUD/S-trainingsweek tweeëntwintig. Deze training wordt gedurende de SQT gewoonlijk herhaald rond week achtendertig.

In Camp Billy Machen kan klas 2-02 een dag oefenen met raketten. Het SEAL-arsenaal telt drie raketten die via een lanceerbuis vanaf de schouder worden afgevuurd. De eerste staat bekend als het Carl Gustav M3-systeem – een uiterst accurate raketlanceerbuis voor diverse doeleinden, kaliber 84 mm. Vanwege het gewicht van de raketten en de grootte van de lanceerbuis wordt dit wapen door de SEALs alleen gebruikt tijdens een rechtstreekse aanvalsmissie waarbij de Carl Gustav een centrale plaats in de missiedoelstellingen inneemt. Ook de AT4-raket is een 84 mm-wapen, afgevuurd door een wegwerplanceerbuis. Deze antitankraket is minder accuraat en krachtig dan de Carl Gustav, maar weegt met zijn 8 kg slechts de helft. Tijdens een missie kan een SEAL-squad een of twee AT4s bij zich hebben, voor een eventuele ontmoeting met een pantservoertuig. De LAAW (Light Anti Armor Weapon) is het derde en meest veelzijdige raketwapen van de SEALs. Dit 66 mm-wapen weegt slechts 2,5 kg, maar het projectiel kan een stalen pantser van 25 cm dik doorboren. De LAAW heeft echter niet het bereik, de accuratesse of de inslagkracht van de AT4 of de Carl Gustav, maar vanwege de draagbaarheid is dit het favoriete raketwapen van de pelotons. Voor nagenoeg iedere operationele missie dragen een of twee SEALs een LAAW mee, of zelfs een op de twee SEALs, alleen voor het geval dát. Het is een ouder wapen, dat identiek is met de LAAWs die de SEAL-pelotons in Vietnam hebben gebruikt, maar met een aanzienlijk verbeterd vizier. Mijn peloton was ermee uitgerust en we vonden het een ideaal wapen voor in een hinderlaag, of voor het opblazen van een Vietkongbunker.

Die woensdag markeert het midden van het verblijf van klas 2-02 in Camp Billy Machen. Ook hebben ze nu iets meer dan de helft van hun SQT achter zich. Dit wordt gevierd met de gevechtsconditie-loop: 21 km hardlopen met volle bepakking, inclusief wapens. De mannen hebben hiervoor getraind met conditietrainingslopen van respectievelijk 6,5 km en 10 km met volle bepakking, maar dit is de echte test. De loop begint 's nachts om drie uur om de hitte van de woestijndag voor te zijn, hoewel de thermometer nog steeds 22 graden Celsius aangeeft. Het is geen ontspannend joggen: de trainees moeten onderweg ook nog het nodige doen. Aan de vooravond komt de klas bijeen in het grote instructielokaal van Camp Billy Machen.

'Juist, mannen, dit wordt jullie instructie voor de Combat Conditioning Course (CCC). En, heren, dit is een wedstrijd. Je probeert de tijd van je klasgenoten te verbeteren. Bovendien is er een tijdslimiet. Wie die niet haalt, mag het de volgende ochtend overdoen. Blijf je een tweede keer in gebreke, dan mag je straks dienstdoen op een schip van de marine. We willen dat jullie je helemaal geven en eruit halen wat erin zit. Waarom doen we dit?'

Instructeur Jim Bell kijkt de gezichten in het lokaal langs. Het zijn er nu eenenvijftig. Een van de trainees heeft te vaak een veiligheidsvoorschrift overtreden en is zojuist teruggestuurd naar Coronado. Hij krijgt begeleiding en wordt misschien nog toegevoegd aan SQT-klas 3-02. Veiligheidsvoorschriften en het vermogen om veilig met een wapen te oefenen worden uiterst serieus genomen. Achter in de klas staat een rij van acht SQT-instructeurs. Dit is het trainingsonderdeel van instructeur Bell en hij doet de briefing. Voordat hij instructeur bij de SQT werd, is hij vier keer operationeel geweest met SEAL-team Five.

'Waarschijnlijk denken jullie: nou ja, ze hebben het allemaal moeten doen, dus nu is het onze beurt. Goed, dat speelt wel mee, maar alle pelotons doen dit soort trainingslopen ter voorbereiding op operationele inzet. Hier doen we het omdat het ons in staat stelt ieder van jullie te evalueren: we willen zien hoe jullie presteren nadat je een tijdje door het terrein hebt gerend. Ook is het voor jullie een persoonlijke leerervaring. Jullie zullen heel wat meer over jullie uitrusting weten nadat je deze loop hebt gedaan. Stel het zaakje waar nodig bij, zodra je terug bent – verander een paar dingen. Als je straks in je peloton bent, moet alles precies goed zitten. Zoals het geval is met iedere zware test met wedstrijdelement, zul je ook iets over jezelf aan de weet komen. Het is een soort afknijploop om je bekwaamheden én je uithoudingsvermogen te testen. Mooi. Nu nog een paar dingen voordat ik je uitleg geef over de details van de loop. Géén zonnebril, géén lage schoenen: dit is een veldoefening. Iedereen draagt zijn kistjes, zodat de enkels bedekt zijn. Je begint de loop met een minimum aan water: 4,5 liter. Meer krijg je niet, ook niet onderweg. Ik geef je de raad meer mee te nemen – en misschien ook een paar powerbars. Aan munitie krijg je zeven magazijnen met vijf patronen mee, een magazijn met tien patronen en een leeg magazijn in je wapen. Geen wapens aan de schouder: je draagt je wapen in je handen, zoals je ook zou doen in vijandelijk terrein. En tot slot: gewoon lopen is er niet bij. Dit is een hardloopwedstrijd, dus blijf je steeds in de looppas. Zijn er tot nu toe nog vragen? Goed. Voordat we het over de loop zelf gaan hebben, nog een paar opmerkingen over veiligheid. Jullie nemen altijd en overal het veiligheidsprotocol voor vuurwapens in acht. Na iedere vuurpositie maak je de kamer leeg en zekert het wapen voordat je verder rent. Wie het protocol aan zijn laars lapt, krijgt, afhankelijk van de ernst, straftijd of wordt teruggestuurd naar The Strand. Je zult dus je hersens moeten gebruiken.

Dan is er nog de kwestie van medische veiligheid. Vergeet niet dat je met volle bepakking door een woestijn loopt. Drink genoeg water voordat je begint en blijft onder de loop genoeg drinken. Schenk aandacht aan het gevaar van uitputting door hyperthermie of zelfs een hartaanval. Het grootste deel van het parcours loopt langs een bevloeiingskanaal, dus als je voelt dat je in moeilijkheden bent, spring dan in het water. Het kader rijdt voortdurend langs het parcours. Als je een probleem hebt, willen we dat weten. Anders loop je gewoon door. Dit is een trainingsonderdeel dat maximale inspanning vereist. Klassenoudste?'

'Present, instructeur.' Vaandrig Rob Tanner is onder de vier vaandrigs de oudste.

'Heeft iedereen zijn rugzak gewogen?'

'Jawel, instructeur.'

'En ze hebben er allemaal op zijn minst zestien kilo in?'

'Ja, instructeur.'

'Mooi, mannen. Dan wens ik jullie geluk. Maak er wat van.'

De volgende ochtend om 03:00 vertrekken twee trainees op een sukkeldraf van de start- en finishlijn. Om de paar minuten volgen er twee andere. Een kaderlid controleert of iedereen zijn complete eerste-, tweede- en derdelijnsuitrusting draagt en tenminste vier volle veldflessen bij zich heeft. Als we de wapens en munitie meetellen, komt dat op een totaalgewicht van 27 kg. Ik sluit me aan bij de zesde man in de rij, een van de officieren in de klas, en loop met hem mee. Het is 8 km lopen naar de eerste vuurpositie. Zelf draag ik Nike-sportschoenen en heb alleen een kleine rugzak, wat water, een camera en een paar powerbars bij mij. We bereiken vuurpositie een na circa 50 minuten. Hier moeten de trainees hun rugzak afdoen en op een silhouetdoelwit schieten. Ze vuren staande vijf patronen af op 100 m, vijf patronen in knielende houding en tot slot nog eens vijf patronen in lighouding. Iedere misser kost twee minuten straftijd. Het enige wat ik schiet, zijn beelden. Acht leden van de klas halen de maximale score op vuurpositie een. Deze gasten kunnen schieten! Mijn trainee hijst zijn rugzak weer op zijn rug en we rennen verder totdat we vuurpositie twee hebben bereikt, het MK43-station op 3,2 km. Op een houten plank ligt een gedemonteerde lichte mitrailleur, de MK43. Iedere trainee moet dit machinegeweer in elkaar zetten, een patroonband met tien patronen invoeren en een gericht salvo lossen: dat alles in minder dan drie minuten en met inachtneming van alle veiligheidsvoorschriften. Wie dit niet haalt, krijgt ook twee minuten straftijd. We rennen verder; alweer een vuurpositie. Dit keer ligt er een AT4-raketwerper met een 9 mm-patroon. De trainee moet de raketwerper op zijn wapen klikken en met de ene patroon een stalen silhouet op 100 m afstand raken. Straftijd: twee minuten voor een onjuiste procedure en twee minuten voor een misser. We rennen verder naar het volgende station: de stressloop. Dit is een korte versie van de stormloop die ze eerder hebben gedaan. Hier schieten ze hun laatste magazijnen met vijf patronen leeg en moeten ze met de M79-lanceerbuis een 40 mm-granaat afvuren. Per misser twee minuten straftijd. Niemand van de klas raakt alle doelen, maar er zijn er verscheidene die maar één misser boeken. De trainees rennen verder en zijn al bijna terug in de compound van het kamp, maar ze moeten eerst nog een omweg van 3,2 km naar de granaatschietbaan maken. Opnieuw wordt de M79 afgevuurd: deze keer moet er een tank op 100 m worden geraakt, met twee van de drie *high explosive*-granaten. Er moet vervolgens nog ruim anderhalve kilometer worden gerend naar de laatste vuurpositie. Op de schietbaan voor handvuurwapens bij het kampgebouw vuren ze hun laatste magazijn van tien patronen leeg op een stalen silhouet, op 300 m. Acht trainees boeken tien treffers. Dan wordt er nog tweehonderd meter gesprint naar de finish.

De eer van de CCC-kampioen wordt fel betwist. Afgaande op de twee kortere trainingslopen met volle bepakking waren er twee duidelijke favorieten: vaandrig John Miller en sergeant Carl Wilchinski. Carl is fors uit de kluiten gewassen, met zijn 1,86 m en zijn gewicht van 100 kg. Voordat hij dienst nam bij de marine, was hij houthakker in de bossen van Oregon, waar hij bijverdiende met het zetten van vallen. Zijn vrije tijd bracht hij door in een tatoeagesalon. Wilchinski is een bekwame, joviale kerel die zo sterk is als een beer. Vaandrig Miller is een stille, gespierde jongeman van achtentwintig met een doctoraal van Oxford. De CCC werd door de leden van klas 2-02 vooral gezien als een wedstrijd tussen academicus en houthakker. Jason Betters gold als outsider, vanwege zijn schietvaardigheid, maar het meeste geld werd gezet op Miller en Wilchinski. Ze haalden inderdaad alle drie uitstekende tijden, maar sergeant Eric Robertson, een trainee die steeds degelijk had gepresteerd, slaagde erin hard genoeg te lopen en goed genoeg te schieten om de beste tijd te realiseren. Robertson had twee jaar aan de Universiteit van Nebraska gestudeerd totdat de studie hem de keel uithing. Hij wilde meer afwisseling en nam dienst bij de marine om SEAL te worden. Te oordelen naar wat ik van hem heb gezien, zal hij een uitstekende peloton-SEAL zijn.

Iedereen haalt het binnen de CCC-tijdslimiet. De snelste tijd is twee uur en drieënvijftig minuten, maar het zijn allemáál winnaars: ze zijn weer een stap dichter bij de SEAL-kwalificatie. Als de laatste trainees totaal uitgeput terugkomen van de laatste vuurpositie, worden ze door de rest van de klas toegejuicht. De zon is inmiddels ruimschoots op, zodat een paar van de laatsten bijna de totale warmte-uitputting nabij zijn. Dit leidt tot een nieuwe trainingsmogelijkheid: onder het toeziend oog van instructeur Thomas krijgen degenen die zich licht in het hoofd voelen een infuus met een lichte zoutoplossing toegediend – net als veel trainees die er geen last van hebben. Het is een goede oefening voor de klas. SEAL-trainees zijn net als herdershonden het gelukkigst als ze hard aan het werk zijn. Na de loop leen ik van een van de trainees diens tweedelijnsuitrusting, rugzak en M4-geweer voor een proefloop. Ik maak een rondje om het gebouw. Een uitrusting die inclusief wapen 22 kg weegt is een hele last (de veldflessen waren leeg): ik red het nauwelijks honderd meter. Hoe hebben ze het voor elkaar gekregen? Hardlopend met deze last 21 km afleggen, met soldatenkistjes door rul zand en keiharde woestijngrond! Het is de zoveelste dag in het leven van een bijna-Navy SEAL. Denk ook even aan de kleinsten van stuk, zoals de kleinste trainee met zijn gewicht van slechts 56 kg. In de SEAL-training wordt geen rekening gehouden met iemands postuur. De man heeft zojuist een halve marathon door zwaar terrein gelopen en daarbij bijna de helft van zijn lichaamsgewicht meegezeuld. Ongelooflijk!

De volgende paar dagen in Camp Billy Machen zijn gewijd aan opblaasoefeningen. Tijdens de BUD/S-training heeft klas 237 tien dagen elementaire training met springstoffen gehad: SQT-klas 2-02 krijgt er vier dagen voor. Bij militaire demolities draait alles om de juiste procedure en de veiligheid. De trainees hebben de grondbeginselen geleerd. Tijdens de SQT worden de elementaire veiligheids- en manipulatieprocedures die ze tijdens Fase 3 van de BUD/S-training hebben geleerd nog eens grondig doorgenomen. Op die basis wordt verder geoefend. Veel ervan is herhaling, maar het is buitengewoon belangrijk dit vaak te doen. Ze moeten straks met springladingen kunnen omgaan en zich daarbij op hun gemak voelen. Veiligheid is de vrucht van herhaling en strakke procedureddiscipline.

'We gaan het de komende dagen iets rustiger aan doen,' zegt instructeur Larry Andrews. 'Het merendeel van wat wij hier tijdens de SQT doen is gevaarlijk. Als er echter met explosieven iets fout gaat, kan er een hele groep gewond raken. Het gaat erom respect te hebben voor springstoffen, maar zonder er bang voor te zijn. Stel gerust vragen: als er iets niet duidelijk is, willen we dat weten. De enige stomme vraag is de vraag die je *niet* stelt. De komende paar dagen gaan we met verscheidene soorten springstoffen om – en dat gaan we vooral *veilig* doen. De elementaire demolitiebeginselen – datgene wat jullie erover hebben geleerd tijdens de BUD/S en wat we hier nog eens over gaan doen – zijn uitermate belangrijk. De opblaasploegen in Afghanistan vinden nog steeds allerhande springladingen en blazen ze op. Dat doen ze op basis van dezelfde vaardigheden en procedures die wij hier in praktijk brengen. Ook zullen we kennismaken met een paar nieuwe dingen, die je tijdens de BUD/S nog niet hebt gezien. Let wel, ik heb het niet over het werk voor gevorderden, zoals het gebruik van springstoffen om je toegang tot iets te verschaffen dat komt allemaal als je bij je peloton bent. De basisprocedures blijven echter gelijk. Dus oefenen we de komende paar dagen de basis, ontwikkelen goede gewoonten in de omgang met springstoffen en oefenen ons in veiligheid. Het wordt boeiend, let maar op. Dingen opblazen is vermakelijk en wij worden er nog voor betaald ook.'

In Afghanistan hebben SEALs vele tonnen aan wapens en munitie van de Taliban gevonden en opgeblazen. Dit gebeurt nog dagelijks. In Irak waren er minder bergplaatsen vol wapens en munitie, maar de opslagplaatsen die er waren, werden door de fedayien van

Saddam Hoessein gebruikt. Ook deze werden volgens de standaard-procedures – die tijdens de BUD/S worden onderricht en tijdens de SQT worden aangescherpt – vakkundig opgeblazen.

Het gaat nu net zoals in de BUD/S: het is hollen of stilstaan. Op de explosievenbaan wordt niet gerend. De klas wordt eerst vertrouwd gemaakt met de claymoremijn. Dit is een uitermate gemene frag-mentatiemijn die 700 stalen kogeltjes met dodelijke kracht wegslin-gert in een gefocuste richting. De trainees werken in patrouille-formatie en leggen overdag en 's nachts claymorehinderlagen. Ook werken ze met springladingkit MK-57 waarmee gedoseerde clay-moreachtige resultaten kunnen worden geboekt. De tweede dag lijkt veel op de eerste: vroeg in de ochtend in het instructielokaal, het laatste deel van de ochtend springladingen in elkaar zetten. De trainees gaan 's middags het veld in, en 's avonds nog eens. Tot de materialen van dag twee behoren de MK-75-slang (gevuld met springstof), de bangalore-torpedo (kunstofbuis vol springstof) en springladingen met gefocust effect, bekend als *shaped charges*. De nachtelijke veldoefening gebeurt in patrouilleformatie waarbij de trainees vooraf korte herhalingen van de leerstof doornemen. Het gaat erom in tactische patrouilleformatie op te trekken en zo snel mogelijk in en uit een doelgebied te komen. De trainees beginnen nu al te denken over hun TOT (*Time on Target*). De eerste paar da-gen worden de springladingen niet-elektrisch gedetoneerd, dus met behulp van ontstekingslont en ontsteking, zoals de meeste tactische opblaasacties te velde worden gedaan. Elektrische detonatiesmetho-den worden meestal in een speciale context toegepast.

Op de derde dag wordt er geoefend met detonatie via elektrische ontstekingen en iets wat de trainees tijdens de BUD/S-training nog niet hebben gezien: RFDs, dat wil zeggen, radiografisch bediende ontstekingen. Hiermee kan een springlading op zijn plaats worden gebracht in een bebouwde kom of tactische situatie, om deze vervol-gens op afstand te laten detoneren. Het lijkt wel wat op een afstands-bediening voor de tv, alleen volgt er na een druk op de knop een enorme klap. Ook maken ze kennis met elektrische tijdontstekingen die afgesteld kunnen worden op een aantal minuten of zelfs dagen.

'En alleen om te zorgen dat je het kunt als de nood aan de man komt,' kondigt instructeur Andrews aan, 'gaan we ook een paar springladingen detoneren met behulp van elektradraad op een haspel en een draagbare pompbobine. Dat spul stamt nog uit de prehistorie, maar als je ooit in een derdewereldsituatie belandt, heb je misschien niets anders om mee te werken.'

Het geeft mij het gevoel dat ik oud ben. Toen ik in training was, gebruikten we niets anders dan 'dit spul'.

Op de derde demolitiedag zetten ze diverse springladingen in elkaar met het merendeel van de explosieven die ze later bij hun peloton voorhanden zullen hebben: penetratieladingen, gefocuste springladingen, kraterladingen, draagtasladingen, plaatladingen en nog veel meer. De springladingen die ze in elkaar zetten, worden echter steeds kleiner en draagbaarder. Veel van de training berust op publicaties en vaste procedures, maar er zijn toch massa's fijne kneepjes die alleen instructeurs hun kunnen leren. Zoals het maken van een schokbestendige behuizing voor het meedragen van ontstekingen tijdens een operationele missie. Of de preparatie van een springstofkoord met glijknoop dat 's nachts snel om een boomstam kan worden gelegd. Of zoiets eenvoudigs als het gebruik van isolatieband of loodgietersplakband bij het construeren van springladingen. Dit behoort allemaal tot de foefjes die Andrews en zijn mede-instructeurs overdragen aan de leden van klas 2-02. Op de laatste demolitiedag wordt er instructie gegeven in het improviseren van springladingen. De klas is een hele dag bezig met leren hoe ze gevaarlijke explosieven wat minder dodelijk kunnen maken. Hierbij wordt het resterende deel van de springstoffen van de afgelopen drie dagen gedetoneerd.

De demolitiecursus volgt op de gevechtsconditieloop omdat veel trainees van de klas een paar dagen nodig hebben om weer op verhaal te komen. De dagen zijn lang, maar het tempo is trager. Na de demolitiecursus wordt het tempo weer opgevoerd tijdens de oefeningen in plotseling vijandelijk contact met vuurwapens, de IADs. Deze oefeningen bereiden de trainees voor op onverwachte contac-

ten met een vijand. Soms gaat het om een tactische overrompelings-
actie tegen een doelwit, maar meestal is het de bedoeling contact
met een vijand te beëindigen. De mannen moeten leren razendsnel
op een onverwachts gevaar te reageren, bevelen op te volgen en zich
al vurend te verplaatsen. Het is een gevaarlijke training: in het begin
wordt er getijgerd, dan gekropen en uiteindelijk zelfs gerend – dat
alles met scherpe munitie en in nachtelijk-zwarte duisternis. Ze
hebben deze oefeningen al tijdens de BUD/S-training gedaan, maar
de SQT-instructeurs gooien er nog een schepje bovenop.

De SQT-trainees brengen eerst twee IAD-lessen in praktijk die ze
gedurende de BUD/S-training hebben geleerd: de haasje-overma-
noeuvre en de afpelmanoeuvre. Bij de haasje-overtactiek bevindt
een patrouille zich in een tirailleurslinie als er contact wordt gemaakt. De mannen laten zich vallen en beantwoorden het vuur. Na
een commando geeft de helft van de patrouille dekkingsvuur af, terwijl de andere helft opspringt en zich terugtrekt op een nieuwe
vuurlinie. Nu geven zij dekkingsvuur, terwijl de eerste groep zich terugtrekt en daarbij de andere groep passeert om een nieuwe positie
in te nemen, verder terug. Zo vuren de beide elementen van de patrouille om beurten en trekken ze zich om beurten verder terug van
het gevaar. Vandaar de naam 'haasje-over' of *leapfrog*. Naarmate de
trainees langer hebben geoefend, kunnen ze zich ook van links naar
rechts of vice versa verplaatsen. Dezelfde tactiek kan ook voor het
aanvallen van een doel worden gebruikt, maar meestal is het een defensieve manoeuvre om contact met de vijand te beëindigen. De afpelmanoeuvre of *center peel* wordt in praktijk gebracht als een patrouille zich in ganzenpas verplaatst, in de regel in dichtbegroeid
terrein en in twee groepen. Contact ontstaat als de voorste man contact krijgt en de afpelmanoeuvre inzet. Hij schiet zijn magazijn leeg
en rent naar een positie tussen de beide rijen van zijn teamgenoten
die een spervuur onderhouden om de vijand te vertragen. Om beurten trekken de rijen zich terug, waarbij steeds een man zich verplaatst en de rest blijft vuren. Op die manier trekt de patrouille zich
als het ware 'afpellend' en meestal diagonaal terug van het gevaar.
Zowel bij de haasje-over- als de afpelmanoeuvre blijven de SEAL-

trainees sprinten, waarbij ze onder het lopen hun magazijn verwisselen: de manoeuvres verschillen maar de techniek blijft gelijk.

Een nieuwe manoeuvre die de trainees tijdens de SQT leren is het 'sterk links' (of 'rechts'). In de langgerekte formatie geeft de squadleider het commando 'sterk links!' – waarop de voorste helft van de rij in een scharnierende beweging naar links rent, met de voorste man als draaipunt. Zo komt de helft van de patrouille snel in tirailleurslinie. De tweede helft scharniert naar rechts, maar achter de voorste helft. Ze bevinden zich nu in de haasje-overformatie. Terwijl de tweede helft zich naar achteren verplaatst, geeft de voorste helft – met de patrouilleleider erin – dekkingsvuur. Dan springt de voorste helft op commando op en rent terug tot een positie achter de tweede helft, die intussen dekkingsvuur geeft. Klinkt gemakkelijk? Dat is het ook, bij wijze van spreken, maar gevoegd bij de scherpe munitie en de duisternis wordt het een buitengewoon hachelijke terugtocht.

Klas 2-02 wordt opgesplitst in vier squads van tien man en een squad van elf man in hun eerste- en tweedelijnsuitrusting. Iedereen kent zijn positie in zijn squad, zowel bij verplaatsing in ganzenpas als in tirailleurslinie; ook weet iedereen tot welke helft van de patrouille hij behoort. Ze beginnen met exercities in wandeltempo op het exercitieterrein, en daarna wordt er ook geoefend met losse flodders. Ze bewegen zich als balletdansers onder leiding van een choreograaf die wil dat ze al hun danspassen oefenen en de bewegingen door en door kennen. Dan wordt het tempo opgevoerd. Die avond wordt met losse flodders geoefend in de woestijn. De tweede dag gebeurt hetzelfde, maar dan met scherpe munitie. Overdag eerst wat oefeningen in wandeltempo, maar dan gaat alles in looppas. 's Nachts gebeurt alles overnieuw – eerst rustig lopen, dan rennen.

'Een trainee kan het grootste deel van de SQT doorkomen door het voorbeeld van de man voor of naast hem te volgen,' legt adjudant Mike Loo me uit. 'Maar tijdens de IAD moet hij voor zichzelf denken en op het juiste moment de juiste kant op rennen. Hij moet in een bepaalde oefening weten wanneer hij naar links moet scharnieren en niet naar rechts, want als hij de verkeerde richting kiest, kan hij tegen iemand aan knallen of een teamgenoot met de loop van zijn wapen verwonden. Echt moeilijk is het niet, maar iedere man moet er zelf bij denken en het juiste doen. Tijdens de nachtelijke IADs hebben we veel instructeurs in het veld.'

'Jij bent er zelf ook bij?' vraag ik.

'Reken maar. Dit gebeurt allemaal in hoog tempo en het wordt nog sneller en intensiever als ze eenmaal bij hun peloton zijn. Wij hier hebben tot taak ze klaar te stomen voor training in het peloton, dus laten we deze squads de manoeuvres keer op keer herhalen, net zo lang totdat we er zeker van zijn dat ze de basis ervan onder de knie hebben.'

Na de IAD-training wordt wéér een trainee teruggestuurd naar The Strand. Hij zal niet worden gerecycled naar klas 3-02. Het zit 'm niet in zijn professionele bekwaamheden of fysieke vermogens: die voldoen aan alle maatstaven. Hij is echter een te gladde prater, die zijn teamgenoten als vanzelfsprekend ziet. Hij heeft meer dan eens getoond geen teamspeler te zijn en niets wijst erop dat hij zal veranderen. Hoewel hij nauwelijks vijf weken verwijderd was van zijn SEAL-kwalificatie, kan hij het schudden. Hij is totaal ontredderd, nu hij niet meer mee mag trainen. Hij heeft herhaaldelijk de verzekering gehad dat hij alle kans van slagen had. Er staat echter te veel op het spel om een SEAL-peloton een man te sturen die niet toegewijd is aan het team.

Time On Target (TOT) of tijd-bij-doelwit is een bijzonder belangrijke consideratie voor SEAL-missies. Ter voorbereiding op de veldtrainingen moet klas 2-02 eerst het een en ander over doelwittijd opsteken in het instructielokaal, zodat de informatie wordt meegenomen het veld in. In principe zijn de oefeningen (of herhalingen) erop gericht de trainees ervan te doordringen dat de tijd die ze bij een doelwit doorbrengen de tijd van het grootste gevaar voor hen is. Hoe minder tijd ze bij een doelwit doorbrengen, hoe groter de kans van slagen van de missie, en hoe waarschijnlijker het wordt dat iedereen veilig en wel op de basis terugkomt. Het verrassingselement, het zo snel mogelijk uitvoeren van de missiedoelstellingen en een veilige terugkeer – het hangt allemaal samen met de doelwittijd. Om die reden wordt er een hele dag besteed aan doelwitoefeningen, die 's nachts opnieuw ruimte bieden voor terugtrekoefeningen of IADs.

Na de TOTs komen de helikopters een dagje over en leren de trainees vanaf een helikopterplatform hoe ze via een koord uit een boven de grond zwevende helikopter naar de grond moeten afdalen. Het koord is een dik touw dat aanvoelt als vilt en bijna fungeert als de paal in een brandweerkazerne. Tijdens de BUD/S-training hebben ze dit al gedaan vanaf een toren, maar het is andere koek vanuit een helikopter, te midden van veel stof en kabaal. En met bepakking is het nog veel moeilijker. Zonder bepakking kunnen de trainees met gebruikmaking van alleen hun handen snel naar de woestijnbodem afdalen, maar met hun uitrusting aan laten de meesten het koord tussen hun benen en voeten door glijden. De helikopters blijven tot laat op de avond voor een opsporings- en bergingsoefening in het donker: een CSAR-missie

De Combat Search and Rescue (CSAR) is een bijzonder belangrijke opsporings- en bergingsmissie voor operationele SEAL-pelotons. Gevechtspiloten – zoals die welke actief waren of zijn boven Afghanistan en Irak – weten dat er, als ze hun toestel boven vijandelijk territorium moeten verlaten, een paar uiterst toegewijde en bekwame mensen zullen proberen hen te redden. SEALs hebben tijdens de Golfoorlog de eerste geslaagde reddingsoperaties uitgevoerd, terwijl ze bij recentere operaties in Irak het stoffelijk overschot van een piloot hebben geborgen. Het benaderen, verifiëren en bergen van een neergehaalde piloot is een combinatie van zeer gedisciplineerde methoden. En als de vijand de piloot heeft ontdekt, is het voor de redders extra gevaarlijk. Daarom is er een strak protocol ontwikkeld voor het benaderen en terugbrengen van neergehaalde piloten. Als de SEAL-trainees de piloot eenmaal hebben gevonden, is dat het begin van nog meer training: oefeningen in eerstehulp en in het bergen van de gewonde man, in een tactische situatie waarin wordt geschoten. De parachutistenreddingsteams van de luchtmacht hebben deze missie als hun primaire taak – het is de enige Amerikaanse SOF-M-eenheid die hiermee is belast – maar alle operationele SEAL-pelotons zijn eveneens in staat tot het uitvoeren van opsporings- en bergingsmissies, zowel ter zee als op de grond.

Nu deze nachtelijke CSAR-missie met helikopters erop zit, nadert de klas zijn laatste paar dagen in Camp Billy Machen. Wat rest, is het aan kant brengen van de schietbanen en barak, en de veldtraining. De mannen van SQT-klas 2-02 beginnen vermoeid te raken. De lange dagen in de woestijn beginnen effect te sorteren, ook op de instructeurs. Zij hebben even hard gewerkt als de trainees zelf en maakten zelfs vaak nog langere dagen. Nu hebben de staf en de trainees vrije tijd. Een goede wisselwerking tussen SQT-instructeurs en SEAL-trainees is belangrijk. Er worden vragen beantwoord die de trainees niet tijdens een instructie hebben gesteld, of vragen waarop zij onder vier ogen antwoord wilden hebben. Ze praten over de teams en pelotons die in Afghanistan hebben gevochten en horen het laatste nieuws over actief-operationele pelotons. Soms hoort een trainee dat een van de BUD/S-instructeurs wordt toegevoegd aan het SEAL-team waarbij hij zelf is ingedeeld, zodat ze elkaars teamgenoten worden, misschien zelfs in hetzelfde peloton. Een trainee hoort dat een van de SQT-schietinstructeurs die met hen in La Posta hebben gewerkt, een marsbevel heeft voor SEAL-team Five. Zes leden van klas 2-02 gaan naar Team Seven; negen man gaat naar Team Ten. Beide teams zijn zojuist aan hun preoperationele training begonnen. Het gros wordt toegevoegd aan de Teams One en Two, die op dit moment actief-operationeel zijn. Nu begint het menens te worden. Er wacht hun nog een aantal weken hard werken, maar de SEAL-teams en hun eerste SEAL-peloton lijken nu binnen bereik.

De trainees hebben nu dagelijks een paar uur rust. Camp Billy Machen is een prima oefenterrein voor hardlopen, maar de woestijnhitte overdag moet worden gemeden, zodat er in die uren op de schietbaan wordt geoefend, of instructie wordt gegeven in het instructielokaal. Net als in de meeste SEAL-faciliteiten heeft het kamp een uitstekend fitnesslokaal. Het leven in de vrije uren draait in Camp Billy Machen vooral om de cafetaria en de aangrenzende ontspanningsruimte. Meestal zitten de trainees hier wat met elkaar te praten en sportdrankjes te drinken. Er is een televisie met een groot scherm en er zijn recente films op dvd beschikbaar. Om de een of andere reden stellen de leden van klas 2-02 zich tevreden met het

keer op keer bekijken van de klassieker *Das Boot*. Er staat een poolbiljart, in de regel in gebruik door twee spelers, omringd door zes tot
acht 'beste stuurlui aan de wal'. Resten van de laatste maaltijden
worden bewaard in een voorraadkast, zodat de trainees een snack
kunnen nemen als ze 's avonds van een oefening terugkomen. Net
als tijdens de BUD/S-training verbranden de mannen tijdens de
SQT vijf- tot zevenduizend kilocalorieën per dag. Ze kunnen de hele
dag door eten. Dat geldt niet meer voor een oudere SEAL die nu
boeken schrijft. Ik heb mijn best gedaan de voorraadkast in Camp
Billy Machen te mijden, maar niet altijd met succes. Op een avond
vond een trainee een schorpioen, die hij mee naar binnen nam om
hem eens goed te bekijken. Prompt ging een tweede man naar buiten: hij kwam terug met een zwarte weduwe. Een van de dienbladen
van de cafetaria werd tot arena omgebouwd en de twee opponenten
bonden de strijd aan. Het duurde niet lang: de zwarte weduwe won
snel en met gemak. De toeschouwers wijdden hun aandacht weer
aan het poolbiljart en *Das Boot*.

De laatste drie dagen in Camp Billy Machen zijn gewijd aan het
laatste operationele probleem – een veldoefening. Net als tijdens
Fase 3 van de BUD/S-veldtrainingen zijn de dagen lang, net als de
nachten. De trainees brengen veel in praktijk van wat zij tijdens de
BUD/S-training en de SQT hebben geleerd. De squadrons ontvangen hun missietaken en beginnen aan hun doelwitanalyse en de
planning van hun missie. Als duidelijk is wat hun te doen staat en
hoe ze het gaan aanpakken, zijn er springladingen te prepareren. De
wapens en uitrusting worden gecontroleerd en er wordt gerepeteerd. In Afghanistan werden de SEALs ook uitgezonden voor tal
van niet-maritieme missies, omdat de training hun had geleerd in
korte tijd een doelwit of doelgebied te analyseren, missies te plannen, de juiste uitrusting bijeen te brengen en de missie te repeteren.
Soms kwam het erop neer dat een pelotonsleider zich op zijn knieën
liet vallen om zijn aanvalsplan in het zand te tekenen. Daarna klom
het peloton in de helikopter – volledig bepakt en bewapend. De
SEALs kregen deze missies omdat zij er binnen de kortste keren
klaar voor waren. De trainees die binnenkort echte SEALs zijn, zul-

len deze trainingsmissies steeds opnieuw doen, zodat ze het razend-snel en efficiënt kunnen als ze worden uitgezonden voor een missie.

De instructeurs werken ook bij deze veldtraining hard en ze heb-ben zich ingespannen om alles voor te bereiden. Er zijn drie doelwit-ten: twee trainingskampen van terroristen, plus een coördinerend hoofdkwartier. Deze doelwitten zijn geprepareerd door medisch korpsman Thomas, die vindingrijk is en de gave heeft om trainin-gen zo echt mogelijk te maken. Je hebt slechts beperkte mogelijkhe-den met zandbakken, triplexmuren, oude vrachtwagenbanden, af-valtimmerhout, camouflagenetten en olievaten, maar Thomas is bijzonder creatief. Trainingskampen hebben schietbanen, stormba-nen, wachttorens en zelfs grotten. Bij het hoofdkwartierdoelwit heeft een oude brandstoftank van een vliegtuig kartonnen vleugels gekregen om als scudraket te fungeren. Er zijn bunkers, brandstof-tanks en afgesloten ruimten voor het vasthouden van krijgsgevan-genen. Bij daglicht lijkt het allemaal erg provisorisch, maar 's nachts lijkt het bedrieglijk echt. In elk geval kost het de belastingbetaler heel weinig. De zorg waarmee Thomas en de andere SQT-instruc-teurs te werk gaan om zulke realistische trainingsdoelwitten te bou-wen, zegt alles over hun toewijding aan deze training.

Met betrekking tot de afgesloten ruimte voor gevangenen bij twee van de doelwitten hebben de SEAL-trainees al in een vroeg stadium geleerd dat ze daarop attent moeten zijn, net zoals ze krijgsgevange-nen met zorg hebben leren behandelen. Ik kan niets zeggen over de training op SQT-niveau van de SEALs die soldaat Jessica Lynch in Irak hebben teruggehaald, maar het is heel goed mogelijk dat ze hier hun eerste oefening in reddingsoperaties hebben gedaan, net als klas 2-02. Tijdens operaties in Irak hebben SEALs zelfs kans gezien Iraak-se scudraketten buiten gevecht te stellen. Ook de oefeningen voor deze reële oorlogsoperaties kunnen heel goed hebben plaatsgehad rond een nagebootste raketlanceerinrichting hier in Camp Billy Machen.

In de instructielokalen zijn de drie patrouilleleiders bezig met hun missieplanning. Tot de veldtrainingsmissies (FTXs) behoren een verkennings- en surveillancemissie, gevolgd door een rechtstreekse aanval op elk doelwit: drie dagen van plannen en twee nachten in het veld. De officieren en onderofficieren leren bij iedere missieplanningsprocedure het een en ander bij. Ze worden wat beter in het inschatten van tijd die ze bij het doelwit zullen doorbrengen en het uitstippelen van een goede route naar het doelwit en terug. Ook leren ze wat ze wel en wat niet kunnen gebruiken van de inlichtingen en mogelijke steun ten behoeve van een missie. Degenen die druk zijn met het vergaren van data over de plaatselijke omstandigheden en het weer worden daar meer bedreven in. Ook wordt de software voor missieplanning wat minder intimiderend.

De drie squads trekken die eerste nacht de woestijn in om hun doelwit te verkennen. Deze verkenningsmissies zijn van doorslaggevend belang voor iedere SEAL-missie. Zowel in Afghanistan als Irak hebben Navy SEALs tal van lange dagen en nachten doorgebracht op vijandelijk territorium om doelwitten te verkennen. Net als toen helpt de informatie waarmee de SQT-trainees terugkomen nadat ze 's nachts het doelwit grondig hebben geobserveerd, hen om hun wapens en springladingen voor te bereiden voor een rechtstreekse aanval. Deze trainingen voor *direct-action missions* worden uitgevoerd met scherpe munitie voor alle wapens. Het doelwit wordt meestal aangevallen met een combinatie van geweervuur, raketten en springladingen. De gevolgde tactiek en de acties tegen het doelwit gebeuren volgens de SEAL-methoden en standaardprocedures voor reële operaties. Binnen de grenzen van het veiligheidsprotocol worden de missies zo realistisch mogelijk uitgevoerd. Iedere patrouille krijgt een instructeur als waarnemer mee: hij houdt toezicht op de veiligheid en evalueert de prestaties die de mannen leveren. Het gaat erom het doelwit zo ongemerkt mogelijk te naderen en het op effectieve manier aan te vallen. Onderweg moet een van de patrouilles tijdelijk buitenspel worden gezet, na een ontmoeting met een ratelslang. De slang heeft een van de trainees gebeten, maar een snelle inspectie wijst uit dat hij het leer van het soldatenkistje niet heeft kunnen doorboren. Meteen vervolgt de patrouille in ganzenpas stilletjes zijn weg naar het doelwit. Voor dit soort oefeningen zijn de trainees bewapend met hun M4-geweer, plus de lichte mitrailleur MK43 en granaten en raketten.

Alle drie de squads bereiken hun doelwit in het vastgestelde tijdvenster. Ze onderhouden radiocontact, zodat ze op een afgesproken signaal gecoördineerd kunnen aanvallen. Hoeveel succes ze boekten bij het vernietigen van hun doelwit, wordt afgemeten aan het aantal uren dat Gordon Thomas en zijn mede-instructeurs nodig zullen hebben om ze voor de volgende klas te herbouwen. Bij het hoofdkwartierdoelwit observeren twee donkere schimmen de aanvalsactie door hun nachtkijkers. De grootste van de twee richt zich op en wendt zich tot zijn metgezel.

'Keurig werk, Mike, wat ik zie bevalt me,' zegt kolonel Rick Smethers, commandant van het Naval Special Warfare Center. Hij is gekomen om met eigen ogen dit belangrijke onderdeel van de training van klas 2-02 te volgen. 'Jullie hebben ze in korte tijd ver gebracht, en nog wel met zo'n grote groep. Prima werk!'

'Bedankt, kolonel,' antwoordt adjudant-officier Loo. 'Het lijkt me dat ze wel zo ongeveer klaar zijn om terug te keren naar The Strand voor een nat pak.' De twee mannen klimmen in hun truck en rijden naar een plaats waar ze een ander squad kunnen observeren bij het voltooien van zijn missie.

Op de terugweg worden de squads met diverse scenario's geconfronteerd. Instructeur Larry Andrews heeft bij de briefing van de patrouilles gezeten en weet welke route ze willen nemen. Hij heeft springladingen geplaatst die de instructeurs die een patrouille begeleiden op afstand kunnen laten detoneren om een vijandelijke hinderlaag te simuleren. Elk squad moet niet alleen een doelwit aanvallen en de eerder besproken terugtrekmanoeuvres in praktijk brengen, maar bovendien een probleem oplossen, zoals de behandeling en evacuatie van een gewonde, een krijgsgevangene overmeesteren of een gewonde piloot redden. De SQT-staf neemt iedere mogelijkheid te baat om de trainees voor tactische problemen te plaatsen. Elk probleem is een kans om de squads te laten oefenen in eerstehulp, CSAR-missie en IADs als de 'haasje-over-' en de 'afpelmanoeuvre'. De veldoefening toont dat zij hard op weg zijn het vak meester te worden. De trainees kunnen als team opereren en 's nachts met een combinatie van wapens een afgelegen vijandelijk doelwit vernietigen. Als ze zich met gevaar geconfronteerd zien, reageren ze goed op de commando's en kunnen ze ook 's nachts goed manoeuvreren en vuren. Ze zijn hard op weg echte peloton-SEALs te worden.

Het landoorlogdeel van de SQT in Camp Billy Machen is voor iedere klas een soort Rubicon die overgestoken moet worden. De lange dagen van schietoefeningen, de zware gevechtsconditieloop en de FTX-missies dwingen de leden van iedere klas om in teamverband te werken. De delen van de klas (squads, patrouilles) trainen vrijwel precies zo als ze straks in de SEAL-pelotons zullen doen. Ze leren militaire vaardigheden en het aandacht schenken aan details dat vereist is tijdens een wekenlange aaneenschakeling van uiterst zware trainingsonderdelen met een wedstrijdelement. Ze leren dat zij – zelfs als ze doodop zijn en kampen met slaapgebrek – in een gevaarlijke omgeving toch *moeten* presteren. Dit is waarop de BUD/S-training hen heeft voorbereid: presteren op het volgende hogere niveau. Ook leren ze zich dag in dag uit te concentreren op het vervullen van hun individuele rol als lid van een gevechtsgroep. Dat doen ze in situaties waarin de veiligheid en de levens van hun teamgenoten vereisen dat zij hun taken goed vervullen. Deze training is allesbehalve goedkoop. Niet alleen vergt zij de inspanningen van een omvangrijk en getalenteerd instructiekader, maar bovendien heeft klas 2-02 de volgende hoeveelheden aan munitie en springstoffen in Camp Billy Machen verbruikt.

210.000 5.56 mm-patronen voor het M4-geweer
11.000 5.56 mm-patronen in banden voor de MK46-mitrailleur
180.000 7,62 mm-patronen in banden voor de MK43-mitrailleur
5.000 .50 mm-patronen voor de zware mitrailleur
4.000 7.67 mm-patronen voor de AK-47
8.000 40 mm-granaten (alle typen)
250 handgranaten
50 Carl Gustav-raketten (diverse typen)

60 antitankraketten (LAAWs)
180 claymoremijnen
2.700 kilogram springstoffen

De vaardigheden op het gebied van oorlogvoering te land en de bekwaamheid in het hanteren van vuurwapens zijn slechts twee van de disciplines in het vakgebied van de volwaardige SEAL-krijgsman. Geen ander Amerikaans krijgsmachtonderdeel dat ik ken kan zich veroorloven zoveel tijd, aandacht en kosten te besteden aan de ontwikkeling van deze bekwaamheden. Als de leden van klas 2-02 hun SQT-kwalificatie achter de rug hebben, zijn zij wel volwaardige SEALs, maar nog ver verwijderd van de status van een actief-operationele SEAL-krijgsman. Dat vereist nog eens achttien maanden intensieve training.

Na de FTX-debriefing en enkele uren slaap beginnen de leden van klas 2-02 hun barak en hun wapens schoon te maken. Ze verstouwen hun uitrusting en keren terug naar Coronado. Er zijn nu nog vijftig over: zevenenveertig man van BUD/S-klas 237 en de drie Trident-dragers.

Onder water

Na hun tergkeer uit Camp Billy Machen hebben de mannen van klas 2-02 nog maar net genoeg tijd om hun uitrusting op te bergen voordat ze terug moeten naar het instructielokaal. Ze staan op het punt te beginnen aan de twee weken durende gevechtsduiktraining (Combat Swimmer Course of CSC). De verandering van omgeving had niet ingrijpender kunnen zijn. Tijdens de landoorlogtraining hebben ze bij temperaturen van tegen de 43 graden Celsius moeten werken. Nu bereiden ze zich voor op training in het water van de San Diego-baai, met temperaturen van circa 15,5 graad Celsius. Dit is zowel een mentale als fysieke overgang. Veel aspecten van hun gevechtstraining op de grond en de daarbij gebruikte wapens waren nieuw voor hen. Ze hebben veeleisende schietoefeningen gedaan en enerverende aanvalsmissies (FTXs) met scherpe munitie getraind. De gevechtsduiktraining bestaat uit koude, veeleisende en door strakke procedures bepaalde oefeningen, die vaak worden herhaald en altijd grote aandacht voor details vereisen. Op het land hebben de mannen in squads gewerkt en al hun zintuigen benut; tijdens de CSC verplaatsen ze zich in koppels door een stille wereld. Veel van het huidige werk van actief-operationele SEALs bestaat uit missies te land. Dat doen ze in het Midden-Oosten, op de Filippijnen, in Maleisië en in Midden-Amerika. Tot de taken van een marine-gevechtsgroep behoort echter uiteraard dat de SEALs ook grondig getraind moeten zijn voor operaties vanuit zee en in de zee zelf.

'Dit is wat ons onderscheidt van alle andere speciale strijdkrachten,' houdt adjudant John Tortorici klas 2-02 voor. 'Op basis van de vaardigheden die jullie hier de komende weken leren en trainen ben je straks in staat schepen clandestien aan te vallen en door te dringen in havens. Het worden een paar lange en koude dagen en nachten, maar daar hebben jullie voor getekend, nietwaar? Werk dus hard en blijf gefocust. De SEAL-pelotons die nu operationeel zijn, hebben het vermogen (en moeten dat onderhouden) om gevechtsoperaties onder water uit te voeren. Je kunt elk moment van de dag opdracht krijgen om een onderwateraanval te ondernemen op een schip of een haveninstallatie. Misschien zul je speciale verkenningsmissies moeten ondernemen waarbij je clandestien onder water naar een havenfaciliteit of vijandelijke kust moet gaan. Dit is een uiterst belangrijk onderdeel van de complete vaardigheden van een SEAL.'

Adjudant Tortorici leidt de gevechtsduiktraining tijdens de SQT. Hij heeft een brede ervaring met SEAL- en SEAL Delivery Vehicle-operaties (SDVs zijn kleine duikboten), zoals twee operationele activiteiten met een peloton van SEAL-team Two. Voor zijn overplaatsing naar de SQT was hij instructeur aan de SDV School in Panama City (Florida). Hij leidt niet alleen de CSC-trainingen maar is ook belast met het toezicht op het SQT-magazijn voor duikuitrustingen en het organiseren van de logistiek ten bate van de duiktrainingen tijdens de SQT.

'Dit is een essentieel bestanddeel van de moderne SEAL-training,' legt adjudant Tortorici me uit nadat hij de klas uitleg heeft gegeven. 'We moeten hun vaardigheden op een tamelijk hoog peil brengen om te zorgen dat zij hun gevechtsoperaties onder water bij hun peloton kunnen uitvoeren zonder de meer ervaren pelotonsleden op te houden. Negen leden van deze klas worden ingedeeld bij een SDV-team. Bij deze teams zullen veel van hun gevechtsoperaties volledig onder water gebeuren. Iedere man die hier vertrekt, moet hebben voldaan aan de standaardmaatstaven die voor de gevechtsduiker gelden. Wie niet aan deze maatstaven voldoet, kan zich niet kwalificeren voor de SEAL-status. Het merendeel maakt zich al vrij snel vertrouwd met dit werk. Sommigen moeten we scherp in de gaten houden en er zijn er altijd wel een of twee die wat extra aandacht nodig hebben om dit deel van de training goed door te komen. Dat is niet erg. Als ze de juiste instelling hebben en bereid zijn hard te werken, kunnen we ze al deze vaardigheden bijbrengen en zullen ze aan de maatstaven voldoen.'

In vele opzichten is de gevechtsduiktraining een voortzetting van de duiktraining die de trainees al tijdens de BUD/S-training hebben gehad. Niet helemaal, echter. Tijdens Fase 2 van de BUD/S – de duikfase – werken de instructeurs van de CSC en de SQT samen. Adjudant Tortorici weet exact wat iedere SQT-trainee in die fase heeft gepresteerd. Als een van hen toen problemen heeft gehad, is hij daarvan op de hoogte. Toen BUD/S-klas 228 bezig was aan Fase 2, was hij er een week lang bij toen ze met de snorkeluitrusting trainden, al snel gevolgd door de LAR-V-uitrusting of Draeger, een duikuitrusting met gesloten circuit die door de longen zelf wordt geactiveerd. De laatste weken van de training van klas 228 bestonden geheel uit tactische oefenaanvallen op schepen en havenpenetraties. Recentelijk hebben SQT-instructeurs de BUD/S-instructeurs verzocht zich extra te concentreren op de grondbeginselen van onderwaternavigatie, maar de training van de tactische gevechtsduikvaardigheden aan de SQT over te laten. De redenering: met een steviger basis op het gebied van de Draeger, oriëntatie, zweefbeheersing, afstandmeting en onderwaternavigatie, kan de Combat Swimming Course sneller en effectiever een vaardige gevechtsduiker afleveren.

Krijgslieden en heelmeesters. Onder 'slagveldomstandigheden' leggen SQT-trainees bij een kameraad een infuus aan. Kort daarna zullen ze van rol verwisselen en wordt de 'gewonde' zelf de 'heelmeester'. *Foto Dick Couch*

Treffers. Op de schietbaan van La Posta krijgt een lid van SQT-klas 2-02 zorgvuldige instructies van schietinstructeur Matt Reilly. *Foto Dick Couch*

Vizier uitlijnen en drukpunt opzoeken.
Een trainee geeft blijk van goede schietvaardigheid met het Sig Sauer-pistool,
kaliber 9 mm.
Foto Dick Couch

Trekken en vuren. Schieten in een vuurgevecht betekent soms dat de kogels zo
snel mogelijk naar voren moeten, nog
voordat de schutter de houding kan
aannemen die zijn voorkeur heeft.
Foto Dick Couch

De schietbaan op Camp Pendleton. Instructeur Will Gautier geeft een SQT-trainee aanwijzingen voor het hanteren van het wapen dat de voorkeur geniet van de SEALs, het M4-geweer, kaliber 5,56 mm. *Foto Dick Couch*

Op de schietbaan van Pendleton oefenen met het M14-geweer, kaliber 7,62 mm. SEALs zijn een van de laatste Amerikaanse gevechtseenheden die dit geweer nog gebruiken. *Foto Dick Couch*

De rattle-battle. SQT-trainees met volle bepakking verwisselen onder het rennen hun magazijnen. Hier verplaatsen ze zich van de 100 m-vuurlijn naar de vuurpositie op de 200 m-vuurlijn. *Foto Dick Couch*

Camp Billy Machen. Sinds midden jaren zeventig hebben SEALs een gedeelte van hun training ontvangen in deze faciliteit voor woestijntraining. Billy Machen was de eerste Navy SEAL die in Vietnam sneuvelde. *Foto Dick Couch*

Op de vuurlijn in Camp Billy Machen. Onder het waakzame oog van hun schietinstructeurs bereiden de SQT-trainees van klas 2-02 zich voor op nog meer rattle battle. *Foto Dick Couch*

Schieten in teamverband met de M4. In de lighouding worden de SEAL-trainees geacht een silhouetdoelwit op driehonderd meter afstand te raken. *Foto Dick Couch*

Winnen is profijtelijk! Een trainee van klas 2-02 vuurt tijdens de CSC van achter een barrière. Het is rennen en vuren: de snelste tijd en meeste treffers bepalen wie er wint. *Foto Dick Couch*

Camp Billy Machen. SEAL-trainees doen in de snikhete woestijn met volle bepakking en uitrusting schietoefeningen. Hier herstelt een schutter een vastloper van zijn M4 en gaat verder met vuren. *Foto Dick Couch*

Schietoefeningen. Adjudant-officier Mike Loo geeft een kandidaat-SEAL, een schutter van SQT-klas 2-02, aanwijzingen. *Foto Dick Couch*

Vuren en nog eens vuren. Trainees van SQT-klas 2-02 onderbreken tijdelijk hun schietoefeningen met de M4 om wat te oefenen met de MK43, kaliber 7,62mm, de standaardmitrailleur van SEAL-teams. *Foto Dick Couch*

Gevechtsduiktraining. Twee SQT-trainees plaatsen kleefmijnen tegen de romp van een schip. Let op het Draeger-duiktoestel (*LAR-V-scuba*) op de borst van de duiker, en op de kleefmijn op zijn rug. *Officiële Navy-foto*

Oefenen met de Zodiac-rubberboten. SEALs komen uit zee, vaak vanuit hun *Combat Rubber Raiding Craft* (CRRC). SQT-trainees maken hun boten klaar voor een opsporings- en bergingsmissie waarbij ze vanuit zee infiltreren en het strand oversteken. *Foto Dick Couch*

De ijzige kou in. De training is nooit klaar, zoals nieuwe SEALs al spoedig ontdekken. Na de uitreiking van het Trident-insigne reizen ze meteen af naar Kodiak Island (Alaska) om in de bittere kou te trainen. *Foto Dick Couch*

Duik en opwarmoefening. SEALs van SQT-klas 2-02 in Chiniak Bay. Na een duik in het door gletsjers gevoede water moeten ze snel aan land komen om weer warm te worden, anders kan het hun dood worden! *Foto Dick Couch*

Oost West, thuis best. Na de duik- en opwarmoefening duikt een trainee zijn pubtentje in, droog, warm en met een warm maaltje achter de kiezen. Het leven is goed! *Foto Dick Couch*

Penetratie vanuit zee. Niet iedere kust heeft een zandstrand. Hier beklimmen SQT-trainees van klas 5.02 een klif aan de kust. Na een koude zwempartij en een zware klim zullen ze het land in trekken om hun missie te voltooien. *Foto Dick Couch*

Het ijskoude water rond Kodiak Island. De nieuwbakken SEALs trainen de penetratie vanuit een ijzige zee – eerst overdag en daarna 's nachts. *Foto Dick Couch*

Erin duiken en zwemmen maar. Trainees van klas 5.02 duiken vanaf de elf meter lange Ridgid-Hulled Inflatable Boat (RHIB) in zee en beginnen aan hun zwemtocht naar de kust. Daar ontdoen ze zich van hun wetsuit als voorbereiding op hun verplaatsing over land. *Foto Dick Couch*

Verplaatsing door sneeuw. SQT-klas 5.02 steekt de noordwestzijde van Raymond Peak op Kodiak Island over. Voor een aantal mannen in de klas was dit de eerste keer dat ze sneeuw zagen. *Foto Steve Howe*

Op naar de zon! SEALs klimmen op Kodiak Island met een bepakking van bijna 37 kg naar de zon. Aan de ene kant van de bepakking hangen sneeuwschoenen, aan de andere zwemflippers. *Foto Steve Howe*

Schieten om te doden. Een SEAL van Peloton Echo (SEAL-team Five) geeft zijn pelotonmaat aanwijzingen. Het wapen is het M4-geweer met een 254 mm lange loop voor vuurgevechten van nabij. *Foto Dick Couch*

De opwarming. SEALs van Peloton Foxtrot (SEAL-team Five) doen schietoefeningen voordat ze het kill house in Camp Pendleton ingaan voor verdere training. *Foto Dick Couch*

Klop-klop-klop. SEALs van Team Five bestormen een huis. Het met talloze trainingsmogelijkheden vol staande kill house in Camp Pendleton kan op allerlei manieren worden ingericht om SEALs te trainen in stadsguerrillatechnieken. *Foto Dick Couch*

Nog meer schietoefeningen. Een SEAL van Team Five houdt een doelpersoon onder schot. De oefeningen beginnen met losse flodders, maar uiteindelijk wordt er getraind volgens scenario's met scherpe munitie. *Foto Dick Couch*

En maar oefenen. Een afgesloten deur moet worden geopend. Let op het braakgereedschap op de rug van deze schutter van SEAL-team Five. *Foto Dick Couch*

Penetratie uit de lucht. SEALs van Team Five springen uit de cabine van de C-130 voor een vrije val boven water. Let op de zwemflippers die ze dragen. *Officiële Navy-foto.*

Opgepikt vanuit zee. Een CH-46 Sea Knight pikt SEALs van Team One op in de San Diego-baai, na een penetratie-oefening. *Officiële Navy-foto.*

De SQT-trainees uit BUD/S-klas 237, behoren tot de eersten die tijdens de BUD/S Fase 2 op deze manier hebben leren duiken.

De eerste dag wordt gebruikt voor lessen en administratieve taken, gewijd aan een recapitulatie van wat zij tijdens Fase 2 hebben geleerd. Ook wordt de klas bekendgemaakt met de kleef- of magneetmijnen waarmee ze tijdens hun training zullen oefenen. Ook beginnen ze met het bestuderen van de kenmerken en kwetsbare plekken van het onderwatergedeelte van een scheepsromp. Tijdens een les over de geschiedenis van de gevechtsduiker neemt een van de trainees de instructeursrol op zich. Sergeant Gene Fouts, een van de drie Trident-dragers in klas 2-02, was in 1989 nog een groentje in SEAL-team Four gedurende Operation Just Cause in Panama. SEAL-duikers bliezen daarbij twee Panamese patrouilleboten op. Fouts lag niet zelf in het water bij deze aanvalsactie, maar hij had geholpen bij de duikersondersteuning en geeft een verslag uit de eerste hand van de missieplanning en de uitvoering van die operatie.

'Deze kanonneerboten lagen afgemeerd aan de kade en vormden een gevaar,' vertelt Fouts zijn klasgenoten, 'en van de ene dag op de andere waren ze veranderd in smeulende casco's die grotendeels onder water lagen. Dit soort aanvallen kan een krachtig signaal vormen aan het adres van degenen die denken dat hun schepen in een haven veilig zijn. Het was een operatie volgens het boekje, en het scenario dat we volgden was de vrucht van de missieprofielen die we tijdens de preoperationele pelotonstraining hadden opgesteld. Wat jullie tijdens de BUD/S hebben geleerd en hier tijdens de SQT in praktijk gaan brengen, is exact wat wij bij die aanval op deze Panamese marineschepen hebben toegepast.'

Ik heb met de leider van de operatie gesproken en ook hij verzekerde mij dat alles exact zo was verlopen als ze hadden gerepeteerd. Volgens hem moet het voor de SEALs die de magneetmijnen hadden geplaatst veel weg hebben gehad van gewoon de zoveelste oefening – maar dan misschien wat gemakkelijker, omdat het water warm was. Bij mijn weten is dit tot dusverre de enige geslaagde onderwateraanval op schepen die door Navy SEALs werd uitgevoerd, of op zijn minst de enige die in de openbaarheid is gekomen.

De eerste duik van de trainees vindt plaats in het reservoir voor gevechtsduiktraining van de Naval Amphibious Base op The Strand. Deze duikoefening is bedoeld om de trainees weer te laten wennen aan de Draeger. Het is een recapitulatie van het gereedmaken van de duikuitrusting, werkend op basis van 100 procent zuurstof, en de te volgen procedures onder water. De Draeger is klein en compact en wordt op de borst van de duiker gedragen. Zoals gezegd geeft hij geen verraderlijk bellenspoor af en kun je er vier uur lang mee onder water blijven. Tijdens de SQT-duiksessies wordt de duiktijd echter beperkt tot maximaal drie uur. Bij deze oefening controleert de duiker zijn zweefvermogen en neemt hij de veiligheidsprocedures door, naast de reddingsmethoden en elementaire handsignalen. Het gaat erom weer vertrouwd te worden met de uitrusting en de procedures onder water.

De SQT-trainees hebben na de BUD/S-training hun op maat gemaakte wetsuit en persoonlijke duikuitrusting meegekregen. Toen hebben ze zonder aanvullende operationele uitrusting kunnen trainen. Bij de SQT-gevechtsduiktraining verandert dat. Naast de missiespecifieke uitrusting – in de meeste gevallen een magneetmijn – nemen de trainees twee veldflessen met drinkwater mee, plus een achter de riem gestoken pistool. Als hun missie betekent dat ze aan land gaan, dragen ze een camouflagepak over hun wetsuit, of misschien een eenvoudige zwarte parachutistenoverall voor gevechten van man tegen man.

De eerste duiktrainingen in open water zijn gericht op het versterken van onderwatervaardigheden en -navigatie. Net als bij de oefeningen in landnavigatie moet de trainee zich in het water op twee essentiële dingen concentreren: richting en afstand/snelheid. Bij deze duiktrainingen is elk duikerskoppel gewapend met een aanvalsplank: een stijve plaat van kunststof met handgrepen. Op deze aanvalsplank is een kompas bevestigd, plus een dieptemeter en een duikershorloge. Een van de twee mannen, de stuurman, zwemt met de aanvalsplank en bepaalt de verplaatsingsrichting. Hij houdt de verstreken tijd bij tijdens iedere etappe van de route en schat tevens in hoeveel afstand ze hebben afgelegd door zijn trapbewegingen te tellen. Zijn duikpartner 'zweeft' boven hem, enigszins opzij. Hij kan helpen met tellen, maar zijn hoofdtaak is het opmerken van onderwaterobjecten en hindernissen. Net als bij landnavigatie moeten ze weten in welke richting ze gaan en hoeveel afstand ze in een bepaalde periode hebben afgelegd. Onder water moet echter rekening worden gehouden met de effecten van het tij en eventuele stromingen. Ook moeten ze rekening houden met tijd- en afstandcorrecties voor de uitrusting die ze bij zich hebben – misschien alleen een magneetmijn of een springlading in een omhulsel. Het zijn betrekkelijk eenvoudige taken, die de trainees echter alleen onder de knie krijgen door veel te oefenen in tactische situaties. Dus brengen de SQT-trainees in de baai van San Diego het ene uur na het andere door met afstand- en oriëntatieoefeningen onder water. De stuurman is vastgekleefd aan de aanvalsplank, druk bezig met het op koers houden van het duikerskoppel en het aanhouden van een constante diepte gedurende een gegeven periode. Aan het eind van een etappe in de route volgt hij een nieuwe koers en zwemt verder naar het doelwit.

Tot de overige navigatievaardigheden behoort het plaatsen van richtbakens. Bij het plannen van de duikoperatie moet een duikerskoppel weten wat zij wel of niet zullen zien als zij naar links of rechts van hun geplande koers afwijken. Ook moeten ze op de hoogte zijn van de bodemcontouren, zodat ze de diepte en de bodemkenmerken bij het navigeren kunnen benutten, precies zoals ze bij landnavigatie van de contouren van het landschap gebruikmaken. Ze oefenen zich ook in het afzoeken van vierkanten, de manier waarop ze aan het eind van hun onderwaterroute hun doelwit zoeken. Gedurende de eerste week van de gevechtsduiktraining verzorgen adjudant Tortorici en zijn instructeurs de missieplanningen en geven zij de trainees hun instructies. De eerste vijf duikoefeningen zijn gewijd aan de introductie van een nieuwe navigatie- of aanvalsvaardigheid, waarbij de al getrainde vaardigheden worden verfijnd. Het zijn elementaire oefeningen en iedere vaardigheid bouwt voort op de vorige. Het komt neer op herhalen en verfijnen. Daar komt tijdens de tweede week van de gevechtsduiktraining verandering in.

De instructiestaf schotelt de trainees een tactisch probleem voor, waarna elk duikerspaar een aanvalsplan moet opstellen. Dit is een duidelijk verschil met de duikerstraining tijdens de BUD/S. Twee aan twee komen de duikers met hun plan naar een instructeur om hem het plan voor te leggen, in wat een 'droge duik' wordt genoemd. Het plan wordt doorgesproken of, in sommige gevallen, op het droge geoefend, waarbij elk aspect van de duikrouteoefening van begin tot eind aan bod komt. De term *dirt dive* is een uitdrukking die veel in de teams wordt gebruikt, als een eufemisme voor: 'Heb je dit wel zorgvuldig doordacht en goed gepland?' Als een SEAL besloten heeft te trouwen, vragen zijn teamgenoten hem vaak: 'Heb je de dirt dive wel gedaan?' Voor de start van zo'n tactische duikoefening zal een van de officieren of onderofficieren de klas het probleem voorleggen, maar elk duikerspaar voert het eigen aanvalsplan uit.

De laatste vier duiktrainingen zijn gewijd aan tactische problemen waarvoor de SQT-trainees zowel een duikroute- als een aanvalsplan moeten ontwikkelen. Iedere ochtend wordt de klas een missiedossier voorgeschoteld. De duikersparen moeten aan dit dossier relevante inlichtingen ontlenen en kennis nemen van diverse nautische artikelen. Op basis hiervan kunnen zij hun duikroute- en aanvalsplan tegen een gesimuleerd doelwit ontwikkelen. De dagen vliegen om met plannen, repeteren, instructies ontvangen, uitrusting prepareren en inspecteren en persoonlijke inspecties. 's Nachts wordt er altijd gedoken. De werkdag begint om 08:00 en vaak wordt de post-duikbriefing pas ruim na 02:00 afgerond. Het is nog geen helse week, maar SQT-klas 2-02 krijgt gedurende de tweede week van de CSC-training maar weinig slaapuren.

De kwalificatiestandaard voor de gevechtsduiktraining in de SQT vereist dat een duikerskoppel in een haven penetreert, twee schepen aanvalt met kleefmijnen en zich terugtrekt naar een oppikpunt – dat alles zonder van bovenaf te worden opgemerkt – en bovendien alles in het donker. SEALs kunnen ook opdracht krijgen tot andere verkennings- en aanvalsmissies in havens, maar als ze eenmaal met succes aanvallen op twee drijvende doelwitten kunnen uitvoeren, zijn ze ook opgewassen tegen de meeste andere taken van gevechtsduikers. Anders dan eerdere BUD/S-gegradueerden in de SQT zijn de leden van klas 237 nooit onder een schip geweest. Hun duiktraining bleef beperkt tot het oefenen van basale navigatieopdrachten en het leren van de bijbehorende theorie. Nu moeten zij echter de theorie uit het instructielokaal combineren met praktische navigatietraining en een duikroute- en aanvalsplan opstellen. Voor het eerst zullen de trainees met de MK I-oefenkleefmijn werken. Het is een dummy-springlading met krachtige magneten om de mijn aan de romp van een schip te bevestigen. De oefenkleefmijn is rond en wordt door de duiker op de rug meegenomen. Met hun wetsuit, koppelriem met veldflessen, pistool en de Draeger op de borst zien ze eruit als een vreemdsoortig gordeldier. Bij de eerste aanvalsduik slaagt 80 procent van de trainees erin hun mijn op het eerste schip te 'planten'; slechts iets meer dan de helft doet dat ook met de tweede kleefmijn. Sommigen hebben hun onderwaternavigatie- en zoek-vaardigheden zo goed onder de knie dat ze hun doelwitten snel vinden. Anderen worstelen er nog mee. Iedere nacht worden de missie-profielen en de doelwitten wat moeilijker. Echter, ze leren van iedere duik. Een vergissing die bij de eerste duik is gemaakt, wordt niet her-haald bij de volgende nachtelijke duik.

'De grote schepen zijn een stuk gemakkelijker,' zegt sergeant John Franklin. 'Je kunt ze horen en je voelt de trillingen in het water als je er dicht genoeg bij bent. Het is gedurende de hele route donker, maar als je eenmaal onder een grote romp zit wordt alles pikzwart. En je moet voortmaken om langs die enorme zwarte romp te ko-men. Gisteravond raakten we een torpedobootjager en een helikop-tervliegdekschip, een grote LHA. Die lijkt onder water een stuk groter dan als je er op de kade langs wandelt. Eerst moet je je ervan overtuigen dat je het juiste schip voor je hebt, en daarna moet je je kleefmijn op de juiste plaats op de romp plakken. De lading moet daar worden geplaatst waar deze het meeste effect sorteert. Je zult er wellicht geen groot schip mee tot zinken brengen, maar je kunt een van de schroefassen beschadigen, of een machinekamer onder water zetten. Dan moet zo'n schip het dok in voor reparaties.'

Na de tweede aanvalsduik hebben de instructeurs voor de trainees een verrassing in petto als ze terugklimmen in de oppikboten. En van de trainees wordt aangewezen om de rol van een slachtoffer van caissonziekte te spelen. Hij en zijn duikpartner worden ter behandeling snel overgebracht in de decompressietank, waarin de druk op de juiste diepte wordt gesimuleerd. De klas kijkt toe terwijl zij in de tank worden behandeld zoals dat in het echt zou gebeuren. Caissonziekte wordt veroorzaakt door gasexpansie in de longen, bijvoorbeeld als een duiker te snel van grotere diepte omhoogkomt terwijl hij zijn adem inhoudt. Deze aandoening is ernstig en kan iemand het leven kosten. Als de trainees na deze oefening in eertehulpverlening terug zijn in het instructielokaal, begint de klas aan de duik-debriefing. Elk duikerskoppel doet in grote trekken verslag van zijn duik: een korte beschrijving van de naderingsroute, wat ze bij het doelwit hebben gedaan en de terugtocht naar het oppikpunt. Op een gegeven moment zegt een van de trainees, een Tridentdrager, tegen de instructeur dat hij zich niet lekker voelt. Even later begint hij bloed op te hoesten. Dit zijn de symptomen van caissonziekte. Hij wordt in allerijl naar de decompressietank gebracht en deze keer is de behandeling écht. Zijn symptomen worden verlicht en hij wordt zorgvuldig onder supervisie van een arts teruggebracht naar de normale atmosferische druk. Toch herinnert dit de trainees en hun instructeurs er nog maar eens aan dat deze training tamelijk risicovol is. Het slachtoffer van caissonziekte wordt uit de duiktraining genomen totdat zijn aandoening – en de oorzaken ervan – zo goed mogelijk is onderzocht. Omdat hij de Trident al heeft, is zijn trainingsresultaat niet doorslaggevend voor zijn SEAL-kwalificatie, maar de klas is wéér een lid kwijt.

Op donderdagavond van de tweede week wordt de laatste aanvalsduik van de gevechtsduiktraining ondernomen. De trainees hebben lood in de schoenen van moeheid, maar straks zijn ze weer een stap dichter bij de SQT-kwalificatie. Ik vraag sergeant Phil Kim hoe hij zijn aanval van vannacht gaat ondernemen. Hij pakt de zeekaart van de baai van San Diego, met daarop de vaarroutes naar de Gloriettabaai bij Coronado en de kaden van de Naval Amphibious Base.

'Hier gaan we te water -' hij markeert een coördinatenpunt ver in de vaargeul '– ongeveer om 21:00, kort na het invallen van de duisternis. Van hieruit peddelen we naar ongeveer dit punt.' De term 'peddelen' verwijst naar zwemmen aan de oppervlakte. De SEALs zwemmen met zwartgemaakt gezicht aan de oppervlakte om onderwatertijd te besparen totdat ze hun doelwit dicht genaderd zijn. Bovendien zijn er aan de oppervlakte meer zichtbare herkenningspunten, zodat ze veel nauwkeuriger kunnen navigeren dan onder water mogelijk is. Bij het bereiken van de buitengrens van de havenbeveiliging duiken de aanvallers onder om naar het doelwit te zwemmen. Sergeant Kim en zijn duikpartner zullen over een afstand van 2,2 km aan de oppervlakte peddelen voordat ze hun Draeger activeren.

'We activeren de Draeger ongeveer hier en beginnen aan de aanval,' vervolgt hij. 'We moeten dan nog bijna zevenhonderd meter afleggen naar het eerste doelwit, een patrouilleboot met een lengte van zo'n eenenvijftig meter. Naar de kaden volgen we een koers van twee nul vijf. Vandaar is het nog ongeveer vijfenveertig meter zwemmen naar het tweede doelwit, een landingsboot. Landingsboten zijn lastige doelwitten vanwege hun platte, ondiepe en rechthoekige bodem. Bovendien wil je er zeker van zijn dat je de juiste te pakken hebt.' Zijn wijsvinger volgt de geplande onderwaterroute op de kaart. 'Nadat we de tweede kleefmijn hebben geplant, komen we meteen onder dat landingsvaartuig uit. Onder een stalen romp kun je je kompas niet gebruiken – al dat staal stoort. Dus zwem je een meter of dertig weg en raadpleeg je dan pas je kompas voor de te volgen richting. We komen vrijwel terug via dezelfde koers op nul twee nul, over een afstand van duizend meter. Vanaf dat punt peddelen we met een koers van nul-negen-nul duizend meter terug naar de oppikpunt.'

'Veel geluk,' wens ik hem.

'Dat gaat lukken, sir,' zegt hij 'We hebben het onder de knie.'

Kim en zijn duikpartner laten zich kort na negen uur die avond in het water zakken en zijn tegen middernacht terug bij de oppikpunt.

'Hoe is het gegaan?' vraag ik, nadat ze rapport hebben uitgebracht bij adjudant Tortorici en weer aan boord van de oppikboot zitten.

'We hebben ze allebei,' meldt sergeant Kim. 'We hadden het alleen wat moeilijk om bij dat tweede doelwit te komen. We hebben toen in vierkanten gezocht en het heeft ons toen nog bijna een kwartier gekost om het te vinden. Maar die mijnen zitten op de goeie plaatsen. Als dit een echte operatie was, zou het nu met beide schepen gedaan zijn.'

Vrijwel alle overige duikerkoppels hebben het goed gedaan – maar niet allemaal. Drie trainees die als stuurman fungeerden hadden er moeite mee en moeten alsnog hun aanval op twee schepen met succes volvoeren. Op vrijdag begint het gros van de klas aan een laatste onderhoudsbeurt van hun Draeger en hun CSC-steunuitrusting. Zij zijn nu klaar om door te gaan met de laatste instructiecursus van hun SEAL-kwalificatietraining: maritieme operaties (MAROPS). Anderen zijn minder gelukkig.

Gedurende het weekeinde zullen twee CSC-instructeurs met de mannen werken die moeite hadden met de aanval op twee schepen. Zij krijgen een nieuwe missietaak en beginnen aan de uitwerking van hun duikroute- en aanvalsplan. Voor komende maandagavond is een inhaalduik gepland. Daar zijn dan zes SQT-trainees bij nodig, omdat de drie gezakten niet alleen kunnen zwemmen. Deze drie mannen zullen alsnog aan de geldende maatstaven moeten voldoen door een aanval op twee schepen met succes af te ronden, anders zullen ze de SQT vaarwel moeten zeggen. Voor deze drie leden van klas 2-02 is het geen ontspannen weekeinde. Ze zullen moeten presteren.

De volgende maandag, na de eerste dag van de cursus maritieme operaties, kan het merendeel van de klas naar de barak en de avondmaaltijd. Zes man van 2-02 beginnen aan de preparatie van hun Draeger. Kort na het invallen van de avond laten de duikerkoppels zich met tussenpozen van tien minuten over de dolboord van de ondersteuningsboot glijden om aan hun aanval te beginnen. Ze leggend peddelend een afstand af van bijna twee kilometer en duiken dan onder voor de nadering van hun doelwit – twee kleine schepen, afgemeerd aan de kade van de NAB. Twee van de gezakten plaatsen allebei hun mijnen. Een van de drie lukt het opnieuw niet. Hij heeft alle kans van slagen gehad, maar voldoet niet aan de strenge normen. Hoewel hij bij alle overige aspecten van de SQT steeds uitstekend heeft gepresteerd, wordt hij teruggezet naar de volgende SQT-klas. Van klas 2-02 is nu nog achtenveertig man over.

Strandoversteek

Op het witte schoolbord dat met plakband op de deur van het instructielokaal boven het SQT-uitrustingsmagazijn is bevestigd staat te lezen:

Inspectie uitrusting en kitbag	13:00
In- en uitlaadinspectie	13:30
Camouflagepak voor PLO-wetsuit (optioneel)	14:30

Het is half drie 's middags. Dertien leden van klas 2-02 zitten in het instructielokaal om zich voor te bereiden op de cursus maritieme FTXs (maritieme operaties met kustpenetratie vanuit zee). Samen met de anderen zijn ze vannacht om een uur of half vier teruggekomen van de laatste nachtoefening en de strandoversteektraining. Na luttele uren slaap zijn ze alweer terug in het SQT-gebouw om hun uitrusting schoon te maken en zich voor te bereiden op de maritieme FTX van vanavond. Deze training is hun laatste oefening van de fase 'maritieme operaties' en tevens hun laatste tactische veldprobleem tijdens de SQT. Na vanavond is het MAROPS-examen het laatste obstakel tussen hen en het felbegeerde Trident-insigne. Het is een kustpenetratie met volledige uitrusting vanuit zee. De mannen zijn nu bijna gekwalificeerde SEALs – op een haar na. Als alles goed gaat, zullen ze hun beloning in ontvangst kunnen nemen: de Trident. Dan hebben ze de eretitel 'groentje' in een Navy SEAL-team verdiend – als nieuwelingen in een elitegevechtseenheid.

Een van de trainees staat op en posteert zich voor de klas. 'Oké, mannen, luister goed. Mijn naam is vaandrig Dave Tanner en ik ben vanavond de patrouilleleider en missiecommandant. Onze drie taakteams hebben de gezamenlijke codenaam Ka-bar. Onze groep hier is taakgroep Alpha. We gaan ervan uit dat de veiligheid is gewaarborgd; is iedereen die meewerkt aan deze operatie aanwezig? De leiders van de bootbemanningen roepen de namen af. 'Mooi, we kunnen beginnen. Ik vertel jullie nu het patrouillebevel voor de missie van vanavond. Eerst zetten we de klokken gelijk.' Er ontstaat geritsel als iedereen de mouwen van zijn wetsuit en camouflagepak omhoogschuift om zijn horloge vrij te maken. 'Over vijftien seconden is het veertien uur tweeëndertig. Tien... vijf... drie... twee... een... Zet.'

Hij draait zich om naar het scherm achter hem en zijn eerste PowerPoint-dia wordt geprojecteerd. Het is een matrix van namen en speciale uitrusting voor de komende operatie. 'Hier vind je de taakverdelingen voor de uitlaadprocedure en de operationele uitrusting. Alles moet klaarstaan en gereed voor gebruik: zijn er problemen met de uitrusting?' Niemand zegt iets, dus kennelijk niet. 'Dan kunnen we direct verder met het missiescenario.' Een luchtfoto van de Californische kustlijn op enkele kilometers ten zuiden van het Naval Special Warfare Center wordt zichtbaar. Het opvallendste object is een grote, ronde constructie: een niet meer in gebruik zijnde constructie die in de wandeling 'De Olifantenkooi' wordt genoemd. Het is een immens antennecomplex dat ook een dinosauriërskooi had kunnen heten. Dit deel van de kust is marine-eigendom. De laatste keer dat klas 2-02 hier is geweest, was dat voor de Close Quarter Defense-training (CQD). Dit keer zullen ze de faciliteit op een heel andere manier binnenkomen, en met een totaal andere doelstelling.

'Missiescenario. Onze primaire missie van vanavond is de redding van drie leden van de Amerikaanse luchtmacht die boven vijandelijk territorium uit een defecte B1-bommenwerper zijn gesprongen. Ze zijn alle drie geland en leven nog, maar ze zijn gewond. Er is radiocontact en hun overlevingskit is in orde. Ze bevinden zich echter vlakbij een Iraaks commandocentrum en in de omgeving daarvan wordt intensief gepatrouilleerd. Hoe het met de troepenconcentraties is gesteld weten we niet exact, maar er zijn vermoedelijk gevechtseenheden ter sterkte van een compagnie aanwezig, bewapend met lichte automatische wapens en raketgranaten. Er zijn geen vriendschappelijke gevechtseenheden in het gebied. Onze secundaire missie is het onderweg vergaren van inlichtingen en die doorgeven aan het commandocentrum. Vanuit het moederschip stappen we kort na het invallen van de duisternis om ongeveer negentien nul nul uur op deze positie hier over in Combat Rubber Raiding Crafts (CRRCs of Zodiacs), op circa 80 km van de kust.' Hij raakt met een aanwijsstok het scherm aan om een punt in zee ten westen van San Diego aan te geven. 'De drie aanvalsboten van taakgroep Alpha vertrekken als eersten, met intervallen van twintig minuten gevolgd door de boten van taakgroepen Bravo en Charlie.' (In twee andere instructielokalen instrueren andere vaandrigs de taakgroepen Bravo en Charlie.) 'We verlaten de aanvalsboten op dit rendez-vouspunt hier – tweeënhalve kilometer van onze landingslocatie. We hebben vanavond vollemaan, maar krijgen vermoedelijk wat hulp van het wolkendek. Eerst verlaten de verkenners de aanvalsboten aan de zeezijde en verwijderen wij ons weer van de kust tot buiten gezichtsafstand. De verkenners gaan de wal op, steken het strand over en verkennen kort de omgeving achter de kustlijn in de klaverbladmodus. Vervolgens proberen ze contact te maken met een vriendschappelijke agent die tussen tien uur dertig en half een op het strand zichtbaar moet zijn. Ze wisselen eerst de wachtwoorden en wat inlichtingen uit. Daarna proberen de verkenners radiocontact te maken met de piloot die wij volgens onze instructies moeten redden. De drie piloten gebruiken drie verschillende frequenties, zodat iedere taakgroep contact moet maken met de aangegeven frequentie. Als dit contact tot stand is gebracht en de piloot in kwestie meldt dat hij nog niet is ontdekt, roepen de verkenners de rest van het peloton op met de melding dat er geland kan worden. Als de rest het strand heeft overgestoken en elkaar heeft gevonden, lopen we naar de locatie waar de gestrande piloot zich bevindt. Voor de nadering van de piloot gelden uiteraard de standaardprocedures en de nodige voorzorgsmaatregelen: we nemen niets aan als vanzelfsprekend, net zoals bij de opsporings- en bergingsacties in de woestijn. Als de piloot inderdaad een van ons blijkt te zijn, behandelen we hem – indien nodig – en bereiden hem voor op verplaatsing. We gaan terug zoals we gekomen zijn – eerst de verkenners, daarna de piloot en twee dragers en dan pas de rest van het squad. De aanvalsboten komen na een afgesproken signaal terug om ons op te pikken. Eenmaal aan boord wordt het koppen tellen en gaan we terug naar de rendez-vouslocatie uit de kust. Vandaar gaan we terug naar het moederschip en kunnen naar huis. Dat is onze klus van vannacht. Tot dusverre nog vragen?' Ook nu blijft het stil.

'Mooi. Naar de uitrusting dus en als de sodemieter weg. Het zijn onze mensen, daarginds, dus blijven we gefocust en voeren deze klus zorgvuldig uit. Maar eerst nog de details.' Het schema maakt plaats voor een dia met data- en tijdstipkolommen. 'Dit zijn onze landingstijdvensters, oriëntatiepunten, BLS-tijden (de tijd dat de accu's nog genoeg stroom leveren), doelwittijden – met de marges voor niet te vroeg of te laat – en de uiterste tijdstippen. Het ziet eruit als het metroschema van een grote stad. 'Iedereen kan dit lezen? Bemanningleiders, ik weet dat jullie deze informatie van de voorbereiding kennen, maar neem toch even de tijd om je ervan te overtuigen dat al deze data kloppen met wat je op je navigatiekaart hebt staan.'

Het missiescenario of missieoverzicht is dat deel van het patrouillebevel (PLO) waarbij de patrouilleleider in zijn eigen woorden zijn mannen vertelt wat ze gaan doen en hoe dat moet gebeuren. En waaróm. De rest van de instructie is gedetailleerd, gebonden aan een streng protocol en bevat geheime informatie die verband houdt met de specifieke gang van zaken bij een speciale maritieme operatie. De briefing gaat nog een volle twee uur door. Er zijn verschillende soorten 'acties': acties naar en van het doelwit, acties op de rendez-vouslocaties, acties bij oriëntatie- of coördinatenpunten, acties bij het moederschip, acties bij het oversteken van het strand. De mannen krijgen persoonlijke taken op voor als ze de gestrande piloot hebben bereikt, en voor het overbrengen van de piloot naar het strand. Dan worden de 'stel dat…?'-mogelijkheden besproken. Wat te doen als ze bij het overstappen in de boten elkaar uit het oog verliezen? Wat moeten ze doen als er geen contact met de agent op het strand wordt gemaakt? Wat moet er gebeuren als ze geen radiocontact met de piloot krijgen of als het wegvalt terwijl ze het hebben? Wat te doen bij contact met de vijand als ze door de branding naar de kust zwemmen, of als ze op het strand zijn, of op weg naar de piloot? Stel dat de piloot ontdekt is en er een hinderlaag is gelegd? De lijst is eindeloos. Een pelotonslid licht de taakgroep in over het weer, de toestand op zee en gevaren van het milieu: haaien, pijlstaartroggen, de watertemperatuur. Een ander lid bespreekt de geldende regels van oorlogvoering: wanneer en hoe er dodelijk geweld mag worden gebruikt en tegen wie dat geoorloofd is. Dan komen de radiofrequenties aan bod: primair, secundair en tertiair. Het communicatieplan wordt grondig doorgenomen. Zelfs de plek waar de radioman dit *comm plan* bij zich draagt wordt vermeld, zodat een ander lid van de taakgroep het meteen kan vinden als hij gewond raakt, of erger. Als de duivel in de details zit, zoals Angelsaksische volken zeggen, dan is de duivel een onafscheidelijk lid van iedere goed geïnstrueerde speciale gevechtsgroep.

Dan komt de missie over land aan de orde: het naderen van de piloot en de navigatiegegevens die ze nodig hebben om van de rendezvouslocatie in zee naar de piloot te komen, en vice versa. Ze hebben beide onderdelen geleerd en geoefend. Het oversteken van het strand is echter een sleutelelement in de hele operatie. De tactische kustoperaties behoren tot de belangrijkste vaardigheden van de Navy SEALs, samen met de vaardigheden van de gevechtsduiktraining. SEALs doen veel dingen goed, maar geen andere speciale strijdmacht doet dit beter. De strandoversteek is in feite de ziel van de maritieme commando. Uiteraard vallen er in Afghanistan geen stranden over te steken, maar bij hun ondersteuning van speciale maritieme operaties in Irak hadden de SEALs deze strandoversteekvaardigheden hard nodig.

Het tactisch probleem van de vorige nacht leek er veel op, maar dan zonder feitelijk doelwit. Ook waren de afstanden door het water veel korter. Bij de voorbereidende training van de avond daarvoor hebben ze zich echter wel volledig moeten omkleden. Ze zwommen toen met volle bepakking naar de kust en hebben het strand overgestoken in hun complete wetsuit om een strandoversteek door veel kouder water en bij veel kouder weer te land na te bootsen. Eenmaal aan land verwisselden ze hun wetsuit voor hun droge camouflagegevechtspak (tenzij ze hun waterproef-kitbag niet goed hadden gesloten). In dat geval moesten ze hun drijfnatte gevechtskleding aandoen en de landingslocatie verlaten, klaar voor de strijd bij koud weer. Deze volledige omkleding na een strandoversteek wordt keer op keer onder nagebootste tactische omstandigheden bij nacht en ontij geoefend. Tijdens de laatste training voor operationele missies zullen ze zich niet omkleden: de trainees dragen dan zoveel van hun wetsuit als ze nodig hebben om naar de kust te kunnen zwemmen, het strand over te steken en de gestrande piloot te vinden. De meesten zullen onder hun camouflagepak alleen het korte wetsuit dragen, zodat ze zich te land sneller kunnen verplaatsen, ook al is het water nog steeds een kille 15,5 graad Celsius.

Gedurende het grootste deel van de voorgaande week heeft de klas veel geleerd over boten, buitenboordmotoren en de grondbeginselen van navigeren in een kleine boot. Tijdens de BUD/S hebben ze zich al wat met de boten vertrouwd kunnen maken, maar lang niet zo intensief als in de SQT. Ze hebben met zeekaarten gewerkt en artikelen over navigatie gelezen. Ze hebben geleerd een gegist bestek te maken, een koers uit te zetten en tijd- en afstandsberekeningen te maken. Daarna hebben ze geleerd bij het maken van een gegist bestek rekening te houden met factoren als het tij, de wind en de stromingen. Op de tweede dag moesten ze in het SQT-gebouw zijn om kennis te maken met de Combat Rubber Raiding Craft: een rubberen boot voor speciale maritieme operaties, uitgerust met de standaardbuitenboordmotor OMC (55 pk). Deze rubberen boot weegt 120 kg en is uitgerust met in elkaar hakende vloerplaten van aluminium. Hij kan vier tot zes SEALs vervoeren. De OMC-buitenboordmotor is zeer betrouwbaar, maar de trainees leerden evengoed de trucjes en kneepjes waarmee een onwillige buitenboordmotor weer aan de praat wordt gebracht of kleine reparaties kunnen worden verricht. Een CRRC met OMC haalt – afhankelijk van de lading –

een maximumsnelheid van dertig knopen (56 km/uur) bij kalme zee, of vijftien knopen (28 km/uur) bij deining. Het zijn de grootste oppervlakteboten voor Navy SEAL-operaties: de grotere Naval Special Warfare Combatant Crafts (NSWCCs) zijn het privilege van de Special Boat Teams (SBTs) van het NSW Command.

In het beschutte water van de Gloriettabaai bij de Naval Amphibious Base maken de trainees zich vertrouwd met het gevoel van snel varen in een rubberboot. De eerste dag op het water is gereserveerd voor vertrouwd worden en oriëntatie. Vlak voor de basis is een traject van een *mile* (= zeemijl 1851,85 m) uitgezet: hier hebben de trainees de snelheid van hun geladen rubberboot gekalibreerd en geleerd de buitenboordmotor nauwkeurig af te stellen. zodat ze afstanden kunnen bepalen. Toen kregen ze een tegenslag: een frontale botsing tussen twee rubberboten. Ze voeren op volle snelheid met de boeg hoog boven water, en geen van de bemanningsleden had de andere boot opgemerkt. De SQT-trainees en hun uitrustingsstukken lagen overal verspreid. Geen van allen zijn ze ernstig gewond geraakt, op sergeant Mark Calman na, de leidinggevende onderofficier van de klas. Hij heeft zijn kniebanden gescheurd. Calman, afkomstig uit de landmacht en later van de vloot, had gehoopt de SQT zo spoedig mogelijk af te ronden, zodat hij terug kon naar zijn vrouw en dochters aan de oostkust. Hij heeft een marsbevel voor SEAL-team Two. Hij was de leidende onderofficier van BUD/S-klas 237 en SQT-klas 2-02. De volgende dag zat zijn been in het gips. Hij moest vanaf de kust toezien hoe zijn voormalige klasgenoten hun rubberboten inlaadden en terugvoeren naar de baai van San Diego, waar ze nog meer training in open water moesten afwerken. Nu zal hij voor de voltooiing van zijn SQT op de komst van klas 3-02 moeten wachten of zelfs, afhankelijk van het tempo waarin hij herstelt, op klas 4-02. Dan pas kan hij zijn Trident verdienen. De SQT-instructeurs maken zich zorgen over dit ongeluk: Calman was een prima leider die degelijke prestaties leverde. Bij wijze van straf voor hun onoplettendheid in diensttijd moeten de twee stuurlui de klas een presentatie geven over de veiligheid aan boord van een rubberboot en de waterverkeersregels. SQT-klas 2-02 telt nog maar zevenenveertig man.

Verscheidene dagen hebben de trainees geoefend in het maken van een gegist bestek. Eerst in de San Diegobaai en later ook in de Grote Oceaan. Bij het maken van een gegist bestek heeft de navigator slechts de beschikking over een zeekaart, een kompas en de bekende vaarsnelheid van het schip: geen radar, geen dieptemeter (echolood), geen gps. Ze zetten op de kaart coördinatenpunten en verbinden deze met de lineaal om de koers en route uit te zetten. Deze routes worden eerst overdag en daarna ook 's nachts gevaren. Onderweg doen zij geregeld kompasoriëntaties om te navigeren met niet meer dan de grondbeginselen van navigatie. Straks bij de teams hebben ze uiteraard wel de beschikking over gps en andere elektronische navigatiemiddelen, maar tijdens de SQT moet het allemaal op de ouderwetse manier, met zeekaart en kompas. Als elektronische hulpmiddelen tijdens een operationele actie in gebreke blijven, moeten de SEALs evengoed hun bestemming kunnen bereiken, dus leren ze het zo. Klas 2-02 heeft vele uren over de deining voor de kust van San Diego geraasd om zich te oefenen in het navigeren in een kleine boot. Het is koud, eentonig, vermoeiend en onbehaaglijk werk, maar ze moeten het beslist onder de knie krijgen. De trainees maken er een spelletje van, en slagen of falen wordt een kwestie van bluffen en soms ook wedden. De trainees die tot stuurman zijn benoemd en hun navigators volgen het traject dat met *waypoints* op de zeekaart is uitgezet. Bij elk punt wordt van koers veranderd en varen ze gedurende een vooraf berekende tijd en dito snelheid naar het volgende coördinatenpunt. Uiteindelijk gaat het hierbij om wie het meest op tijd aankomt bij het rendez-vouspunt. Zodra ze denken het rendez-vouspunt te hebben bereikt op grond van de verstreken tijd, melden ze dat aan een van de instructeurs in een ondersteuningsboot. Dan komt er een instructeur met gps naar ze toe om de bemanning te zeggen tot op hoeveel meter ze hun bestemming hebben benaderd. Het is een echte wedstrijd en uiteraard is het profijtelijk om te winnen. De bemanning van de winnende aanvalsboot glundert; de verliezers mogen het instructielokaal en het uitrustingsmagazijn schoonmaken.

Om kwart over tien die avond ben ik met adjudant-officier Mike Loo op het strand, wachtend op taakgroep Alpha. Later zullen de twee overige taakgroepen op een paar honderd meter afstand van hier het strand naderen om op zoek te gaan naar hún gestrande piloten. Recht boven ons ligt een ijle deken van maanlicht boven de wolken. De branding is matig – niet meer dan 1-1,5m hoog – en de lucht is voor San Diego onbehoorlijk kil: 15 graden Celsius. Bij dit trainingsonderdeel moet de hele SQT-staf in de weer. Er liggen negen Zodiacs in het water, met zevenenveertig trainees. Langs de vaarroutes en kort voor het strand moeten veiligheidsboten liggen. Daarnaast moeten er instructeurs zijn die de rol van gewonde piloot spelen, of die van een bevriende agent op het strand, om van patrouillerende schildwachten maar te zwijgen. Sommigen ervan rijden op quads over het strand.

'Voor hen is dit een zwaar trainingsonderdeel,' legt Mike me uit. 'Niet zozeer vanwege de technische moeilijkheden, maar ook zij raken nu vermoeid. Ze hebben deze week niet veel kunnen slapen en omdat het een training betreft, is de tijd sterk beperkt. Wij willen ze in of op het water zien. Er is heel wat in deze week samengepakt. Ook tijdens de gevechtsduiktraining hebben ze maar weinig slaap gehad.'

Na de briefing over het patrouillebevel laden de trainees voor de redding van gestrande piloten hun Zodiacs op een landingsvaartuig voor de lange tocht naar het coördinatenpunt in zee vanwaar de opsporings- en bergingsoefening begint. Iedere aanvalsboot met buitenboordmotor weegt 225 kg. De trainees hebben ze aan boord moeten tillen en ze na drie uur varen te water gelaten in een drijvend dok. Ze zijn vele uren later gedurende het grootste deel van de avond en nacht koud en drijfnat geweest en zullen evengoed de Zodiacs weer aan boord van het landingsvaartuig moeten hijsen voor de terugtocht naar huis.

'Bovendien zijn ze mentaal moe. In Camp Billy Machen hebben ze voortdurend schietoefeningen gedaan en dingen opgeblazen, waarbij ze talloze nieuwe dingen hebben geleerd. Tijdens de gevechtsduiktraining werden ze weer voor nieuwe zware opgaven geplaatst, maar zelfs toen kregen ze maar weinig kans om te slapen. Tijdens de training in maritieme operaties, de MAROPS, schotelen we ze allerlei navigatieproblemen en uiteenlopende missiescenario's voor, maar het is en blijft kil en uitputtend werk. Toch moet het worden gedaan. En straks in de preoperationele teams zullen ze het allemaal opnieuw keer op keer moeten doen.' We zien hoe vier donkere schimmen een voor een opduiken uit de branding, op een meter of vijftig van de vloedlijn. Ze formeren zich in een rij en rennen het strand over, naar de dekking van helmgras en kort struikgewas. 'Excuseer,' zegt Mike, 'maar ik moet aan het werk. Ik ben de bevriende agent voor deze taakgroep.'

Adjudant Loo beent het strand op, tussen de brekers en de begroeiingslijn. Hij draagt een wollen overjas en een honkbalpet. Voorzichtig wordt hij benaderd door twee van de schimmen terwijl de twee anderen buiten het zicht toekijken. Het drietal op het strand wisselt enkele woorden. Loo is groter dan de beide trainees en ik zie hem met zijn arm wijzen. Hij loopt weg en de twee 'raiders' verdwijnen tussen de schrale vegetatie. Bijna een half uur later duiken er nog eens negen mannen uit de branding op: ze vormen een kronkelende rij en steken sprintend het strand over. Loo en ik lopen naar een punt vanwaar we de taakgroep kunnen observeren. We dragen nu groene lichtgevende vesten om te worden herkend, net als de toezichthoudende instructeurs. De trainees worden geacht tijdens de oefening onze aanwezigheid te negeren. Het squad glipt een voor een door een opening in een hek langs het strand en gaat op zoek naar zijn gestrande piloot. Volgens de inlichtingen houdt hij zich schuil in struikgewas op honderd meter afstand van het strand. Wij volgen ze op korte afstand en kijken via onze nachtkijkers toe. Met een combinatie van diverse herkenningssignalen en wat radioverkeer weten ze de piloot te vinden en controleren ze zijn authenticiteit. De man is onderkoeld, bang en gewond. Deze SQT-instructeur speelt zijn tol vol overtuiging, gekleed in een vliegoverall en de complete overlevingskit van de gevechtspiloot. De taakgroep neemt de veiligheidsprocedure in acht en begint aan de procedure voor eerstehulpverlening. De piloot heeft een verstuikte enkel die moet worden geïmmobiliseerd. Ook heeft hij een paar diepe snijwonden die behandeling vereisen. Als hij klaar is voor de verplaatsing, wordt hij door twee trainees ondersteund bij het lopen en zet de taakgroep weer koers naar het strand.

Ze gaan de zee in zoals ze eruit zijn gekomen: voorzichtig, systematisch en snel, waarbij ze zich zo klein mogelijk maken en de boten in zee signaleren dat ze eraan komen. Een paar trainees moeten in het helmgras wachten als een vijandelijke patrouillerende schildwacht op een quad langs hun positie rijdt. De piloot wordt nog door twee man ondersteund, maar ze hebben hem inmiddels in een speciaal daarvoor meegebrachte overal gehesen die hem tegen te veel afkoeling in het water zal beschermen. Hij is nog steeds gewond en speelt de angsthaas, maar koud heeft hij het nu niet meer. De stuurlui-trainees in de Zodiacs varen dichter naar de kust om de zwemmende trainees op te pikken. Zelf kan ik de boten niet zien. Ik zie alleen de mannen op het strand, en ze zien er allemaal even gelikt en professioneel uit.

'Ziet er goed uit,' zeg ik, terwijl we de laatste trainees in de branding zien verdwijnen.

'Nou ja – ja en nee,' glimlacht Mike. 'Ze hebben veel dingen goed gedaan, maar er valt nog veel te verbeteren.'

'Werkelijk?'

Zijn glimlach wordt breder. 'Zo is het altijd, ja. Toen ze aan land kwamen en ook toen ze teruggingen waren er een paar die over een golf heen stapten in plaats van erin te duiken. Nadat de patrouille aan land was gekomen en wachtposten had uitgezet, was hun perimeter veel te zichtbaar. Ze maakten niet eens gebruik van de zandduinen, vlakbij hen, waar ze veel meer dekkingsmogelijkheden hadden. En toen ze in ganzenpas terugliepen, hadden ze een betere route kunnen kiezen – een route die hen op afstand van de begroeiingsrand en de hogere delen van de duinen had gehouden. Te veel silhouet! Dit was de taak van de voorste man, maar de patrouilleleider had het moeten zien, om vervolgens in te grijpen. Ieder op zich deden ze het niet slecht, maar een paar mannen hadden moeite met de overgang van verplaatsing in het water naar verplaatsing over land. Ze moeten hun zwemflippers sneller veilig opbergen, zodat ze hun wapens gemakkelijker kunnen hanteren en beter bij hun patroontassen kunnen komen om een magazijn te verwisselen. De behandeling van de piloot hebben ze goed gedaan en wat me vooral beviel, was de manier waarop ze vanuit ganzenpas naar een tirailleurslinie scharnierden. Ook de hand- en armgebaren waren goed. Helaas maakten ze te veel herrie. Vermoedelijk maken ze naar mijn smaak altijd te veel lawaai.' Hij grijnst breed en wordt dan ernstig.

'U ziet, dat is nou het verschil tussen een veteraan – iemand die al twee keer operationeel actief is geweest in een peloton – en zo'n trainee die nog van alles moet leren. Het zit 'm in de kleinigheden. Op de juiste manier door de branding komen. Een snelle overgang tussen duikuitrusting en de uitrusting voor de strijd op het land. Zorgen dat alle delen van je uitrusting op hun plaats zitten en geen geluid maken – zorgen dat je niets kunt verliezen! Goed meekomen in de patrouille. Een goed schootsveld zoeken op de verzamelplekken. Uitkijken naar de vijand en toch weten wat alle andere leden van de patrouille doen en in staat zijn zo nodig het werk van iemand anders over te nemen. Weet u, al die dingen doet een veteraan altijd en overal. Het enige wat een groentje moet doen om een veteraan te worden, naar mijn mening, is aandacht schenken aan de details en zich focussen op het op de juiste manier doen van de dingen. Wij doen hier in een hoog tempo een paar complexe dingen, maar wacht totdat u een coördinatenpunttraining hebt gezien. U zult versteld staan. De jongens die we nu in de SQT krijgen zijn intelligent en getalenteerd. Ze leren de moeilijkste dingen en presteren goed. Maar als ik mijn geld erop moet zetten, zeg ik dat het de kleine dingen zijn die tellen: de stierlijk vervelende, steeds herhaalde acties die je goed moet doen, zelfs als je nat en lichtelijk onderkoeld bent en al een paar dagen niet hebt geslapen.'

Het is vroeg in de ochtend als we terug zijn in het SQT-gebouw. Klas 2-02 staat weer een nacht met weinig slaap te wachten. Meteen na terugkeer moeten de trainees naar het instructielokaal. De debriefing en kritiek duren anderhalf uur: Mike Loo vertelt ze wat ze goed en wat ze fout hebben gedaan. Vervolgens werkt hij een lijst van 'verbeterpunten' af.

'Patrouilleleider, u hebt een uitstekende briefing gegeven, maar bedenk wel dat uw missiescenario vooral voor u en uw mannen is. Denk niet aan eventuele superieuren die achter in het instructielokaal meeluisteren. De meeste tijd zullen er wat officieren van de staf bij zijn, maar voor u en uw mannen zijn ze er niet. Als u toekomt aan wat er op de actielocaties moet worden gedaan, teken het dan even uit – met veel X'en en O's. Ik heb u in de Zodiacs niet de kust zien naderen om de duikers af te zetten, maar zorg altijd dat u de kortst mogelijke weg naar en van het strand kiest. Nader het strand nooit diagonaal en vaar het nooit parallel aan. Daarmee stel je jezelf onnodig bloot. Bij het spalken van de enkel van jullie piloot gebruikten jullie loodgietersplakband en ik kon horen hoe je het van de rol trok. Gebruik canvasriemen of maak van tevoren spanbanden klaar. Bovendien, loodgietersplakband glimt, zelfs de donkergroene variëteit.' Loo last een pauze in en draait aan zijn *wheel book* om zijn aantekeningen te raadplegen. 'Wees attent op lichtgevende algen in het zeewater. Als ze in je doelgebied een bekend verschijnsel zijn, bespreek het dan in je patrouillebevel – of in feite *altijd*. Je kunt ze op weg naar de kust tegenkomen. Vannacht waren ze niet aanwezig, maar we hebben ze hier wel, van tijd tot tijd – dus pas ervoor op. Als jullie uit het water komen, willen jullie er niet uitzien als gigantische lichtgevende aliens. Stuurlieden, nader het strand alleen met stationair lopende motor om de duikers af te zetten of op te pikken. Geef pas gas als je op ruime afstand van het strand bent, vooral als de wind uit zee komt. De vijand zal je misschien niet zien, maar hij zou je kunnen horen. O, en let altijd op je persoonlijke bewegingen als je in ganzenpas loopt. Vergeet dat je het koud hebt, nat bent en last hebt van het zand. Concentreer je op goed bewegen en doen wat nodig is om je missie tot een goed einde te brengen.

Alles bijeengenomen hebben jullie het vannacht daar niet gek gedaan. Morgenmiddag komt dan jullie laatste examen voor maritieme operaties of, beter gezegd, vanmiddag, nietwaar? Knikkende hoofden van klas 2-02. 'Nou, dan wens ik jullie succes! Nog één week en jullie vertrekken. Blijf gefocust en hou je hoofd erbij. Dat Trident-insigne ligt over een paar dagen op je te wachten.'

Die middag is klas 2-02 terug in het instructielokaal voor het MA-ROPS-examen. Er moeten vijfenveertig vragen worden beantwoord en ze krijgen op de laatste bladzij twee kolommen met lengte- en breedtegraden voorgeschoteld – in totaal zes coördinatensets. Iedere trainee moet deze coördinatiepunten uitzetten en de te volgen koersen erin tekenen. Vervolgens moet hij voor een gegeven snelheid, rekening houdend met stromingen en wind, de te volgen koers, de afstanden en de benodigde tijd voor het overbruggen ervan berekenen.

Er zijn veertien weken voorbij – nog één week te gaan.

De Trident

Dit is de graduatieweek: een week vol administratieve taken en nog wat operationele oefeningen. De grootste helft van klas 2-02 zal vanuit Coronado vertrekken naar de SEAL-teams aan de oostkust en de SDV-teams. De SEAL-teams One en Two nemen het grootste deel van de nieuwe SEALs op. Terwijl klas 2-02 in opleiding was, waren Team One (gelegerd in Coronado) en Team Two (gelegerd in Little Creek, Virginia) operationeel actief in het buitenland. De nieuwe SEALs zullen na terugkeer van deze teams aan ze worden toegevoegd en aan hun achttien maanden durende voorbereiding voor de volgende operationele inzet beginnen. Een paar SEALs worden toegevoegd aan Team Seven en Team Ten. Een klein deel van de leden van klas 2-02 gaat eerst naar een talenschool om hun kennis van vreemde talen te verbeteren. Iedereen zal zijn persoonlijke duikuitrusting en gevechtsuitrusting voor de strijd op de grond meenemen. De routes naar de teams verschillen, maar iedereen komt ten slotte bij een operationeel team. Zij worden dan peloton-SEALs. Voor Navy SEALs is de training nooit voorbij, maar nu trainen ze niet langer in de schoot van het NSW Center. Hun wachten nog wat formele SEAL-trainingscursussen, maar daarbij zullen ze voor het grootste deel ervan gezelschap hebben van hun team- of pelotonsgenoten.

Tot op zekere hoogte zullen ze altijd trainees blijven, maar na de SQT heten ze SEAL-trainees in plaats van SQT-trainees die nog SEAL moeten worden.

Het schriftelijk SQT-eindexamen is streng, maar toch een kwestie van routine. Ze hebben de afgelopen veertien weken veel geleerd en zijn uitstekend op dit eindexamen voorbereid. Luchtlandingen zijn al bijna de gewoonste zaak van de wereld voor ze. De eerste is de luchtlanding met volle bepakking, de *equipment jump*. Ze vertrekken van North Island en landen op Brown Field, ten oosten van San Diego. Iedereen heeft deze oefening al op de parachutistenschool in Fort Benning gedaan, maar wellicht niet met zó'n uitgebreide uitrusting. Ze springen met hun tweedelijnsgevechtsuitrusting plus een rugzak van 20 kg en persoonlijke wapens uit een vliegtuig, voor een langdurige verkennings- en aanvalsmissie. De tweede luchtlanding gebeurt boven water, de eerste die zij als Navy SEALs uitvoeren. Bij deze sprong dragen ze geen uitrusting: die training komt later, als ze bij hun team zijn. Wel dragen ze zwemvesten en hebben ze zwemflippers aan hun dijbenen bevestigd. Het enige verschil is de 'landing'. Er zijn wat riemen en gespen die moeten worden losgemaakt, kort voordat hun voeten het water raken. Dan moeten ze wegzwemmen van hun tuig en de oppikboten helpen hun parachute te bergen. Het is nog steeds koud in het water van de San Diego-baai. Sommigen dragen een korte rubberen broek onder hun camouflagepak, anderen niet.

'Hoe was het?' vraag ik als de bemanning van mijn boot een SEAL aan boord heeft gehesen.

'Fantastisch! Heerlijk. Kan niet wachten op de volgende sprong!'

De graduatieceremonie van de SEAL Qualification Training vindt plaats in de foyer van het SQT-gebouw. De Amerikaanse vlag achter het podium is veel kleiner dan bij de BUD/S-graduatie, en dat geldt ook voor het aantal belangstellenden: een samenraapsel van SQT-instructeurs en al in actieve dienst zijnde vrienden van kandidaten. Ook zijn er wat teamcommandanten bij, met hun adjudanten. De SQT-graduatie is een besloten ceremonie. De toespraken zijn korter, maar niet minder van belang. Eigenlijk is het niet zozeer een diploma-uitreiking als wel een erkenning van hun krijgsmanstatus. Zij hebben het recht verworven zichzelf een Navy SEAL te noemen. Er zijn drie sprekers – stuk voor stuk eerder operationele SEALs die de nieuwelingen iets belangrijks hebben te zeggen. De eerste is adjudant Mike Loo.

'Goedemorgen iedereen, en welkom bij de graduatie van de SEAL-kwalificatietraining. Deze korte plechtigheid heeft tot doel deze mannen de erkenning te geven die ze verdienen omdat ze de vijftien weken durende kwalificatietraining moet goed gevolg zijn doorgekomen. Zij worden hiervoor beloond met het insigne van de Naval Special Warrior SEAL, de Trident. De BUD/S-training was de eerste stap, en nu hebben jullie de SQT achter de rug, en met succes. Ieder van jullie beschikt nu over de vaardigheden die nodig zijn om deel uit te kunnen maken van een operationeel SEAL-peloton. Kortom, jullie zijn zover dat je als een operationele SEAL kunt worden ingezet.' Loo's blik dwaalt langzaam langs de rijen gezichten. Ze staan in gesteven camouflagegevechtspak en blinkend gepoetste soldatenkistjes aangetreden tegenover het podium. 'Deze cursus heeft het fundament van krijgsmanskennis en -vaardigheden gelegd die jullie gedurende jullie hele SEAL-loopbaan in praktijk zullen brengen. Vanaf nu moet het jullie primaire streven zijn om meesterschap te bereiken in deze kennis en vaardigheden. Jullie missie en de levens van je teamgenoten zijn ervan afhankelijk!

Vergeet nooit dat de teams de beste maritieme speciale strijdkrachten ter wereld zijn. Doe daarom alles wat in je vermogen ligt om je deze eer waardig te tonen. De Trident maakt jullie niet onzichtbaar; alleen teamwork en professioneel werken brengen jullie de overwinning.

Het uitvoeren van de vele taken en zware opgaven die ons SEALs zijn opgedragen, vereisen veel inspanning, toewijding en volharding. Eenmaal bij je team zul je bereid moeten zijn heel hard te werken om jezelf voor te bereiden op reële operationele missies. Je zult geen tweede kans krijgen om een goeie indruk te maken. Wees er dus zowel mentaal als fysiek op voorbereid, zodat je vuurgevechten kunt winnen en je missie volvoeren.

Als nieuwe leden van onze SEAL-gemeenschap genieten jullie een reputatie die verworven is met het bloed, het zweet en het harde werken van degenen die jullie zijn voorgegaan. In feite heb je dit niet verdiend, maar *geërfd*. Wat jullie wel hebben verdiend, is het recht dit erfgoed in praktijk te brengen en er een nieuw hoofdstuk aan toe te voegen. Dit is een groot goed dat aan jullie wordt toevertrouwd. Stel je team nooit teleur en laat een teamgenoot nooit achter.

Blijf gefocust, train hard en werk professioneel. Handhaaf altijd je persoonlijke integriteit en de integriteit van de teams. Ik feliciteer jullie en wens jullie succes.

Tot slot wil ik mijn instructiekader erkenning geven, althans degenen ervan die nog hier zijn. Velen van hen zijn alweer druk bezig met de trainingsonderdelen voor klas 3-02. Zij werken ongelooflijk hard en doen hun werk met veel passie. Zij doen alles wat nodig is om mannen als jullie te trainen totdat ze aan de hoogste maatstaven voldoen. Bedankt, mannen. Nu zal overste Ballentine jullie iets vertellen over de Trident die jullie straks mogen dragen.'

Luitenant-kolonel Roger Ballentine, leidinggevend officier Trainingen aan het Naval Special Warfare Center, komt op. De SQT behoort tot zijn persoonlijke verantwoordelijkheden.

'De Trident is sinds 1970 het onderscheidingsteken van de Navy SEAL en het enige insigne van speciale strijdkrachten dat zowel door manschappen als officieren wordt gedragen. Dit symboliseert dat wij allemaal elkaars wapenbroeder zijn en dat we niet alleen samen trainen, maar ook zij aan zij vechten. De Trident bestaat uit vier delen, die elk voor een belangrijk aspect van onze strijdmacht staan.

Het anker staat voor de marine, de strijdkrachten waarvan wij deel uitmaken. De Navy is de belangrijkste strijdmacht ter bescherming van onze macht op aarde en een garantie voor de wereldvrede. Het is echter een ouderwets anker, dat ons eraan herinnert dat wij onze wortels hebben in de dappere daden van de Naval Combat Demolition Units en hun voorlopers, de Underwater Demolition Teams.

De drietand is de scepter van de zeegod Neptunus, voor de oude Grieken Poseidon: daarom symboliseert de Trident de relatie tussen

SEALs en de zee. De oceaan is de moeilijkste omgeving waarin een krijgsman kan opereren, maar de SEAL is er juist in zijn element. Dit is de omgeving waarin hij zich het meest op zijn gemak voelt.

Het pistool staat voor de capaciteiten van SEALs op het gebied van de oorlogvoering te land: rechtstreekse aanvallen of gespecialiseerde verkenningen. Als je het pistool goed bekijkt, zie je dat het gereed is om te vuren: dit behoort je er steeds aan te herinneren dat ook jij elk moment gereed moet zijn voor de strijd.

De arend, ons nationale vrijheidssymbool, staat voor het vermogen van SEALs om binnen de kortste keren achter de vijandelijke linies te landen. Dit symbool herinnert ons eraan dat wij hoogvliegers zijn, in de zin dat we hogere maatstaven aanleggen dan iedere andere strijdmacht. Normaal wordt de arend met opgeheven kop op militaire onderscheidingen afgebeeld. Op ons insigne is de kop omlaag, om ieder van ons voor te houden dat nederigheid de ware maatstaf is voor de kracht van een krijgsman.

Jullie delen met dit insigne in een eerbiedwaardige traditie. De Trident die jullie vandaag wordt toegekend, is gewijd aan het erfgoed van het Naval Special Warfare Command. Op elk diploma tref je een andere naam aan dan die van jezelf. Het is de naam van een teamgenoot die in de strijd is gesneuveld – een gevallen wapenbroeder. Hoewel jullie vandaag trots mogen zijn op jullie persoonlijke prestaties en het feit dat je een SEAL zult zijn, zou het verkeerd zijn niet een ogenblik stil te staan bij de nalatenschap van degenen die jullie zijn voorgegaan. Doe nooit iets wat de reputatie en de traditie die je hebt geërfd zou kunnen schaden. Zet ze allebei voort naar eer en geweten. Welkom bij de broederschap. Welkom bij de teams!'

Toen ik in 1969 bij de teams kwam, was er nog geen SEAL-insigne. Wij droegen onze gouden parachutistenspeld van de Navy en het Korps Mariniers, maar niets dat ons herkenbaar maakte als een Navy SEAL. Toen hogerhand besloot dat wij als specialisten in oorlogvoering een insigne nodig hadden, gingen de ontwerpers in Washington aan de slag. Het ontwerp moest echter de goedkeuring wegdragen van de Marine-Adviesraad (Navy Board) en de officieren van de Marine Luchtvaartdienst in dat advieslichaam wilden niets dat aan hun vleugelinsigne deed denken. Uiteindelijk werd een uit-vergroot model van het nieuwe insigne goedgekeurd, waarna het insigne kon worden opgespeld. Wij begonnen ze te betitelen als *Budweisers*, omdat ze enige gelijkenis vertonen met het handelsmerk van die grote brouwerij op bierblikjes. Het was een groot insigne, vergeleken met de onderscheidingstekenen van andere Special Forces. In het begin werd nog overwogen het formaat te verkleinen, maar daar is niets van gekomen. De Trident die de nieuwe SEALs van klas 2-02 straks uitgereikt krijgen, is identiek met het model dat wij als leden van Team One kregen toen we in 1971 terug waren uit Vietnam.

'Laat me iedereen veel succes wensen, en een goede jacht als jullie straks bij je peloton zijn,' besluit Ballentine. 'Kolonel Byron Raines gaat jullie nu je Trident uitreiken.'

'Gefeliciteerd, mannen. Ik heb het grote voorrecht jullie te onderscheiden met de Navy SEAL Trident. Draag hem in alle eer en met gepaste trots.' Kolonel Raines valt in voor kolonel Rick Smethers, commandant van het NSW Center, die op dat moment de begrafenis bijwoont van een SEAL die tijdens een training is verongelukt. Raines is een veteraan van Team Ten die op het podium hoog boven alles en iedereen uittorent. 'Ik vertrouw de officieren onder jullie de leiding toe van de best uitgeruste, best getrainde en best geïnstrueerde krijgslieden ter wereld. Wanneer jullie je mannen voorbereiden op de strijd, verwaarloos dan geen enkel detail om ze op de gevaren die hun wachten voor te bereiden. Jullie dragen allemaal een immense verantwoordelijkheid. Jullie moeten je missie tot een goed einde brengen en zorgen dat deze puike kerels veilig thuiskomen. Onderofficieren en manschappen, jullie moeten experts worden in jullie specialiteiten op het gebied van speciale oorlogvoering. Naval Special Warfare staat voor nooit versagende toewijding – fulltime. Jullie zijn in de teams de echte experts, niet de officieren. Ieder van jullie wacht zwaar werk en de nodige offers. Jullie hebben echter een eervol en buitengewoon lonend beroep gekozen.'

Een voor een worden de namen afgeroepen. Raines speldt een gouden Trident op de linkerborstzak van iedere man. De kolonel heeft voor ieder van de nieuwelingen een paar woorden en ik sta er dicht genoeg bij om ze te kunnen opvangen.

'Mijn gelukwensen.'

'Goed gepresteerd!'

'Veel geluk.'

'Welkom bij de teams!'

En voor de officieren:

'Zorg goed voor je mannen.'

'Geef als leider steeds het voorbeeld.'

'Kies nooit de gemakkelijkste weg; doe wat gebeuren moet.'

'Ga als leider altijd voorop.'

Als de mannen weer in het gelid staan, dragen ze allemaal de Trident. Ze zijn Navy SEALs! Kolonel Raines richt zich nog een laatste maal tot hen. 'Nogmaals gefeliciteerd en welkom in de broederschap.'

De nieuwbakken Navy SEALs doen wat alle Navy SEALs doen: ze zetten koers naar zee. De leden van klas 2-02 reppen zich het SQT-gebouw uit, sprinten naar de aanlegsteiger en springen het water van de San Diego-baai in. Dit is nog maar het begin. Ze zwemmen in vrije slag terug naar het drijvende dok en ontdoen zich razendsnel van hun natte gevechtspak, waarbij hun kleren een stapel vormen op het dok. Onder het gevechtspak draagt iedereen een zwembroek. Dan duiken ze weer het water in en steken zwemmend de monding van de Gloriettabaai over tot bij de Coronado-golfbaan. Het is maar vierhonderd meter, maar ze zwemmen zonder flippers. De veiligheidsboot tuft naar Coronado, waar de nieuwe SEALs hun soldatenkistjes, sokken en T-shirt vinden. Ze trekken ze aan en beginnen aan een duurloop rondom Coronado, iets meer dan elf kilometer. De loop eindigt bij Gator Beach aan de oceaankant van de Naval Amphibious Base. Daar wachten de SQT-instructeurs hen op met een barbecue met steaks, een vat bier en een bak vol gekoelde frisdranken. Een opmerkelijk aantal van hen kiest voor de frisdranken. Als SEALs zijn ze nu lid van een uiterst exclusieve club. Voor de tweeënveertig resterende leden van BUD/S-klas 237 is dit de laatste keer dat ze als klas iets te vieren hebben. De meesten zijn nu al meer dan een jaar bij elkaar geweest. Als ze hun wintertraining van drie weken achter de rug hebben – het 'post-graduatiewerk' – zullen ze worden verspreid over de teams en zijn ze niet langer klasgenoten. Hun toekomst beleven ze straks als pelotonsmaten en teamgenoten.

Het is voor SEALs van mijn generatie in vele opzichten moeilijk te overzien hoever deze nieuwelingen zijn gekomen. Het kaliber van de huidige training volgens de nu geldende eisen is een orde van grootte zwaarder en professioneler dan die in onze tijd. De waarheid dient gezegd: met alle respect voor mijn vroegere teamgenoten, de nieuwe SEALs zijn een stuk beter dan vroeger het geval was. Destijds ging je na de BUD/S-training regelrecht naar een operationeel peloton. Als het een peloton voor onderwaterdemolitie betrof, kon je direct worden ingezet. Als je aan een SEAL-team werd toegevoegd, wat voor minder dan de helft van de mannen was weggelegd, wachtte je nog slechts vier maanden aan basisindoctrinatie én pelotonstraining. De nieuwe SEALs van klas 2-02 moeten op zijn minst nog eens anderhalf jaar intensief trainen voor zij operationeel inzetbaar zijn. Maar voordat ze aan die achttien maanden training kunnen beginnen, gaan ze voor drie ijzige weken naar Kodiak Island (Alaska).

Klim tegen dat klif op en hijs je uitrusting naar boven. SEALs hebben hier een provisorische driepoot verankerd voor het ophijsen van hun bepakkingen van de vloedlijn naar de bovenrand van het klif. *Foto Dick Couch*

3

TRAINING VOOR GEGRADUEERDEN

De regels van de bovenmeester

In tijden van crisis en oorlog worden er op het gebied van tactische wapens en wapentechnologie vaak grote vorderingen gemaakt. We hoeven maar te kijken naar de indrukwekkende ontwikkelingen in de luchtvaart tijdens de beide wereldoorlogen en zelfs tijdens regionale conflicten zoals in Vietnam en Korea. De ontwikkelingen in de technologie vertonen de neiging elkaar steeds sneller op te volgen, getuige wat er gebeurde in de tien jaar tussen de twee regionale Irak-oorlogen. De opkomst van speciale operaties in eigentijdse conflicten heeft ook heel veel veranderd in de operationele taken en verantwoordelijkheden van de Navy SEALs. De training moet deze ontwikkelingen bijhouden. Ik ben er getuige van geweest hoe de SEAL-training is geëvolueerd, niet alleen met betrekking tot snel veranderende operationele eisen; bovendien werd een nieuw niveau op het gebied van professionalisme bereikt. De SEALs worden beter en beter. Iedereen – van admiraal tot commandant van een SEAL-groep, SEAL-team of trainingscentrum, kolonel, overste, majoor of bevelvoerend kapitein, pelotonscommandant en leidinggevend pelotonsonderofficier – wil zijn werk beter doen. Beter dan het vorig jaar en beter dan zijn voorganger op die post. Het is echter meer dan dat. Van hoog tot laag is iedere man zijn eigen ijkpunt. Hoe kan ik effectiever werken? Hoe en waar kan ik me verbeteren? Hoe word ik een betere krijgsman? Gedurende het interbellum tussen de Irak-oorlogen betekende dienstdoen in de teams dat je je moest voorbereiden op oorlog hoewel er weinig kans was dat je werkelijk zou worden ingezet. Die tijd is voorbij. Navy

SEALS weten dat er een moment zal komen waarop het ook voor hen menens wordt en ze de strijd moeten aangaan. Sinds 11 september 2001 is dit het geval gebleken.

SEAL-operaties worden niet vaak gezien als missies op basis van spitstechnologie. In feite zijn SEAL-commandanten geneigd er snel op te wijzen dat mensen – vooral uiteraard SEALs – onze belangrijkste hulpbron zijn. Technologie kan echter wel helpen. Uit de eerste rapporten uit Irak kon worden opgemaakt dat recente vorderingen op communicatiegebied en de snelle verspreiding van militaire inlichtingen essentieel waren voor de SEAL-missies in dat oorlogsgebied. Zo was de redding van Jessica Lynch van de Amerikaanse Aan- en Afvoertroepen – op 23 maart 2003 bij Nasiryah gevangengenomen door Iraakse soldaten – een tamelijk complexe operatie waarbij de SEALs die haar wisten te redden door een aantal gevechtseenheden en ondersteunende componenten werden geholpen. Dit alles werd mogelijk gemaakt door de snelle verwerking en verspreiding van cruciale operationele inlichtingen en de gelijktijdige veilige communicatie tussen een aantal eenheden. Toch blijven naar mijn mening de gewapende mannen in de strijd de doorslag geven, en niet de technologie.

Als waarnemer van de SEAL-kwalificatietraining heb ik mij voortdurend verbaasd over het kaliber van de training en de hoge prestatiemaatstaven waaraan Navy SEALs in onze tijd moeten voldoen. Ik heb de SEAL-training vier jaar lang van nabij kunnen volgen en elk jaar leek het allemaal nog weer iets beter en verfijnder te zijn geworden. En een beetje langer. Er wordt bijzonder veel tijd, geld en aandacht besteed aan het opleiden van speciale strijdkrachten. De BUD/S-training van klas 237 was wat anders en beter dan die van BUD/S-klas 228 – 'mijn jongens' van De SEALs elite. De filosofie van 'het is nooit goed genoeg' houdt de teams constant scherp. SQT-klas 2-02 was net even anders dan klas 1-02. Bij de training van klas 5-02 kon ik opnieuw subtiele verbeteringen herkennen, bijvoorbeeld bij de gevechtsduiktraining en de wintertraining.

In mijn tijd deden we de dingen vrijwel net zo als onze instructeurs ze deden, en hun voorgangers voor hen. De SEAL Cadre Training en de SEAL Basic Indoctrination werden binnen gedaan, in de vorm van informele instructie voor nieuwkomers door veteranen. Na de vorming van de SEAL-teams One en Two was de Vietkong tien jaar lang de vijand, met af en toe een eenheid van het hoofdgedeelte van het Noord-Vietnamese leger – als je het echt slecht trof. Ons operatieterrein was de jungle, samen met de rijstvelden en mangrovemoerassen van Zuidoost-Azië. Hoewel het accent de laatste jaren in het Midden-Oosten ligt, worden de moderne SEALs voorbereid op het uitvoeren van speciale operaties in sterk uiteenlopende omgevingen. Toen ik bij de teams zat, deden we weinig aan parachutespringen en duiken. Ook was er in geen geval sprake van wintertraining. Het was een activiteit van geweren en zender/ontvangers: SEALs moesten schieten en communiceren en we waren er tamelijk goed in de Vietkong op hun eigen terrein af te troeven. Iedere overplaatsing was een operationele inzet en iedere operationele inzet betekende strijd op leven en dood. De huidige SEAL-training is veelomvattender en verandert voortdurend, steeds op zoek naar hogere maatstaven en een nog grotere mate van standaardisatie van de basale vaardigheden. In vergelijking met de SEALs van mijn tijd zijn de moderne SEALs intelligenter, beter getraind, dodelijker en (net even) jonger dan toen. Ik ben heel trots op ze. De moderne training is echter meer dan alleen een kwestie van langere trainingen en meer trainingsbudgetten. Er is ook veel persoonlijk kapitaal in deze trainingen gestoken. De instructiekaders voor de basisopleiding en voorgezette training werken keihard – vaak harder dan hun pupillen. Dit trainingsniveau kan onmogelijk zonder de toewijding en passie van de instructeurs worden gerealiseerd. Voordat we afscheid nemen van het basale SQT-programma en verdergaan met het post-graduatiewerk op Kodiak Island, is het misschien goed wat meer aandacht te besteden aan adjudant Mike Loo, de man die de meeste verantwoordelijkheid voor de SEAL-kwalificatietraining draagt.

Mike is opgegroeid in Seattle, nam in 1979 dienst bij de marine, en gradueerde met BUD/S-klas 115. Hij is een echte veteraan, met zijn vijf operationele inzetten, en tevens de hoogste autoriteit op het gebied van SEAL-operaties met een luchtlanding. Mike was een van de auteurs van de operationele 'bijbel' voor SEALs. Hij is een krachtig gebouwde man van ruim 1,80 m met een streng uiterlijk en een vriendelijk gemoed: een van die mannen die nadenken voor ze iets zeggen en daarbij hun woorden zorgvuldig kiezen. In 1998 werd hij benoemd tot leidinggevend officier SEAL Tactical Training voor de NSW Group One. Destijds werd de tactische training afzonderlijk gegeven aan zowel de west- als de oostkust. De STT was voor SEALs een training voor gevorderden, maar de teams zelf kenden de Trident toe. In 2000 werd besloten de geavanceerde trainingen samen te voegen, waarbij deze geconsolideerde training de bevoegdheid kreeg om als enige de Trident toe te kennen. De eerste SQT-klas begon in 2001. Destijds werden BUD/S-gegradueerden nog geacht de STT te doorlopen en voor een proefperiode van zes maanden in een operationeel team mee te draaien voordat zij de Trident mochten dragen. Dit was dus een drastische stap. De groepen droegen hun geavanceerde training van de SEALs over aan het NSW Center en de teams deden afstand van hun rol als beoordelaars van wie wel en wie geen Navy SEAL kon worden. De NSW-gemeenschap is een in tradities wortelende organisatie die sterk verzet kan bieden tegen verandering, met name als het gaat om cruciale kwesties als de geavanceerde training en kwalificatie van SEALs. Onder de nieuwe regeling werd de SQT dus The Finishing School en het hoogste gezag dat voortaan besliste over toetreding tot de SEAL-broederschap. In feite werd het de poortwachter. Om deze moeilijke en controversiële verandering door te voeren had de gemeenschap een man van grote bekwaamheden en statuur nodig. Die man was Mike Loo.

Mike maakte het waar. Hij nam het beste uit de beide SEAL Tactical Trainingen en voegde dat trainingsmateriaal aaneen tot de SQT. Deze fusie van de STTs onder auspiciën van het Naval Special Warfare Center werd met scepsis en zelfs regelrecht verzet ontvangen, vooral met het oog op de toekenning van de Trident. Navy SEALs kunnen in tactische situaties bijzonder creatief zijn en buiten de gebaande paden denken, maar als het gaat om organisatorische veranderingen kunnen ze bekrompen zijn. 'Wat was er dan mis met de manier waarop ze het deden toen ik door de training kwam?' was wat ik veel hoorde zeggen. Mike Loo werkte echter in alle rust verder aan de realisering van zijn persoonlijke visie op de kwalificatietraining voor SEALs. Hij liet de trainees zelf aan het woord. Toen de eerste nieuwe SQT-gegradueerden bij de teams begonnen te arriveren voor dienstdoen in een peloton, ontdekten de veteranen van zo'n team algauw dat deze nieuwe SEALs bekwaam, gemotiveerd en uitstekend vertrouwd met de operationele tactieken van SEALs waren. Wat ze aan ervaring misten, compenseerden ze met hun instelling en hun gedegen basale tactische vaardigheden. De pelotonscommandanten en leidinggevende onderofficieren bezien de nieuwelingen nog steeds alsof het rekruten zijn, maar in werkelijkheid zijn de SQT-gegradueerden allemaal volgens hoge maatstaven getraind en klaar om met de pelotons van SEAL-veteranen mee te trainen. Vanzelfsprekend doen sommige nieuwelingen het in de smeltkroes van de SEAL-training beter dan andere, maar ze hebben ieder een mengeling van sterke en minder sterke punten waar het de SEAL-kennis en vaardigheden betreft. Dit is heel normaal en het zal zo blijven als ze met hun peloton trainen of operationeel worden ingezet.

Al deze mannen zijn echter door Mike Loo door de SQT-training gebracht en gekwalificeerd: zij zijn volledig klaar om dienst te doen in een peloton. Ook zorgt Mike ervoor dat iedere nieuwe SEAL met een eigen kopie van zijn trainingsfilosofie vertrekt. In de SQT wordt Mike eenvoudig betiteld als The Warrant (de adjudant). Een van de nieuwe SEALs hoorde ik Mikes filosofie omschrijven als *The Warrant's Manifesto*. Het leek mij belangrijk genoeg om het in zijn geheel over te nemen.

Van: Adj-off. Mike Loo (SQT OIC)
Aan: SQT-gegradueerden
Onderwerp: Gedragsregels in Naval Special Warfare

1. Gelukgewenst. Je hebt een belangrijk traject in je loopbaan bij Naval Special Warfare met goed gevolg afgelegd. Aan het Naval Special Warfare Center heb je niet alleen de BUD/S-

training doorlopen, maar bovendien de parachutisten-school en de SEAL-kwalificatietraining. Dit heeft je het NSW SEAL-insigne, de Trident, opgeleverd. Tijdens de SQT heb je de tactische methoden van de SEALs geleerd, naast de procedures die nodig zijn om met succes te worden geïntegreerd in een SEAL-peloton. Je bent nu voorbereid op operationele inzet als een strijdvaardige SEAL. Deze op-leiding heeft het fundament gelegd voor de kennis en vaar-digheden die je gedurende je hele verdere loopbaan in spe-ciale oorlogvoering nodig zult hebben. Nu dient je primaire streven te zijn volledig meesterschap in deze vaardigheden te verwerven. Je eigen leven en dat van je teamgenoten zijn ervan afhankelijk.

2. Houd voor ogen dat onze Special Warfare Force op het ge-bied van maritieme operaties nummer één van de wereld is, en misschien zelfs de beste strijdmacht van de wereld voor *alle* soorten speciale operaties. De status van nummer één in de wereld op welk gebied dan ook impliceert dat er *een hoge prijs voor moet worden betaald*. Je zult scherper ge-focust en intelligenter moeten zijn, harder moeten werken en meer geestdrift moeten opbrengen dan ongeacht wie in andere Special Forces. De succesvolle uitvoering van de vele taken en zware opdrachten die ons worden toebedeeld vereist grote inspanning, toewijding en volharding.

3. Eenmaal bij je team zul je ongelooflijk hard moeten werken tijdens de voorbereiding op echte operationele missies. Je dient zowel fysiek als mentaal klaar te zijn voor de strijd: je traint om het vuurgevecht te winnen en de missie te vol-brengen. Blijf gefocust, train hard en wees de professional die we van je verwachten. Houd altijd je eigen integriteit en die van de teams in stand. Dit document bevat – niet in een specifieke volgorde – een lijst van de lessen en gedragsregels die wij van Naval Special Warfare hebben geleerd. Deels zijn het mijn persoonlijke richtlijnen voor succes; deels zijn ze afkomstig van grote NSW-leiders die mijn mentors en rol-

modellen in mijn loopbaan zijn geweest. Bewaar dit document. Raadpleeg het af en toe. Vergeet nooit dat jij de toekomst van Naval Special Warfare bent. Woorden kosten niets; daden zijn alles. Lever de inspanning en doe wat nodig is om onze strijdmacht de beste van de wereld te laten blijven.

A. Zorg dat je de grondbeginselen meester wordt, dan zul je een uitstekende SEAL-operator zijn. Zorg goed voor je uitrusting! Houd je operationele uitrusting altijd compleet en zorg dat alles prima functioneert, klaar voor de strijd. Als iemand een staaflantaarn vergeet, of als de batterij in je stroboscoop leeg is, kan dat mensenlevens kosten en de missie doen mislukken. Schenk aandacht aan de elementaire dingen, zowel in de training als tijdens een operatie. Wees de volleerde professional in het water, bij een luchtlanding of op de grond. Disciplineer jezelf in lawaaibeperking en situationeel besef, dus veiligheid op alle fronten.

B. Maak nooit twee keer dezelfde fout. Je bent zelf je beste criticus! Als je je hebt vergist of iets fout hebt gedaan, prent je dat dan in en neem het zeer ernstig. Wees streng voor jezelf. Doe wat je doen moet om te voorkomen dat je dezelfde fout nog eens maakt.

C. Streef naar perfectie. Je bent er nóóit: voor een SEAL bestaat er niet zoiets als perfectie, maar we streven er altijd naar om het *beter* te doen. Nummer één in de wereld zijn, is een zware last. Je zult vaak het gevoel hebben dat je niet klaar bent, dat je op een bepaald gebied niet genoeg hebt getraind of dat je conditie niet top is of dat je uitrusting tekortkomingen heeft. Doe er iets aan! Je kunt elk moment je leven op het spel moeten zetten tijdens een gevaarlijke operationele missie. Aangezien je dit bij voorbaat weet – en zeker nu je dit leest – moet dat je de impuls geven om nog harder te trainen om het hoogst mogelijke niveau van strijdvaardigheid te bereiken. Zet je bij iedere activiteit voor de volle honderd procent in. Bezin je op je zwakke punten en probeer ze je sterke punten te maken.

D. De arbeidsethiek van de SEAL. Wij hebben geen baantje van negen tot vijf. Je kunt onmogelijk nummer één van de wereld zijn zonder extra uren te werken. Wees nooit lui – dat is aanstekelijk. Als een deel van je pelotonstraining niet goed uitpakt, komt dat misschien doordat er iets fout gaat in de bevels- en controleketen, door een tekortkoming in de uitrusting of misschien een verkeerde tactische manoeuvre. Corrigeer het meteen! Laat het niet op z'n beloop en stel het niet uit tot de volgende trainingsdag. Ook als nieuweling in je peloton heb je in dit soort kwesties het recht je mond open te doen en handelend op te treden.

Als nieuwkomer zul je merken dat de leercurve steil en moeilijk is. Er wordt van je verlangd dat zowel je kennis als je praktische uitvoering van taken aan hoge operationele maatstaven voldoet. Je zult meesterschap moeten verwerven over specifieke taken die in de pelotonsorganisatie aan jou worden toevertrouwd. Dat betekent overuren maken om de klus te klaren. Daar komt nooit een eind aan, zelfs niet als je een of twee operationele inzetten op je conduitestaat hebt. Dit is de arbeidsethiek van iedere SEAL.

E. Verantwoordelijkheid en aansprakelijkheid. In laatste instantie ben je tegenover de bevelshiërarchie en deze natie zelf verantwoordelijk voor je bereidheid je eigen leven en dat van je strijdmakkers op het spel te zetten als je aan een operationele missie begint, en deze tot een goed einde te brengen. Je hebt de verantwoordelijkheid om alles te doen wat nodig is om dit te realiseren. Dit is het hogere doel. Ook op kleinere schaal ben je aansprakelijk voor je daden en dien je je verantwoordelijkheden ernstig te nemen.

F. Word de expert op jouw specialisatiegebied. We vormen een kleine gemeenschap en zijn voor het slagen van onze missies afhankelijk van onze eigen expertise op gebieden als communicatie, aan- en afvoer, luchtlandingen, operationele missies, inlichtingen enzovoort. Streef ernaar de vraagbaak te zijn op jouw terrein, de man tot wie iedereen zich wendt om een antwoord. Zorg dat je thuis bent in alle aspecten en dat je weet wat andere militaire eenheden op jouw terrein doen: probeer steeds alles te weten wat er op het gebied van jouw expertise te weten valt.

G. Train zoals je zou vechten. Het is een oude militaire wijsheid, en het snijdt hout. Train waar mogelijk met de uitrusting waarover je ook in een reële gevecht wilt kunnen beschikken. Train zo hard en realistisch als mogelijk is. Dat betekent dat je niet probeert je er met een jantje-van-leiden af te maken. Als in de pelotonstraining alles van een leien dakje loopt, moet de training worden verzwaard! Zeg nooit: 'Als dit een echte operatie was, zou ik dat ding wel bij me hebben, of zouden we het op deze manier doen.' Train altijd zoals je vecht. Neem zoveel mogelijk je toevlucht tot nagebootste situaties bij de training in een bebouwde omgeving, het gevecht van man tegen man, het aanhouden, enteren en doorzoeken van schepen en de oorlogvoering te land. Maak als dat mogelijk is gebruik van rollenspel met andere SEALs, die als opponent kunnen fungeren. Misschien zul je ontdekken dat de tactiek die je hebt toegepast bij het vuren op kartonnen doelwitten of kogelvangers in het kill house moet worden bijgesteld of veranderd.

H. Vermijd haantjesgedrag: blijf bescheiden. Houd altijd de nadelen voor ogen waarmee we worden geconfronteerd: Vechten in een land dat vreemd voor je is – de achtertuin van iemand anders;

- Slechteriken die uitstekend zijn getraind. Ze hebben misschien veel meer reële gevechtservaring dan jij, zijn uitgerust met eersteklas spullen en kennen misschien zelfs onze tactieken;
- Slechteriken die fanatiek hun eigen doelen nastreven en je het liefst op de gemeenst mogelijke manier willen doden;

- Bedenk dat het dragen van de Trident je niet onzichtbaar maakt!
I. Denk vooruit en blijf georganiseerd.
J. Als je een goed idee hebt dat voor je team of peloton nuttig is, maak andere teams er dan deelgenoot van.
K. Officieren en onderofficieren moeten administratief onderlegd zijn. Ga altijd verstandig om met beloningen en functioneringsevaluaties. Zorg goed voor je mannen.
L. Waak zowel in als buiten dienst over je maten.
M. Zorg dat je in topconditie blijft en wees even intelligent als gehard.
N. Wees je ervan bewust dat je, overal waar je gaat of staat, de NSW vertegenwoordigt. Je bent drager van een reputatie die met het bloed, het zweet en de inspanningen van de echte kikvorsmannen van vroeger is opgebouwd. Je hebt die reputatie niet verdiend, maar geërfd – in goed vertrouwen dat je deze traditie in ere zult houden. Doe in gedachte, woord of daad niets dat iets wat je niet hebt verdiend te schande kan maken.
O. Als je iets niet begrijpt of weet, stel dan *vragen*! Het is jouw verantwoordelijkheid het antwoord te kennen. Onderzoek de dingen en geeft blijk van een niet te stillen honger naar kennis van alles wat met jouw taken verband houdt.
P. Als iets kapot of niet in orde is, neem dan het initiatief om dit te herstellen of te corrigeren. Wacht nooit totdat iemand anders er iets aan gaat doen.
Q. Controleer altijd je uitrusting voordat je het veld in gaat. Overtuig je ervan dat je alles hebt en dat het functioneert. Inspecties door je pelotonsleider of teamcommandant zijn er om te zorgen dat dit gebeurt.
R. Luister bij de bespreking van ieder patrouillebevel goed en maak notities. Voordat je het veld ingaat, dien je op zijn minst het volgende te weten:
  - De te volgen naderings- en terugtochtroutes. Heb altijd een kaart en een kompas bij je.

- De verzamelpunten.
- Het basale communicatieplan: oproepcodes, frequenties.
- Wat er in het doelgebied moet gebeuren.
- Het plan voor eerstehulp en evacuatie.
- Het ontwijk- en ontspanningsplan.

S. Repeteer en oefen altijd *alles* zo realistisch als maar kan. Plan de duikoperatie en werk het plan daarna volledig door.

T. Mobiliteit. Neem alleen datgene mee wat je absoluut nodig hebt in het veld. Als er stront aan de knikker komt, wil je zo licht en zo snel mogelijk zijn. Je hebt snelheid van verplaatsing en energie nodig om te winnen en te overleven.

U. In een vuurgevecht is er geen tweede plaats. Winnaars doden; verliezers worden gedood. Vecht om te winnen; train om te overleven.

V. Iedere ontmoeting tijdens een missie is een gevaar voor je team. Verwaarloos nooit je beveiliging en reken altijd op contact met de vijand. Keer een gevaar nooit de rug toe.

W. Er is een schutter nodig om een andere schutter te leiden.

X. De gemakkelijkste uitweg is misschien niet de veiligste.

Y. Als de vijand binnen schootsafstand is, ben je dat zelf ook!

Z. Lichtspoorkogels werken in beide richtingen!

Conclusie: je bent nu een Navy SEAL van de Verenigde Staten van Amerika, gevreesd door de vijand en gerespecteerd als de beste maritieme commando ter wereld. Anderen zijn afgunstig op je ijzeren wilskracht en superieure fysieke gehardheid. Talloze kerels hebben ervan gedroomd een SEAL te worden. Duizenden hebben het geprobeerd, maar slechts een gering aantal bevoorrechten heeft ooit de Trident verworven. Houd altijd voor ogen dat jij verantwoordelijk bent voor je doen en laten, waar je ook bent, wat je ook doet of wie je ook ontmoet. Je moet je vaderland zo goed als je kunt beschermen en verdedigen en daarbij steeds de eer van de Amerikaanse marine en de Navy SEAL-teams hooghouden. In een SEAL-team is er geen 'ik'.

Je bestaat om je missie te dienen. Niemand is jou iets schuldig. Je bent altijd in dienst, gedurende elk ogenblik van je loopbaan. Je verantwoordelijkheid om topfit te blijven en strijdvaardig te zijn houdt nooit op. Geen crisis zal ooit wachten tot jij je volgende trainingscyclus hebt voltooid of je hebt hersteld van een kater. De plicht van de krijgsman om klaar te zijn voor de strijd gaat nooit met vakantie en wordt door niets opgeheven. Sta te allen tijde positief tegenover het slagen van een missie. Train en synchroniseer je geest en wil net zo intensief als je lichaam. Disciplineer jezelf. Verdiep je dagelijks in literatuur over tactische problemen en leiderschap. Het is slechts een kwestie van tijd voordat je in een vuurgevecht tegenover de vijand staat. Een SEAL-operatie kan betekenen dat je oog in oog met de vijand komt te staan. Voor hem die wil winnen is er nooit genoeg trainingstijd. Zoek voortvarend naar alle kennis die het welslagen van een missie kan verzekeren en zorg dat jij de overlevende winnaar bent. Verlies nooit de begeerte om een nieuwe tactiek of methode te vinden die voor jou en je teamgenoten alle verschil kan maken.

Kom uit voor je vaderlandsliefde. Je betaalt voor dat recht. Draag je uniform met trots en met dezelfde stiptheid en kwaliteit als waarmee je een missie zou uitvoeren.

Leef de legende van de teams iedere dag opnieuw. Veel NCDUs, UDTs en SEALs zijn onderscheiden voor hun ongelooflijk moedige acties en het leveren van schijnbaar onmogelijke prestaties in de strijd. Het is jouw plicht om de reputatie van de SEALs ten opzichte van je voorgangers te versterken. Leg het zelfvertrouwen en het professionalisme van de SEAL aan de dag. Zorg dat iedereen met wie je in contact komt een positieve indruk overhoudt van jouw kennis en vaardigheden op het gebied van oorlogvoering, je trouw en je tactisch inzicht. Laat de Trident schitteren als het insigne van de meest selectieve strijdmacht voor speciale operaties.

Streef er hartstochtelijk naar te excelleren. Wees op je hoede voor medewerkers die dat niet doen. Sta nooit toe dat de foute

instelling van een ander jou, je teamgenoten en de missie in gevaar brengt. Houd echter het oog gericht op het beste bij je
teamgenoten, niet het slechtste. Ieder van ons heeft genoeg aan
zijn eigen tekortkomingen. Zoek altijd het positieve en help de
zwakkere broeders die hulp nodig hebben. Werk openlijk aan
het opbouwen en cultiveren van de hechte korpsgeest die onze
teams beroemd heeft gemaakt.

Toon nooit zwakheden of onenigheid tegenover iemand buiten de teams. Wie spreekt, leert niets; leren gebeurt alleen door
luisteren. Luister goed en zeg dan pas iets en doe dat recht uit je
hart. Kies voor gedragingen die jou een sterkere SEAL maken
en de teams versterken. Bezint eer ge begint! Als een actie jou
of je team niet verbetert, doe het dan niet. Gebruik elk kostbaar
trainingsmoment om te vorderen en je voor te bereiden op de
strijd. Houd steeds voor ogen dat alles wat jij doet invloed heeft
op de reputatie van het team. Laat nooit de mentale en fysieke
moed varen die je tijdens de BUD/S-training in je eigen inner-
lijk hebt ontdekt. In de loop van je carrière zul je als individu
tal van dingen verkeerd doen, maar je zult de strijd altijd moeten aangaan als een deel van het team. Wees geen *Einzelgänger*
en laat nooit een teamgenoot alleen. Vertrouw op je teamgenoten en stel hen nooit teleur. Je bent opgenomen in de Naval
Special Warfare-gemeenschap: jij *bent* de teams.

Als ik terugkijk op de mooie tijden, de moeilijke tijden en de
slechte tijden die ik tijdens mijn loopbaan in de teams hebt beleefd, weet ik dat het een geweldige, lonende en boeiende uitdaging was. De ervaringen die ik heb opgedaan en de vrienden
voor het leven die ik heb gemaakt, zijn met geen goud te betalen.

Train hard, beleef er plezier aan en geef ze ervan langs als het
zover is. Het was goed met jullie te werken.

Veel leden van de NSW-gemeenschap, mezelf inbegrepen, zien adjudant-officier Mike Loo als de architect van de moderne, geavanceerde SEAL-training.

De ijzige kou in

'Goeiemorgen, heren, en welkom op Kodiak Island. En alle nieuwe SEALs, van harte gefeliciteerd met het behalen van de Trident en welkom in de broederschap. De teams hebben jullie nodig, en ons land ook. Na dit trainingsblok vertrekken jullie naar jullie operationele teams. Jullie hebben het afgelopen jaar niet anders gehoord dan dat de training nooit voorbij is. Wel, jullie dragen nu de Trident en de komende drie weken gaan we jullie nog eens flink afknijpen. Zolang je hier bent, wordt er keihard getraind. We gaan jullie leren hoe je bij strenge kou en onder zeer zware omstandigheden kunt overleven en opereren. Deze training is belangrijk. Schenk aandacht aan wat mijn kader je voorschotelt, want het kan je het leven redden en in staat stellen een missie te voltooien. Sommige wapenbroeders van ons hebben in de bergen van Afghanistan problemen gehad. Ze hebben het goed gedaan, maar moesten bij alles wat ze deden tegen de elementen vechten. Tijdens deze training zijn het weer en het terrein onze vijanden. Wij gaan jullie leren hoe je kunt winnen, ook als de weersomstandigheden gemeen worden. Je gaat het hier nog heerlijk vinden.'

Adjudant Scott Williams is op Kodiak Island bevelvoerend detachementsonderofficier (Det OIC). Hij is opgegroeid in Maine en zijn vrouw komt uit Newfoundland. Hij heeft al drieëntwintig van zijn eenenveertig levensjaren gediend bij de marine, schopte het binnen acht jaar tot sergeant-majoor en werd kort daarna bevorderd tot adjudant-onderofficier. Hij heeft vier operationele inzetten bij de SEAL-teams van de oostkust op zijn naam. Scott Williams is een gepassioneerde expert op het gebied van operaties bij koud weer. Voor deze training is Scott wat Mike Loo is voor de SQT. Als het buiten echt akelig wordt, grijnst hij van oor tot oor. Hij staat bekend als een van de grootste experts in militaire koudweeroperaties en heeft deelgenomen aan extreme wedstrijden als de Eco-Challenge en tal van militaire tests op uithoudingsvermogen bij koud weer. Hij is nu belast met de koudweertraining van alle nieuwe SEALs. Ze noemen het koudweertraining, maar als ik mag afgaan op wat ik op

Kodiak heb gezien, was het meer een training onder gruwelijke weersomstandigheden. Ik was getuige van de koudweertraining van de nieuwe SEALs van SQT-klas 5-02.

Kodiak is een stadje én een eiland. Het is een vissersplaats aan de Golf van Alaska en niet ver van het eiland ligt een grote basis van de Coast Guard. Op de Hawaï-eilanden na is Kodiak het grootste Amerikaanse eiland. Je ziet hier meer visarenden dan zeemeeuwen. De trainingscompound voor SEALs ligt op Kaap Spruce, een schilderachtig landschap dat het thuis is van het Naval Special Warfare Detachment op Kodiak. De compound bestaat uit twee metalen gebouwen met daarin slaapzalen, instructielokalen, uitrustingsmagazijnen, een keuken en een klein militair hospitaal. Een derde gebouw fungeert als botenhuis en overdekte klimfaciliteit, met daarnaast een kleinere loods voor de opslag van uitrusting. De winter – die op Kodiak lang duurt – is erg koud, nat en winderig. Ondanks de slechte weersomstandigheden is het een land vol contrasten en overweldigend natuurschoon, met veel onbewoonde kleine eilanden, steile kliffen die hoog oprijzen boven rotsachtige stranden en bergtoppen vol eeuwige sneeuw – dat alles op korte afstand van de trainingscompound. Dit stelt Scott Williams in staat zijn SEAL-trainees binnen de kortste keren vanuit het instructielokaal het ijskoude water of de sneeuw in te sturen.

Formeel zijn de trainees op Kodak nog altijd SQT-klas 5-02, zoals de vijfde en laatste lichting van 2002 al sinds het begin van de SQT-training werd genoemd. Onder de tweeënveertig man in deze Kodiak-klas zijn er veertig nieuwe SEALs, de officieren van BUD/S-klas 239 en de onderofficieren en manschappen van klas 240. Een van hen is een officier die naar de teams teruggaat na de voltooiing van zijn collegestudie: vaandrig Brad Taylor. Hij is met klas 2-02 gegradueerd, is een keer operationeel ingezet met SEAL-team Eight (oostkust) en was al bezig aan de voorbereidende training voor een nieuwe operationele inzet toen hij plotseling collegestudent werd. Hij had zich gekwalificeerd voor het programma Navy's Seaman to Admiral dat manschappen in staat stelt te gaan studeren en een universitair diploma te behalen, de voorwaarde voor een aanstelling als marineofficier. Zonder voorafgaande studie had Brad Taylor binnen drie jaar het diploma MBA aan de universiteit van San Diego behaald. Een nieuwe SEAL is hij niet, maar wel een nieuwbakken vaandrig. Op weg naar SEAL-team Three werd hij in Coronado toegevoegd aan SQT-klas 5-02. In 1996 had hij al aan de oostkust de tactische training voor SEALs afgerond.

'Mijn SST leek veel op de SQT,' vertelde de nieuwe vaandrig me, 'maar lang niet zo veelomvattend. De huidige geavanceerde training is wat langer en de training voor oorlogvoering te land is ook langduriger dan in de oude STT. Destijds hadden we daar ook geen Close Quarter Training. Hier aan de westkust kregen we te maken met de branding van de Grote Oceaan bij de training in de strandoversteek. Ook waren de STTs aan de westkust anders dan die aan de oostkust. Onder de nieuwe SQT worden alle nieuwe SEALs naar identieke maatstaven getraind, zodat ze allemaal met dezelfde training naar de pelotons gaan.'

'Heb je aan de oostkust ook koudweertraining gekregen?' wil ik weten.

'We hadden bij Group Two een prima trainingsprogramma voor koud weer, maar dat was een training voor in Noord-Europa in te zetten operationele pelotons. Mijn peloton kreeg dus geen koudweertraining. Deze koudweertraining op Kodiak is alwéér een standaardtraining die alle SEALs ondergaan.'

'Je bent zeker blij dat je teruggaat naar de teams?

'Ik kan niet wachten. Ik had het op de universiteit best naar mijn zin, maar ik miste de kameraadschap van de teams. Dit wordt mijn eerste westkustpeloton en ik verheug me nu al op operationele inzet. Voordat ik uit Team Eight vertrok, heb me gekwalificeerd als sluipschutter. Ik hoop rechtstreeks naar een peloton te gaan; maar zoniet, dan zetten ze mij misschien wel in een team in als sluipschutter.'

De andere veteraan-SEAL in de Kodiak-klas is SWT-instructeur. Niet alle leden van het SQT-kader hebben de koudweertraining gedaan en van sommige is die training alweer achterhaald, zodat Mike Loo deze instructeurs deze training laat ondergaan. De SEAL-training is nooit voorbij, ook niet voor instructeurs. De eerste paar dagen op Kodiak worden in het instructielokaal doorgebracht. Behalve lessen op het gebied van voeding, medische bijstand en de omstandigheden hier, moeten de trainees het een en ander leren over hun uitrusting voor koud weer. Eerst het kledingaspect, dan de uitrusting voor in het veld.

De standaardkoudweerkleding is een systeem dat officieel bekendstaat als het Protective Combat Uniform (PCU). Deze gevechtskleding bestaat uit meerdere lagen stof van bijzondere vezels en isolerende kleding die de SEAL-operator moeten beschermen, zelfs bij temperaturen van maar liefst 46 graden Celsius onder nul. Het systeem telt zeven lagen, zodat de drager ze kan combineren om het juiste evenwicht tussen thermische bescherming en bewegingsvrijheid voor een bepaalde taak onder specifieke omstandigheden te vinden. Op aanwijzingen van Scott Williams heeft het Center de best beschikbare civiele klimbenodigdheden en buitenkleding laten aanpassen en modificeren ten behoeve van dit PCU-systeem voor SEALs. De lagen bestaan deels uit Thinsulate, gebreide polyestervezel, ingekapselde nylon microvezels en andere weefselcombinaties om de vereiste mate van waterafstoting, waterdichtheid, isolatie en doorlaatbaarheid (het ademen van de stof) te bereiken. Iedere laag heeft een ergonomische pasvorm die de SEAL in staat stelt in het gevecht goed te functioneren.

De velduitrusting voor koud weer is bekend als PEPSE, een acroniem voor Personal Environmental Protection and Survival Equipment. Iedere nieuwe SEAL krijgt het volgende uitgereikt: slaapzak, koudweerpubtent; speciale soldatenkistjes; balaclava; grondmat; kookgerei; thermosflessen; draagbaar veldkacheltje; waterfiltreersysteem; diverse hoofdbedekkingen en zes verschillende paren wanten en handschoenen. Voorts omvat de uitrusting een pioniersschop, opvouwbare zaag en een klimtuig. Voor verplaatsingen krijgen de nieuwe SEALs ook klimijzers, inschuifbare skistokken en sneeuwschoenen.

'Onze bepakking is een van de beste, speciaal ontworpen voor onze behoeften, met alles wat we nodig hebben in het veld,' grijnst adjudant Williams. 'De fabrikant zette grote ogen op toen ik hem zei dat wij sneeuwschoenen aan een kant van de bepakking moesten kunnen hangen, en zwemflippers aan de andere kant.'

Het laatste onderdeel van de uitrusting is het Military Assault Suit (MAS), een lichtgewicht droog, gesloten gevechtszwempak met een waterdichte rits voor zwemmen aan de oppervlakte. De mouwen en hals zijn voorzien van rubberen manchetten die het lichaamsdeel afsluiten, terwijl de broekspijpen zijn verlengd met een voetgedeelte.

We hebben het niet over een goedkope gevechtsuitrusting. Als je het in de winkel kon kopen, zou je voor de PCU, de PEPSE en de MAS samen zo'n tienduizend dollar moeten neertellen. Door nauw samen te werken met de fabrikanten en er flinke aantallen van te bestellen, konden de teams de kosten beperken tot ongeveer de helft van dat bedrag.

Na enkele dagen in het instructielokaal trekken de nieuwe SEALs met hun nieuwe uitrusting het veld in. De eerste veldoefening duurt drie dagen en twee nachten. Het doel ervan is de trainees vertrouwd te maken met de uitrusting, waarbij ze die leren waarderen. De dagen gaan heen met oefeningen in verplaatsing en navigatie in de lage delen van het gebergte, niet ver van het plaatsje Kodiak. De trainees leren omgaan met de hoogtemeter, de hoogtekaart en het kompas, zodat ze hun weg kunnen vinden door ruig en zwaar geaccidenteerd terrein. Ze dragen ieder een uitrusting van bijna 30 kg mee, maar voor deze eerste veldoefening nog geen operationele uitrusting of wapens. De eerste nacht wordt doorgebracht op zeeniveau. Het is daar nog niet koud genoeg voor sneeuw, maar wel regent het er het grootste deel van de nacht. De tweede nacht wordt er gewerkt op een hoogte van 450 m en in de sneeuw, met een laatste verplaatsing naar een richel op een hoogte van 650 m. De klas wordt gesplitst in vier squads en elk squad krijgt een instructeur mee. Gedurende alle oefeningen en nachtelijke kampementen oefenen de squads lawaaidiscipline en tactische verplaatsingen. 's Nachts moet er door de leden van de squads steeds twee aan twee om beurten wacht worden gelopen, precies zoals bij operationele missies. Tijdens die eerste paar dagen in het veld staat er weinig wind, zodat de nachten nog tamelijk gerieflijk zijn. Op de derde dag dalen ze uit de bergen af naar een van de vele baaien nabij het plaatsje Kodiak. Nu pas zullen ze hun uitrusting op waarde leren schatten, want hier wordt de opwarm-oefening gedaan.

Op het strand kleden de trainees zich helemaal uit, op hun lange nauwsluitende onderbroek na, en waden ze het water in. Tot nu toe is het op Kodiak een ongewoon zachte winter geweest, maar de watertemperatuur komt maar net boven de zes graden Celsius uit. Ze blijven tien minuten lang tot aan hun kin onder water. Een van de medisch korpsmannen van het kader loopt langs het strand om zich ervan te overtuigen dat ze het weliswaar koud hebben, maar niet onderkoeld raken. Het gaat erom dat hun kerntemperatuur een paar graden zal dalen. Dit is geen afknijpen, maar een noodzakelijke training.

'Juist,' roept de medisch korpsman tegen de bibberende rij hoofden in het water, 'iedereen het zwembad uit!'

De trainees waden naar het strand en hijsen zich weer in hun uitrusting. Ze sprinten door het struikgewas tot achter een heuveltje om geen last te hebben van de stijve bries die uit de baai komt.

'Ze hebben een minuut of zes om weer warm te worden, zegt medisch korpsman sergeant Shawn Beach. 'Wij noemen het de zes gouden minuten. Hun kerntemperatuur is nu lager en wordt nog lager nu ze hun uitrusting weer aandoen. Daarbij begint het bloed naar hun vingers te stromen. Ze moeten weer droog en warm worden en dat moet snel gebeuren.'

Ik zie hoe de nieuwe SEALs in paren werken. Ze drogen zich snel af met een van hun onderkledingstukken en trekken een ander kledingstuk aan. Allebei zetten ze een bivakmuts op, met daaroverheen een wollen muts die ook de nek beschermt. Een van de mannen steekt een kacheltje aan en begint water te verhitten, terwijl zijn maat een pubtentje opzet. Beide mannen kruipen bibberend in hun slaapzak weg en trekken zich terug in het tentje. Intussen begint het water warm te worden. Deel van de oefening is het drinken van een warme drank en het snel klaarmaken van een warme maaltijd. Adjudant Scott Williams, sergeant Beach en de andere leden van het Kodiak-kader lopen tussen de trainees door om ze scherp in het oog te houden.

'Zo leren ze vertrouwen te krijgen in hun uitrusting en hun training,' legt Beach me uit. 'Ze ontdekken wat er moet worden gedaan om een man weer op te warmen als hij tijdens een patrouille in het water is gevallen of door het ijs is gezakt. Het gaat om leven of dood, vooral als er wind staat. Je kunt hun dit in het instructielokaal vertellen – en dat doen we óók. Maar als je nooit hier bent geweest en nooit hebt geprobeerd een vuurtje te maken als je handen zo beven en gevoelloos zijn dat je nog nauwelijks een lucifer kunt vasthouden, heb je geen idee wat kou kan doen, en hoe snel dat gebeurt. De zes gouden minuten zijn in een vloek en een zucht voorbij.'

Ik heb gezien dat een van de Kodiak-instructeurs die een squad begeleidde met de klas het water in is gegaan en zelf ook de opwarmoefening moest doen toen hij terug was op het droge.

'Wij verlangen van de trainees nooit iets wat we zelf niet geregeld doen,' zegt Scott Williams. 'Wij willen een instructeur in het water die met hen het veld in is geweest, dus verlangen we van hem evenveel als van de trainees. Op die manier wordt het ook een uitdaging voor ze, terwijl we het tevens veilig en in perspectief houden. Het is geen lolletje om tien minuten in dat koude water te blijven, vooral niet als je net uit je warme bed komt en een warm ontbijt achter je kiezen hebt. Het is van belang dat wij regelmatig meedoen met de trainees. Ik heb hier een prima stel mensen. Een van de jongens meldt zich altijd als vrijwilliger.'

'Met inbegrip van jezelf, adjudant?'

'O, zeker,' zegt Williams met glinsterende ogen. 'Ik neem ook mijn beurten waar en ga bovendien de plaatselijke ijsberenclub voor bij de nieuwjaarsduik.' Gedurende mijn tijd op Kodiak heb ik Scott Williams goed leren kennen. Het kost me daarom geen moeite hem op zijn woord te geloven.

Na een dag vrij om de uitrusting weer tiptop in orde te brengen zijn de SEAL-trainees de volgende ochtend terug in het instructielokaal. Klas 5-02 krijgt vandaag uitleg over de nieuwe klimuitrusting en de manier om een klif te beklimmen of af te dalen. In het botenhuis is een klimwand aanwezig, waar de trainees hun klimuitrusting kunnen aandoen en testen. Dit klimmen is geen recreatiesport: de manier waarop krijgslieden mét hun operationele uitrusting een steile rotswand moeten overwinnen, maakt soms deel uit van een missie. Die middag is de groep weer op de kaap voor nog wat instructie op het gebied van overleven. De trainees leren vandaag hoe ze provisorische schuilhutten kunnen bouwen en waar ze eetbare levensvormen kunnen vinden als het eb is. 'Bij eb is je tafel gedekt,' zeggen de instructeurs. De trainees beginnen ijverig de getijdenpoelen te doorzoeken, op zoek naar zeebanket.

Na nog eens een dag in het instructielokaal gaat de groep weer met volle bepakking het veld in. Voor de helft van de klas betekent dit strandoversteekoefeningen op Long Island, een onbewoond eiland bij Kodiak. De trainees moeten hun spullen waterdicht afsluiten en ze inzwemmen. Net als tijdens de BUD/S-training en de SQT gaan de verkenners als eersten het water in om na te gaan of de kust veilig is, terwijl de rest in zee wacht op hun signaal. Als de kust inderdaad veilig is, zwemt de rest van de groep – ter grootte van een peloton – naar de kust. Dit is een tactische oefening, dus mét wapens. Het peloton verplaatst zich door het terrein, nog in hun lichtgewicht droge zwempak en hun rugzak, waaraan de zwemflippers hangen. Ze zoeken een veilige plek en zetten wachtposten uit. De helft van hen trekt het zwempak uit en neemt de uitrusting voor verdere verplaatsing over land, waarna zij de schildwachten langs de perimeter aflossen, zodat die zich kunnen omkleden. Er wordt niet gepraat; alleen het zachte ritselen van de uitrusting is te horen. Na een korte verplaatsing naar een andere locatie aan het strand worden de boten teruggeroepen, hijsen ze zich weer in hun zwempak en duiken de zee in. Iedere keer als ze deze oefening doen worden ze er wat sneller en behendiger in. Ook maken ze steeds minder geluid. Die middag krijgt de klas opdracht de bepakking af te doen en gaat de groep de bossen in. Het enige wat ze meenemen is een lichte uitrusting, de *jump bag* en, uiteraard, hun wapens. Deze 'noodzaak' hangt normaal aan hun rugzak: het is iets wat ze in geval van nood haastig mee kunnen grissen als ze zich uit de voeten moeten maken, of als ze met een helikopter een noodlanding in vijandelijk territorium hebben gemaakt. Ze hebben uiteraard geleerd dat zij in een reële oorlogssituatie voor hun rugzak moeten vechten, omdat die alles bevat wat ze nodig hebben om in leven te blijven en de missie voort te zetten. Deze training bootst een noodsituatie na. Ze grijpen hun nooduitrusting en beginnen met hun E&E, de ontwijk-en-ontsnappingsprocedure. De instructeurs doen exact hetzelfde en volgen de trainees de bossen in.

In de bossen op Kodiak Island is de lucht altijd vochtig en zijn de boomstammen en de grond bedekt met een dikke laag mossen. Als de mannen eenmaal diep in het binnenland zijn doorgedrongen, verspreiden ze zich en beginnen gevallen pijnboomtakken te verzamelen voor de bouw van schuilhutten, afgewerkt met dikke mosplaggen. Ze maken kleine, rookloze vuurtjes en beginnen aan de procedure voor het verzamelen en drogen van brandhout. De instructie gaat door. Ze zetten valstrikken uit, maar als de strikken niets opleveren, schiet een van de instructeurs een konijn. Het dier wordt gevild en dan geroosterd aan een provisorisch spit. Iedere trainee mag proeven hoe geroosterd konijn smaakt. Tegen zonsondergang, als de temperatuur daalt, kruipen de 'overlevingskoppels' weg in hun schuilhutten, houden hun vuurtjes aan de gang om warm te blijven en brengen zo bibberend de nacht door. In een andere provisorische schuilhut bibberen twee Kodiak-instructeurs even hard als hun pupillen. Tegen de ochtend gaan ze terug naar de kust, hijsen hun rugzakken weer op de rug en beginnen aan nog meer strandoversteekoefeningen. Al die tijd wordt het tactische spel gespeeld: ze verplaatsen zich zo stil mogelijk en bewaken hun perimeter over 360-graden.

De andere helft van klas 5-02 hangt in de touwen. Ze leren niet zozeer goed klimmen, als wel goede volgers te zijn. Het is de taak van de beste klimmer om voorop te gaan, een route te vinden en het klif te overwinnen. Voorklimmers in een peloton zijn specialisten, net als sluipschutters en verbindingenexperts, en ze worden ervoor getraind totdat ze zich hebben gekwalificeerd. De taak van de voorklimmer is belangrijk en gevaarlijk. SEALs moeten ook tegen 'slechte rots' op kunnen klimmen: het soort rotswanden vol losse delen zoals die langs kusten te vinden zijn. Deze taak vereist veel zelfvertrouwen en vakkundigheid. Het is, nogmaals, niet klimmen voor de sport. SEALs klimmen bij voorkeur in het donker, of als het weer slecht is – momenten waarop een vijand dat het minst verwacht, al helemaal niet als het een steil klif betreft. Eenmaal boven werpen voorklimmers touwen en/of andere hulpmiddelen omlaag, zodat de rest van het peloton de uitrusting kan ophijsen en het klif bedwingen. Als het een schuin klif betreft, beklimmen de SEAL-trainees het mét hun bepakking, gezekerd aan de lijn die de voorklimmers omlaag hebben gegooid. Bij een loodrecht klif moeten de trainees gebruikmaken van een combinatie van klimtouwen, glijknopen en beenlussen. Hierbij wordt gedeeltelijk via het touw geklommen zonder dat houvast wordt gezocht aan de rotswand. Vervolgens worden de uitrustingen naar boven gehesen, via een driepoot met touwen en katrollen. De laatste klimmer maakt het hijstouw los en klimt dan naar boven om de touwen in te nemen. Het peloton hijst zich weer in de uitrusting en trekt verder naar het doelgebied. De klimtraining op Kodiak gebeurt onder supervisie van sergeant-majoor Don Bishop.

'Wij leren iedereen de grondbeginselen van het beklimmen van een lastige rotswand, waarbij de uitrusting meegaat,' legt Bishop me uit. Hij komt uit Coronado en kwam met ervaring in het beklimmen van bergen naar de teams. Bishop heeft vier operationele inzetten met Team Eight op zijn conduitestaat en is al twaalf jaar actief als voorklimmer en kliminstructeur. Net als Mike Loo en Scott Williams is hij de 'beste van het team' in zijn specialiteit, in zijn geval het beklimmen van rotswanden. 'Ze moeten samenwerken als een team: sommige jongens zijn verantwoordelijk voor de touwen, andere zorgen voor de beveiliging, spannen de hijstouwen aan de voet van het klif of hijsen de uitrustingen op het klif. Zodra we iedereen boven hebben, brengen we ze weer naar beneden. Daarna doen we de hele klim nog eens over.'

Afdalen doen de trainees met de *abseil*-techniek, dus aan een glijtouw, compleet met hun uitrusting op de rug. Hierbij zetten ze zich af en toe met beide voeten af van de rotswand. Ze hebben die techniek al eerder geoefend, maar nooit met zoveel gewicht. Ze hebben geleerd hierbij gebruik te maken van de zelfklemmende glijknoop die het hun mogelijk maakt tijdens de afdaling hun wapen te gebruiken. Alle lijnen worden beschermd, zowel bij het klimmen als het dalen. Op de rand van het klif en aan de voet ervan staan SEALs die op dat moment niet klimmen of dalen klaar om dekkingsvuur te geven, waarbij schootsvelden over de perimeter zijn verdeeld. Nabij de trainingscompound op Kodiak bevindt zich een 36 m hoge rotswand die loodrecht oprijst uit de branding. De leden van klas 5-02 beklimmen deze wand, hijsen hun bepakkingen op en bergen hun klimuitrusting op. Pas daarna worden de touwen weer omlaag gegooid en begint het abseilen. Zo gaat het verscheidene keren door: vanuit de branding de rotswand klimmen en langs de rotsen abseilen naar de branding. De laatste beklimming gebeurt na het invallen van de nacht, waarna de trainees zich terugtrekken in de bossen om hun kamp op te slaan.

'Wij zijn hier nog geen vijf minuten van de barakken,' zeg ik tegen adjudant Williams. 'Waarom gaan jullie niet gewoon terug om daar te slapen?'

'In een kazerne leer je niks,' antwoordt hij. 'Iedere keer dat je je kamp opslaat voor de nacht – en ik heb het over je kamp opslaan in een tactische situatie, dus verspreide schuilhutten en bewaking door schildwachten – leer je iets bij. Dit is de manier waarop het in de pelotons gebeurt. Als deze jongens thuis zijn, mogen ze 's nachts bij hun gezin slapen; maar als ze op een afgelegen trainingsfaciliteit zijn, bootsen we de gevechtssituatie zo goed mogelijk na.' Met een grijns laat hij erop volgen: 'De wind wakkert aan en het wordt kouder. Dit is een prima nacht voor ze om buiten te zijn.'

Na twee dagen op Long Island komt de helft van klas 5-02 voor een nachtje terug om droog te worden en hun uitrusting weer in orde te brengen. Daarna maken ze zich weer klaar voor een nieuw bezoek aan de kliffen, terwijl de andere helft van de klas op zijn beurt de klimuitrusting opbergt en in ganzenpas naar de boten gaat om Long Island te verlaten. Voor veel leden van klas 5-02 is het de eerste keer dat ze vanuit de RHIB, de elf meter lange rubberboot, hebben getraind. Deze lange boot met opblaasbare rubberen boorden en een stijve romp wordt voortgedreven door een waterjetmotor en is het tactische werkpaard van de bootspecialisten van het NSW Command. Na de trainingen op Long Island en de klimtrainingen gaat de hele klas terug naar het instructielokaal voor nog meer lessen en het in orde brengen van de uitrusting. Ook krijgen de trainees een schriftelijk tentamen over alle lessen die ze tot nu toe hebben gevolgd, bestaande uit de elementaire beginselen van deze wintertraining. De laatste veldoefening wordt niet betiteld als een veldtrainingsmissie (FTX), maar is een oefening waarbij de verschillende vaardigheden worden gecombineerd. Ze zullen er nog eens vier dagen en drie nachten op uit gaan om alles wat ze tot dusverre hebben geleerd in praktijk te brengen. Kortom, ze naderen vanuit zee, steken een strand over en maken een tactische verplaatsing, de bergen in. Na drie winternachten aan de kust van Alaska steken ze dan opnieuw het strand over en verdwijnen in zee.

Na de vaardigheidstest vertelde vaandrig Taylor mij: 'De klas werd weer opgedeeld in vier squads. We voeren twintig minuten ver de Middle Bay in, waar de boten ons dropten. Eerst gingen de verkenners overboord en daarna signaleerden ze dat de rest van de klas kon komen. Aan wal zetten we direct wachtposten uit en trokken het droge zwempak uit, kleedden ons om en trokken de bergen in. De eerste dag klommen we over een afstand van circa twaalf kilometer naar een hoogte van vierhonderdvijftig meter. Het was daar zeven graden Celsius onder nul en we kampeerden voor het eerst een nacht in de sneeuw. We ontdekten een lage inzinking langs een rotsrichel, waar we wat beschutting hadden van struikgewas. Zodra we ons kamp hadden opgeslagen, zond sergeant-majoor Bishop ons eropuit om te zien hoe zichtbaar we waren, gezien vanaf diverse uitkijkpunten. De volgende dag braken we op en trokken verder naar ons doelgebied, Center Mountain.'

'Met wat voor gevechtsuitrusting?' wilde ik weten.

'Eerstelijns en wapens, meer niet. Die tweede dag hielden we halt op een steile ijshelling om ons te oefenen in de kunst om een glijpartij te onderbreken met behulp van een pikhouweel. Tegen die tijd wakkerde de wind aan en werd het snel heel koud. We zaten toen op de onbeschutte noordwand en moesten nog ongeveer twee uur verder trekken voordat we een ravijn bereikten dat enige beschutting bood. De temperatuur was nu zo'n vijfentwintig graden Celsius onder nul en de wind bereikte bij vlagen snelheden tot honderdtien kilometer per uur. Onze uitrusting is perfect, maar tegen de tijd dat we eindelijk uit die ijzige wind waren, was ieders reet bevroren. Sommige jongens hadden witte vlekjes in hun huid, waar die blootgesteld was geweest aan de vrieskoude wind.

Er stond daar nog te veel wind om de tentjes op te zetten, zodat we tweemansholen groeven in de sneeuw en daarin wegkropen voor de nacht. Daar was het best uit te houden, maar er moest toch wacht worden gelopen. Zelfs bij tijden van dertig minuten werd je buiten zo'n sneeuwhol door en door koud. De volgende ochtend stond er nog steeds veel wind en de sergeant-majoor vond dat het tijd werd om terug te gaan. We hebben Center Mountain nooit bereikt, maar hebben zeer zeker veel geleerd. Die middag zakte sergeant-majoor Bishop bij een oversteekplaats door het ijs en stond hij tot aan zijn borst in het water, zodat we hem door de opwarmprocedure moesten leiden. Omdat er bij die bergstroom een geschikte kampplaats was, zijn we daar voor de nacht gebleven. Zelfs met onze hulp heeft het ruim acht uur geduurd om zijn uitrusting weer droog te krijgen. Het was een geweldige training. We werden weer droog en warm en waren klaar om de missie voort te zetten. Het lot wilde dat we de volgende dag in een harde sneeuwstorm verzeild raakten. Tegen de tijd dat we bij de compound op de kaap terug waren, was de grond bedekt met een sneeuwlaag van dik zestig centimeter.'

'Dit was een goeie klas en ze hebben uitstekend getraind,' zegt adjudant Williams me nadat alle squadrons terug zijn op Kaap Spruce. 'Ik ben tevreden over hun prestaties. Als het weer zich zo tegen je keert, verandert je missie algauw in een strijd om te overleven. Als ze Center Mountain hadden gehaald, hadden we de kans gekregen om met touwen gezekerd een paar ijsvlakten over te steken, maar niet bij die wind.' Met een grijns voegt hij eraan toe: 'Wist u dat twee van deze jongens nog nooit van hun leven sneeuw hadden gezien? Nu zijn ze hier geweest, in dit ruige landschap en nog wel in een sneeuw-storm. Nou, ze hebben de afgelopen paar dagen veel opgestoken en gaan straks met veel nuttige informatie naar hun pelotons.'

Dit was de laatste trainingsfase voor de SEALs van klas 5-02. Ter-wijl de sneeuw op Kodiak Island zich ophoopt, pakken de SEALs hun uitrusting weer in en laden alles op pallets voor de retourvlucht naar The Strand. De storm die hun heeft belet Center Mountain te bereiken, vertraagt twee dagen lang hun terugkeer naar Coronado. Na hun terugkomst bij het NSW Center worden de voormalige SQT-trainees naar hun nieuwe dienstbestemmingen gestuurd. Ze hebben nu niets meer te zoeken in het Center: voortaan zijn ze pelo-ton-SEALs.

Iedere SEAL is een medisch korpsman. Onder het waakzame oog van de instructeur-verpleegkundige verleent een SQT-trainee in een nagebootste tactische situatie eerste-hulp aan een klasgenoot. *Foto Dick Couch*

4

DE MANNEN

De nieuwe SEALs gaan na hun terugkeer van Kodiak Island met een naar het team waarbij ze zijn gedetacheerd. Na meer dan twaalf maanden in de trainingsfaciliteit is dit voor hen een enerverende episode. Voor degenen die naar de teams aan de oostkust gaan is het een heel eind van Alaska naar Virginia, en voor degenen die bij het Swimmer Delivery Vehicle Team One op Hawaï worden gedetacheerd is de reis nog veel langer. Voor deze nieuwe SDV-SEALs is er nog de SDV School in Panama City (Florida). Afhankelijk van de begindatum van de opleiding daar gaan ze er rechtstreeks heen, of eerst naar hun nieuwe team, totdat de opleiding begint. Het merendeel van deze SEALs is nog nooit in hun nieuwe operationele hoofdkwartier geweest. Zodra zij hun team bereiken, beginnen voor hen de serieuze voorbereidingen op actieve operationele inzet. Na meer dan twaalf maanden training – basisopleiding en daarna de training voor gevorderden – zal de preoperationele training nog eens anderhalf jaar duren. De huidige preoperationele training verschilt hemelsbreed van de voorbereidende training die Navy SEALs nog maar luttele jaren geleden kregen.

Het NSW21-concept

De basisopleiding en geavanceerde training van Navy SEALs blijft evolueren en wordt steeds beter om het hoofd te bieden aan de veranderende omstandigheden en eisen op het gebied van de Naval Special Warfare. Toch zijn deze evolutionaire veranderingen bescheiden, vergeleken bij de veranderingen die zich de laatste tijd in de preoperationele training en ook in de operationele inzet van SEAL-teams en SEAL-pelotons hebben voltrokken.

Al in de BUD/S-training en de SEAL-kwalificatietraining is teamwork van groot belang, maar de kandidaat-SEALs hebben niet langdurig als een toegewijd team kunnen trainen. Het 'team' dat zij tot dusverre hebben gekend, was in de regel voor trainingsdoeleinden niet groter dan vijf tot vijftien man, georganiseerd als een squad of bootbemanning. Zulke teams worden geregeld anders samengesteld met het oog op de aard van de training of de trainingsscenario's. In de operationele SEAL-teams zijn de pelotons de operationele basiselementen. Zo'n peloton kan op allerlei manieren tactisch worden ingezet, maar het peloton leeft en traint als een eenheid. Eigenlijk is het meer dan dat: het is een operationele *familie*. Als onze nieuwe SEAL na Kodiak Island bij zijn team komt, wordt hij bij een peloton ingedeeld. Maar voordat een groentje, zoals kersverse Trident-dragers worden genoemd, met zijn peloton serieus als een gevechtsteam begint te trainen, moeten hij en de andere pelotonsleden een aantal afzonderlijke cursussen hebben gevolgd. Deze vervolgcursussen leiden tot kwalificaties en taakomschrijvingen die het peloton in staat stellen collectief als een operationeel gevechtsteam te werken. Veel van deze cursussen zijn specifiek voor de omstandigheden bij bepaalde soorten missies of in bepaalde oorlogszones. Ook moeten de pelotonsleden een paar procedurele en individuele kwalificaties halen voor ze aan de formele preoperationele pelotonstraining kunnen deelnemen. De nieuwe SEALs van de SQT en Kodiak wacht een andere en veel meer gestructureerde preoperationele pelotonstraining dan het geval was toen klas 228 in 2000 gradueerde van de SEAL Tactical Training, de voorloper van de SQT. Laat me dit toelichten.

Voor januari 2002 waren er zes genummerde SEAL-teams: Team Two, Team Four en Team Eight aan de oostkust; en Team One, Team Three en Team Five aan de westkust. SEAL-team Six was toen al verscheidene jaren eerder ontmanteld. Het NSW Command (WARCOM) was verantwoordelijk voor de instandhouding van twaalf volledig operationele SEAL-pelotons die op afroep ter beschikking van opperbevelhebbers in oorlogszones moesten staan. Er zijn voor deze bevelhebbers nog andere NSW-eenheden beschikbaar en paraat, maar de standaard is: twaalf operationele pelotons die direct inzetbaar zijn. Deze last was gelijkelijk verdeeld over de twee kusten, waarbij elk team om de zes maanden twee vers getrainde pelotons mét uitrusting moest leveren, gereed voor inzet. Op die manier waren er om de zes maanden van iedere kust steeds zes pelotons operationeel actief. Dat verklaart waarom er op 11 september 2001 operationele SEAL-pelotons waren bij het Central Command Middle East en de Perzische Golf. Deze vooruitgeschoven operationele pelotons waren al binnen enkele weken na de Al-Qaïda-aanval in New York en Washington actief in Afghanistan. Deze SEAL-pelotons deden strategische verkenningsmissies en zonden cruciale inlichtingen terug, ter ondersteuning van de strijdkrachten die kort daarna arriveerden om de taliban te verdrijven.

Omdat de 'oude' teams elk uit acht pelotons bestonden, roteerden de actief-operationele SEAL-pelotons in een tweejarige cyclus. Volgens het trainingsregime van hun teams trainden de SEAL-pelotons achttien maanden, voordat zij voor de duur van zes maanden operationeel konden worden ingezet. Die regeling betekende dat de bevelvoerend officier van een SEAL-team geen operationele of tactische verantwoordelijkheden had. In principe eindigden zijn verplichtingen op het moment dat zijn pelotons werden ingezet en voortaan rapporteerden aan de opperbevelhebber in een oorlogsgebied. Teamcommandanten waren in vele opzichten de hogere trainingsofficieren en de bevelshiërarchie van een team bestond grotendeels uit het trainingskader. De pelotons werden elk met het grootste deel van hun operationele uitrusting ingezet: wapens, duikspullen, parachutes en noem maar op. De actief-operationele pelotons werden thuis nog steeds oost- en -westteams genoemd, maar de verantwoordelijkheid van de teamthuisbasis voor haar actief-operationele kinderen bleef beperkt tot de vervanging van delen van de uitrusting, personele zaken en hulpverlening aan de gezinnen van actief-operationele SEALs als die problemen hadden. De ingezette SEAL-pelotons vonden onderdak bij al gevestigde eenheden van het NSW Command of op delen van de vloot die SEAL-pelotons ter beschikking behoorden te hebben. Ook deze pelotons vielen onder het bevel van het opperbevel in een oorlogsgebied. Eenmaal in een oorlogszone werden de pelotons als speciale bootdetachementen toegevoegd aan ondersteunende NSW-elementen of ander personeel: hun taak was die eenheden te helpen bij het plannen en uitvoeren van gevechtsmissies. Dit veranderde allemaal na de invoering van het NSW21-concept.

Onder NSW21 vormt een uitgebreid SEAL-team (dat nu een SEAL-squadron wordt) de spil van de organisatie. Het squadron is een organisatie van zes pelotons met een versterkte bevels- en controlestructuur die met een aantal kleine NSW-boten, SDVs (kleine duikboten) en ondersteunende NSW-elementen en non-NSW-elementen traint. Na een periode van multidisciplinaire training met deze aanvullende NSW-componenten wordt het complete squadron operationeel ingezet. Zo'n squadron krijgt continue logistieke en administratieve ondersteuning van zijn NSW Group aan de west- of oostkust. Waar het squadron in zijn volledige numerieke sterkte als gevechtseenheid wordt ingezet, geldt het omgekeerde voor de uitrusting en platforms. Iedere SEAL heeft zijn persoonlijke wapens en uitrusting, maar operationeel materieel blijft grotendeels in vooruitgeschoven positie. Verder naar voren staan er ook onder auspiciën van de NSW Group vallende inlichtingen- en missieondersteunende capaciteiten ter beschikking van actief-operationele pelotons of squads. In principe worden er nu dus SEAL-teams of, beter gezegd, SEAL-squadrons, operationeel ingezet, in plaats van afzonderlijke SEAL-pelotons. De actief-operationele squadrons rapporteren voor vlootoperaties en speciale operaties wel aan de Commander In Chief (CINC), de opperbevelhebber in het oorlogsgebied, maar nu bestaat er een integraal getrainde, ondersteunende NSW-organisatie, waardoor de actieradius van actief-operationele SEAL-pelotons veel groter is geworden. Bovendien is nu de bevelshiërarchie van vooruitgeschoven SEAL-squadrons veel beter in staat de opperbevelhebber in een oorlogsgebied te helpen SEALs zo effectief mogelijk in te zetten.

De meest zichtbare verandering onder NSW21 is dat er aan beide kusten twee nieuwe SEAL-teams bijgekomen zijn: Team Seven in Coronado (Californië) en Team Ten in Little Creek (Virginia). Het aantal operationele pelotons blijft ongewijzigd. Voorheen waren er zes teams met elk acht pelotons, nu zijn er acht Squadrons (voorheen teams), elk met zes pelotons. In plaats van eenvoudigweg SEAL-pelotons voor te bereiden op operationele inzet, worden de twee nieuwe teams en de zes gereorganiseerde teams nu mét al hun pelotons operationeel ingezet. Minder zichtbaar is de samenvoeging van logistieke en administratieve functies en trainingstaken onder de beide Naval Special Warfare Groups. Gedurende de laatste zes maanden van de achttien maanden durende preoperationele training krijgt een uit zes pelotons bestaand SEAL-team zijn aanvullende elementen en promoveert het tot een SEAL-squadron. Veranderingen stuiten altijd op moeilijkheden. De overgang van zes naar acht teams en de transformatie van team tot squadron is evenmin zonder groeipijnen bewerkstelligd. De voordelen voor de SEALs zelf en hun missies zijn echter significant.

Drie duidelijk onderscheiden trainingsfasen van telkens zes maanden gaan vooraf aan de operationele inzet van een SEAL-squadron. In de eerste fase ligt de nadruk weer op individuele training. Daarom wordt deze fase ook wel de PRODEV-fase genoemd (professionele ontwikkelingsfase). Voor veteranen die terugkeren van een operationele inzet is dit de kans om hun gezin te zien en een deel van de verlofdagen op te nemen die ze gedurende hun laatste preoperationele training en inzet hebben opgespaard. Voor de SEALs die net van de BUD/S-training en de SQT komen, is het een gelegenheid om vertrouwd te raken met hun nieuwe team en peloton, terwijl ze worden geschoold in specialismen. Twintig van de nieuwbakken SEALs van SQT-klas 2-02 waren toegevoegd aan de Teams Seven en Ten. Omdat dit de jongste teams zijn, begonnen zij net aan de preoperationele training van achttien maanden. Dit is voor deze nieuwelingen een uitgelezen moment om bij hun team te komen; ze komen regelrecht vanuit het trainingscentrum in een omgeving die individuele SEALs voorbereidt op operationele inzet. Toen SQT-klas 2-02 gradueerde, waren de Squadrons One en Two actief-operationeel. Tweeëntwintig nieuwe SEALs waren toegevoegd aan de beide actief-operationele squadrons. Direct na hun terugkeer van overzee verandert een SEAL-squadron weer in een SEAL-team en begint de preoperationele trainingscyclus opnieuw met de PRODEV-fase. De nieuwkomers die bij de Squadrons One en Two zijn gedetacheerd, werden naar diverse speciale opleidingsscholen gestuurd of ze kregen tijdelijke diensttaken, in afwachting van de terugkeer van het squadron. Daarna begonnen zij aan hun PRODEV-periode met hun nieuwe pelotonsmaten. De nieuwe SEALs van SQT-klas 5-02 en Kodiak worden toegevoegd aan respectievelijk SEAL-team Three en Four. Voor dit boek was ik waarnemer bij de PRODEV-fase van de preoperationele training bij Team Seven.

SEAL-team Seven werd op zondag 27 maart 2002 (Saint Patrick's Day) in Coronado officieel geïnstitutionaliseerd; Team Ten op 19 april 2002 aan de oostkust. De laatste keer dat er een SEAL-team was geboren, was in 1986, toen Team Eight het licht zag. Het nieuwe team bestaat aan zowel de oost- als westkust grotendeels uit SEAL-veteranen van de overige drie teams aan hun kust, aangevuld met de nieuwkomers van de SQT. Ten behoeve van de vorming van het nieuwe team aan de westkust werd een soort aanvullende lichting gerekruteerd, zo ongeveer wanneer een professioneel basketbalteam een tweede team in de league introduceert. In het geval van Team Seven werden peloton-SEALs van de Teams One, Three en Five overgeheveld naar Team Seven. Deze peloton-SEALs zijn afkomstig uit pelotons die recentelijk teruggekeerd zijn van een operationele inzet, zodat Team Seven vrij veel SEALs met gevechtservaring in Afghanistan telt. Deze teruggekeerde pelotons werden voor de PRODEV-fase verspreid over de zes pelotons van Team Seven. Nagenoeg hetzelfde gebeurde er in Team Ten in Little Creek, waar veteranen van de Teams Two, Four en Eight terugkeerden van hun operationele inzet.

Op papier bestaat SEAL-team Seven – net als alle overige genummerde SEAL-teams – uit 128 SEAL-operators: 21 officieren en 107 onderofficieren en manschappen. Dit is de numerieke sterkte waarmee elk team is begonnen. De numerieke sterkte en samenstelling van de teams onder NSW21 is afhankelijk van zowel administratieve als operationele overwegingen. Aan de teams worden 11 technische specialisten (een officier en 10 onderofficieren en manschappen) toegevoegd. De structuur van het team is onderverdeeld in drie taakgroepen van elk twee pelotons. Tijdens een operationele inzet heeft elke taakgroep een eigen commandant, behorend tot de hoogste officieren in een team. In de regel voeren de teamcommandant, zijn plaatsvervanger en een officier Operaties ieder het bevel over een taakgroep. Hierdoor is de hoogste leiding van het SEAL-team aanwezig in de vooruitgeschoven operationele pelotons. De actief-operationele taakeenheden worden altijd bemand naar behoefte, afhankelijk van wat er in een oorlogsgebied nodig is, maar er kunnen ook extra ondersteunend personeel en operationele planners aan een taakeenheid worden toegevoegd. Ondanks al deze veranderingen is en blijft het SEAL-peloton echter de fundamentele gevechtseenheid van de Navy SEALs.

SEAL-pelotons bestaan normaal uit twee, of soms ook drie officieren en veertien onderofficieren en manschappen. Een operationeel SEAL-squadron kan in totaal tussen de 86 en 102 SEAL-schutters in het veld brengen. Het werk van de leiding van een operationeel SEAL-squadron bestaat grotendeels uit zorgen dat deze schutters al hun vaardigheden op peil houden en dat ze naar behoren zijn uitgerust en geïnstrueerd wanneer ze worden ingezet in de strijd. Ook moeten zij erop toezien dat hun missietaken aansluiten bij datgene waarvoor zij getraind zijn om te doen. De missietaken lopen sterk uiteen en er kunnen twee of meer SEALs of zelfs twee pelotons met de uitvoering ervan worden belast. Vaak opereren SEAL-pelotons in twee squads van zeven tot acht man, maar de samenstelling kan worden aangepast of uitgebreid om aan de operationele eisen van een missie te voldoen. Aan het squadron zijn ook operationele eenheden en/of materieel van andere onderdelen dan de SEALs zelf toegevoegd die bij een SEAL-peloton of operationeel squad c.q. element kunnen worden ingedeeld. Zoals we zullen zien, is het mogelijk dat de taken van het SEAL-squadron weinig of geen schuttersinspanningen vereisen en in een ander militair verband dan alleen SEAL-eenheden moeten worden uitgevoerd.

De SEAL-leiders

De commandant van SEAL-team Seven is kapitein-luitenant-ter-zee Joseph Rosen. Als eerste bevelhebber van zijn eenheid erft hij geen bestaand personeel, geen van kracht zijnd teambeleid en geen infrastructuur. Kortom, hij moet van de grond af aan beginnen. Zijn eerste taak is de vorming van zijn zes pelotons. Dit betekent dat hij al in een vroeg stadium doorslaggevende keuzes voor de leiding van zijn pelotons moet maken, zowel officieren als onderofficieren. Elk peloton krijg twee belangrijke leiders: de pelotonsofficier en de pelotonssergeant-majoor. De verstandhouding tussen deze zes paren pelotonsleiders zal in hoge mate bepalend zijn voor het succes en de gevechtskracht van SEAL-team Seven als dit eenmaal als Squadron Seven operationeel wordt ingezet. De zes pelotonsofficieren van Team Seven hebben sterk uiteenlopende achtergronden en gevechtservaring in een peloton. Drie van hen hebben onlangs nog als plaatsvervangend of assistent-pelotonsofficier bij andere SEAL-pelotons gediend. De overige drie zijn ieder de voormalige plaatsvervangend pelotonsofficier c.q. commandant van een SDV-peloton.

De pelotonscommandanten zijn gevestigde gezagdragers in de teams; hun reputatie is groot. Dit zijn luitenants die in de regel minstens twee keer actief-operationeel zijn geweest. Voor een enkeling is dat één keer of zelfs drie keer. Dit is het hoogtepunt in de operationele loopbaan van een jonge SEAL-officier: de positie van pelotonscommandant is waarvoor hij sinds het begin van de BUD/S-training heeft gezwoegd. Deze jonge officieren hebben zich zowel administratief als operationeel bewezen en zijn door hun vroegere of huidige superieur voorgedragen voor deze positie. Iedere SEAL-officier die een carrière als beroepsofficier bij de Navy SEALs ambieert, moet op zijn minst een succesvolle dienstperiode als SEAL-pelotonscommandant op zijn conduitestaat hebben. Zonder die ervaring komt hij niet verder. De gemiddelde functietijd voor een aankomende pelotontonscommandant duurt vijf tot zeven jaar. Als hij als vaandrig direct naar de BUD/S-training is gegaan, kan hij die periode bij de teams volmaken. Volgens de meeste militaire criteria is hij tamelijk hoog in rang als commandant van een eenheid van dit formaat, maar dat is bij eenheden voor speciale operaties niet ongewoon. Al deze officieren zijn uniek: ze komen, wat hun algemene ervaringen en gevechtservaring betreft, verschillend uit de pijplijn. Misschien is luitenant Dan Canapa wel nog wat unieker dan de meesten.

Luitenant Canapa is commandant van het Foxtrot-peloton bij SEAL-team Seven. Net als andere pelotonscommandanten is er weinig dat hem onderscheidt van de mannen die hij leidt. Hij is zevenentwintig jaar en 1,74 m lang. Hij weegt 75 kg en is vrijgezel. Hij heeft blond haar en blauwe ogen, draagt designerzonnebrillen, rijdt in een Jeep Wrangler en houdt van surfen. Canapa is in 1996 afgestudeerd aan de Naval Academy in Annapolis (Maryland) en kreeg een aanstelling als luitenant-ter-zee 2e klasse bij het Korps Mariniers. Zijn vader was beroepsofficier en had tijdens een detachering in Australië zijn moeder leren kennen. Als kind van een militair heeft hij op vele plaatsen gewoond en zijn hele leven met militairen te maken gehad of samen met hen gediend. Aan de Naval Academy was hij als roeier lid van de lichte vier. Ik vraag Dan Canapa waarom hij had besloten voor het Korps te kiezen, toen hij uit Annapolis vertrok.

Ik lootte geen van de aanbevelingen van mijn klas voor directe plaatsing bij de BUD/S-training, dus koos ik voor de mariniers. Ik wilde mannen aanvoeren op de grond en,' zo liet hij er met een lach op volgen, 'voelde er niets voor om op een schip te dienen.'

'Ik wist niet dat je als officier vanuit het Korps overgeplaatst kon worden naar de marine, laat staan naar de BUD/S-training?'

'Ja, op de academie zeiden ze al dat het onmogelijk was. Ik ben in een landmachtfamilie opgegroeid en heb al vroeg geleerd dat er bij de krijgsmacht altijd wel een weg te vinden is. Ha, ze zeiden zelfs dat ik niet eens naar de Naval Academy kon! Mijn hele leven hoor ik al mensen zeggen dat ik dit of dat niet zou kunnen doen. Ik wist echter dat ik het voor elkaar zou krijgen, en dat is dan ook gebeurd.'

'Beviel het je bij het Korps?'

'Geweldig – ik had het niet beter kunnen doen voordat ik naar de teams kwam. Ik ben als officier-marinier drie keer operationeel ingezet geweest: een keer als pelotonscommandant infanterie, toen een keer als wapenpelotonscommandant, en de laatste keer als plaatsvervangend compagniescommandant. Ik denk dat iedereen in de teams baat zou hebben bij wat ervaring bij een infanterie-eenheid. Zo doen ze het bij de Britse Special Air Service. Daar moet je eerst een jaar of vijf, zes infanterie-ervaring voor hebben. Bij de Groene Baretten geldt hetzelfde.'

'Je hebt dus al als tweede luitenant een infanteriepeloton gehad?' vraag ik. 'Hoe groot is zo'n infanteriepeloton van de mariniers?'

'Ik had een man of vijftig in mijn peloton.'

'Nu heb je een peloton van zestien SEALs. Als je bij het Korps was gebleven, zou je nu al compagniescommandant zijn geweest en je tour al achter de rug hebben. Hoe groot is een infanteriecompagnie bij het Korps?'

'Ten minste honderdenzeventig man.'

'Da's meer dan de numerieke sterkte van SEAL-team Seven.'

Hij moest lachen. 'Ik weet het, maar speciale operaties vereisen een totaal andere benadering tot oorlog. Wij hebben mariniers nodig, omdat de marine niet zonder infanterie kan, maar dat zijn geen speciale operators. Ze doen weliswaar dingen die wij niet kunnen, maar er zijn veel dingen die zij niet kunnen en nooit zullen kunnen, zelfs hun verkennerspelotons niet. Het duurt eenvoudigweg te lang om alle disciplines van speciale operaties onder de knie te krijgen.'

Na het Korps Mariniers werd Dan Canapa ingedeeld bij BUD/S-klas 226 en werd hij van kapitein bij de mariniers luitenant bij de marine. Na de BUD/S-training deed hij de Seal Tactical Training aan de oostkust en werd gedetacheerd bij SEAL Delivery Team Two in Norfolk. Op weg naar de STT bezocht hij, net als alle BUD/S-gradueerden die bij de SDV-teams werden gedetacheerd, eerst de SDV School in Panama City (Florida). Tijdens deze opleiding moesten de nieuwelingen zich vertrouwd maken met twee duiksystemen. Allereerst de MK16-scuba. Dit is een uiterst complexe duikuitrusting op basis van een lucht/zuurstofmengsel waarmee SDV-SEALs dieper en langer kunnen duiken dan mogelijk is met een opencircuitsysteem of zelfs de Draeger op basis van zuivere zuurstof – de tactische standaardduikuitrusting van alle teams. Pas als zij de MK16 onder de knie hebben beginnen ze te werken met de MK8, een kleine duikboot voor het vervoer van SEALs en hun uitrusting, bekend als het SEAL Delivery Vehicle (SDV). Deze SDVs zijn 'natte' duikboten: de romp is van polyestervezel en loopt vol met zeewater, zodat de temperatuur en druk in de duikboot gelijk zijn aan die van het water daarbuiten. Ze kunnen maximaal zes SEALs vervoeren en worden vanaf een marineoppervlakteschip of vanuit een duikboot gelanceerd. SDV-operaties en SEAL-operaties vanuit een SDV behoren tot de meest complexe en geavanceerde speciale maritieme operaties. De SDV-SEALs noemen de andere teams graag pesterig SEAL Non-Delivery Teams. Dan Canapa is met een grote reputatie op het gebied van SDV-operaties naar Team Seven gekomen. Hij is dan misschien wat onervaren in speciale operaties te land, althans, vergeleken bij andere SEAL-pelotonscommandanten, maar heeft wel drie jaar ervaring als infanterieofficier bij het Korps Mariniers.

Vanwege de omweg die hij op de route naar de BUD/S heeft gemaakt, zal luitenant Canapa sinds hij afstudeerde aan de Naval Academy iets meer dan zeven jaar actieve dienst als beroepsofficier achter zich hebben, als hij voor het eerst als SEAL-pelotonscommandant zal worden ingezet.

'Waarom nu juist Team Seven?' vraag ik hem. Je was toch al klaar om als commandant van een SDV-peloton aan de preoperationele training te beginnen?'

Hij grijnst. 'Het was verleidelijk, het beviel me best bij SDV Team Two. Als ik als vaandrig bij de teams was gekomen, had ik misschien een tour als SDV-pelotonscommandant kunnen doen, om pas daarna voor een nieuwe operationele inzet als pelotonscommandant naar de teams te gaan. Met het oog op een promotie tot luitenantter-zee 1ste klasse moest ik echter een tour als commandant van een normaal SEAL-peloton op mijn conto hebben. Niets op tegen. Dit is een geweldig team en we hebben hier een uitstekend peloton.'

De assistent-commandant van het Foxtrot-peloton is luitenant Sean Quinlan. Hij is niet groot van stuk, hooguit 1,75 m lang en 68 kg zwaar. Quinlan groeide op in Boston en studeerde in 1998 af aan de Naval Academy. Tijdens de lagere en middelbare school zat hij zeven jaar bij de zeeverkenners. De Amerikaanse Sea Scouts zijn voor veel jonge mannen en vrouwen die belangstelling hebben voor dienen op zee meestal de opstap naar de marine. Sean Quinlan deed in Annapolis zijn Sea Scout-ervaring op. Daarna werd hij lid van een zeilsquadron overzee en was gezagvoerder van een Defiance 44, een van de bijna dertien meter lange wedstrijdsloepen van de academie. Echter, de SEAL-selectiecommissie (die in 1996 ook luitenant Canapa te licht had bevonden), wilde hem niet opnemen in haar lichting van zestien nieuwe vaandrigs van Annapolis-klas 1998. Dit is niet uitzonderlijk, want veel van de vaandrigs van de Naval Academy worden gekozen uit de roeisportteams van de academie. Dus ging Quinlan naar zee. Hij kwalificeerde zich als beroepsofficier op een lanceerfregat voor geleide raketten en werd uiteindelijk toch opgenomen in BUD/S-klas 236.

Wie mijn *De SEALs Elite* heeft gelezen, weet dat ik me veel moeite heb gegeven uiteen te zetten welke eigenschappen een jongeman moet hebben om zich te kunnen ontwikkelen tot een SEAL-krijgsman. Als daarvoor alleen maar een eenvoudige selectieprocedure voor nodig was, zou veel van de uitputtende trainingsarbeid van de BUD/S overbodig zijn. Bij BUD/S-klas 228 zaten vaandrigs die rechtstreeks van Annapolis-klas 1999 kwamen en uitstekend presteerden. Uit diezelfde jaargang waren er ook vaandrigs die het niet haalden. Een hunner was zelfs de eerste man die het in de helse week voor gezien hield. Hij was een roeier van de Naval Academy en een oersterke BUD/S-trainee. Waarom had nu de selectiecommissie, volledig bestaand uit Navy SEAL-veteranen, Sean Quinlan gepasseerd, net als Dan Canapa?

Op zijn zesentwintigste ziet Quinlan eruit als een jongen van een jaar of zestien, zodat ik me wel kan voorstellen hoe hij er op zijn tweeëntwintigste moet hebben uitgezien. Dit bewijst maar weer eens dat het krijgsmanshart niet per se gepaard gaat met wat Hollywood je graag over het uiterlijk van een krijgsman doet geloven. Misschien heeft de selectiecommissie Quinlan wel een goede dienst bewezen door hem niet te kiezen voor directe toetreding tot de BUD/S-training en hem in plaats daarvan naar de vloot te sturen. Het zal hem naar alle waarschijnlijkheid een operationele inzet kosten, maar hij brengt wel wat meer volwassenheid en twee jaar vloot-ervaring in als commandant van een SEAL-peloton. Hij was op zijn lanceerfregat de eerste-averijbeperkingsofficier, heeft een boorddetachement van de Navy geleid en kent het administratieve klappen van de zweep bij de Navy, de verantwoordelijkheid van iedere commandant van een SEAL-peloton. Hij heeft zich een leider getoond en was als commandant van een groep beroepsmilitairen bij de Navy verantwoordelijk voor hun prestaties en welzijn. Die leiderschapservaring is Sean Quinlan goed van pas gekomen tijdens zijn BUD/S-training en de SEAL-kwalificatietraining.

Toch is leiderschap aan boord van een schip anders dan het leidinggeven aan een kleine eenheid in een krijgsmanscultuur als die van de SEALs. Zelf kwam ik, net als Sean Quinlan, direct van een marineoppervlakteschip naar de teams. Voor mij was er geen andere weg, want geen enkele Annapolis-student kon toen rechtstreeks naar de BUD/S-training. De enkelingen die toch bij de teams zijn gekomen, moesten eerst naar zee. Aan boord van een oorlogsbodem is er een strengere scheiding tussen de officieren en de rest van de bemanning; de officieren zijn meer managers die tot het middenkader behoren; de onderofficieren en manschappen zijn eerder technische specialisten. Het motto van Mike Loo: 'Je hebt een schutter nodig om een schutter op te leiden', was aan boord niet van toepassing. Misschien is dat ook de reden dat de verhouding tussen officieren en bemanning aan boord zo anders is dan in een SEAL-team.

Naval SEALs zijn intelligent, trots, vastberaden, vindingrijk, agressief en volhardend – en zo kan ik nog even doorgaan. Ze kunnen zich bovendien uitstekend aanpassen aan de omgeving en andere culturen. Mijn waarnemingen hebben me duidelijk gemaakt dat SEALs buitengewoon onafhankelijk kunnen zijn, maar een van de redenen achter hun opname in de teams is dat zij groepsgeest hebben. Ze willen erbij horen. En ze zullen voldoen aan de normen en de cultuur van het team en het peloton – vooral dat laatste. Als er bij het peloton spak al een alfawolf zit, dan is dat de pelotonssergeant-majoor. De hoogste autoriteit is de pelotonscommandant, en bij zijn afwezigheid de assistent-pelotonscommandant, maar beide officieren leunen zwaar op de ervaring en adviezen van hun sergeant-majoor. Over het algemeen is er maar één sergeant-majoor per peloton – en misschien is het billijk om te zeggen dat er inderdaad in elk peloton slechts plaats is voor één sergeant-majoor. Als een van de sergeants een wordt bevorderd tot sergeant-majoor, zal hij vanuit het peloton worden overgeplaatst, tenzij deze promotie in de preoperationele training en de operationele periode zelf goed uitpakt. Anders zal hij, net als een jonge stier, tegen zijn volwassenheid de kudde moeten verlaten als de heersende stier weigert voor hem plaats te maken.

De pelotonssergeant-majoor is in de regel de oudste en meest ervaren man van het peloton. Iedere SEAL-officier stelt zich ten doel pelotonscommandant te worden; iedere soldaat of onderofficier wil het schoppen tot pelotonssergeant-majoor en, uiteindelijk, adjudant-onderofficier.

Sergeant-majoor Glenn Schroeder was sergeant een bij het Bravo-peloton van SEAL-team Three toen hij hoorde dat hij was bevorderd tot sergeant-majoor. Zijn peloton was al een eind gevorderd in de preoperationele training en Schroeder, de leidinggevend onderofficier van het peloton, had hard gewerkt om het Bravo-peloton klaar te maken voor actieve inzet. Hij en de pelotonssergeant-majoor hadden uitstekend samengewerkt en ze waren bovendien dikke vrienden. Toen SEAL-team Seven werd opgezet, was er echter behoefte aan een wat oudere, veelbelovende pelotonsonderofficier en plotseling kwam Schroeder terecht in een peloton met twee sergeants-majoor. Zijn reputatie was hem vooruitgesneld tot in Team Seven en algauw werd hij voorgedragen als pelotonssergeant-majoor voor een van de nieuwe pelotons.

Glenn Schroeder is drieëndertig jaar oud, wat ongeveer de doorsneeleeftijd is voor een SEAL-sergeant-majoor, maar hij ziet er veel jonger uit. Hij is met BUD/S-klas 177 gegradueerd. Hij is opgegroeid in Houston (Texas), nam in 1989 dienst bij de Navy en ging regelrecht van de basisopleiding naar de BUD/S-training. Hij is getrouwd en heeft twee zoons.

'Ik ben direct na mijn eerste peloton getrouwd,' vertelde hij me, 'en het gaat uitstekend, ondanks de lange perioden dat we niet bij elkaar zijn. Zij begrijpt wat voor beroep ik uitoefen, dus dat is nooit een probleem geweest. Ze doet het geweldig met de jongens en hun opvoeding, gelet op de vele tijd dat ik niet thuis kan zijn.'

Schroeder is expert in het inpakken van parachutes, maar daarvoor is hij niet aan het Foxtrot-peloton toegevoegd. Zijn taken bestaan uit het leiden, managen en trainen van zijn peloton, waarin hij als mentor fungeert. 'Seven Foxtrot' is met twee man begonnen: luitenant Canapa en Schroeder zelf. Toen er uit andere teams en hoofdkwartieren SEALs beschikbaar kwamen, begon Schroeder uit de beschikbare mannen talenten te selecteren om het peloton op te bouwen. Hij werkt nauw samen met de pelotonsofficieren, maar de meeste kwesties rond personeel laten zij over aan hun pelotonssergeant-majoor. Het samenstellen van een peloton is altijd een kwestie van wie er het eerst bij is en Schroeder had helpers in de vorm van de andere pelotonssergeants-majoor van Team Seven om de beste SEALs uit de vijver te vissen.

'Ik heb een paar veteranen kunnen vinden die ik al in mijn eerdere pelotons heb gehad, jongens van wie ik wist dat ze goed waren en over de combinatie van kwalificaties beschikten die wij zochten. Daarnaast hebben we er vier nieuwkomers bij: drie van SQT-klas 1-02 en eentje uit klas 2-02. Dat zijn meer groentjes dan ik had gehoopt, maar ik heb me door de instructeurs van de BUD/S en de SQT laten adviseren om een paar goeie te vinden. Volgens mij hebben we een prima knul uit 2-02 gekregen. Allemaal goeie cijfers van de SQT.'

'Hoe heet hij?' vraag ik.

'Kwam Park. Een Koreaan-Amerikaan.'

Ik herinnerde me Park goed. Hij was tijdens de SQT nog op en top een marineman, maar tijdens de geavanceerde training was hij heel serieus en gefocust. Destijds vond ik hem een prima kandidaat om naar een peloton te gaan. 'Wat gaat hij in het peloton doen?'

'We gaan hem opleiden tot reserveverbindingenman. Hij zit momenteel op de opleiding,' grijnst sergeant-majoor Schroeder. 'Ik heb hem gezegd dat ik van hem verwacht dat hij de beste van de klas wordt, anders…'

'Wat voor eigenschappen zoek je bij een nieuwkomer?'

'Wij willen gasten die zelf initiatief nemen en gewetensvol zijn, en die hun best willen doen om in de pelotonsorganisatie te integreren. In het peloton hebben we veteranen voor iedere positie als afdelings-hoofd: luchtlanding, aan- en afvoer, inlichtingen, verbindingen en materieel. Ze vervullen stuk voor stuk een cruciale rol in het peloton. In de regel wil niemand de materieelman zijn, maar ik heb er een die steengoed is met boten en motoren. Hij was al materieelman in zijn vorige peloton en kent het materieel door en door. Ook heb ik een eersteklas verbindingenman die als zodanig al twee operationele in-zetten achter zich heeft. Iedereen die nu terugkeert van een operatio-nele inzet, zegt dat communicatieapparatuur en realtimebeelden buitengewoon belangrijk zijn geworden. Daarnaast had ik nog een goeie kracht voor inlichtingen nodig. De onderofficier inlichtingen moet bijzonder bij de tijd zijn. Hij zal een essentiële rol vervullen bij missieplanningen en vooral ook tijdens speciale verkenningsmissies waarbij onze primaire taak het vergaren van inlichtingen is. Ik prijs mezelf gelukkig: ik heb twee voortreffelijke onderofficieren voor ver-bindingen en inlichtingen. Alle vier de nieuwkomers worden assis-tent van een van mijn afdelingshoofden. We proberen ze bij een afde-ling te plaatsen waarnaar hun belangstelling uitgaat, maar dat is niet altijd mogelijk. Bovendien is er nog het probleem van de squads en hun taken. Als het ene squad een afdelingshoofd telt, willen we zijn assistent bij het tweede squad. Ook willen we per squad maar twee nieuwkomers, dus is het passen en meten om dat allemaal voor el-kaar te krijgen. Als de stukjes eenmaal op hun plaats vallen, functio-neert het goed. De jongens zorgen dat het werkt.'

'Nog Afghanistan-veteranen?'

'Het gros van mijn ervaren peloton-SEALs is er in de eerste Golf-oorlog bij geweest, maar ik heb er maar één bij – onze medisch korpsman – die aan het front is geweest. Hij heeft er dus middenin gezeten en heeft veel medische ervaring in gevechtsomstandigheden. Bovendien heeft hij twee Navy-lintjes omdat hij bij verkeersongevallen levens heeft gered. De man is niet alleen een ongelooflijk goeie verpleegkundige, maar ook een uitstekend schutter.'

In de afdelingen aan boord van oorlogsbodems en bij de vliegsquadrons kent men de erkende leiderspositie van de chief petty officer (equivalent: sergeant-majoor bij de landmacht). Daarnaast is er binnen die afdeling nog een sleutelrol voor de oudste onderofficier (senior non-petty officer). Hij wordt daar pelotonsleider of leading petty officer (LPO) genoemd. Aan boord van een schip hebben de chief petty officers (schippers) hun eigen hut en messroom, net als de officieren, zodat ze in een luxere en meer aangename omgeving hun werk kunnen doen. De manschappen slapen in kooien, dicht bij elkaar, zodat er veel minder privacy is. Daarom is de invloed en het leiderschap van de oudste onderofficier in het slaapruim bijzonder belangrijk. Toen ik aan boord van een torpedobootjager afdelingsofficier was, sliep mijn superieur in een van de hutten voor chief petty officers en moest ik met een andere jonge officier een kleine hut delen. In de slaapruimten benedendeks had mijn afdelings-LPO de supervisie en leiding over de manschappen (*sailors*). In mijn latere SEAL-peloton sliepen mijn sergeant-majoor en ik tijdens een operationele inzet gewoon bij de rest van het peloton, zoals de gewoonte is. Ik vraag pelotonssergeant-majoor Schroeder mij wat uitleg te geven over de rol van de leidinggevende pelotonsonderofficier en die van de LPO van het Foxtrot-peloton.

'Onze LPO is Rick Gladden. Ik kende hem niet persoonlijk, maar we hebben hem op basis van zijn reputatie LPO gemaakt. Hij was tijdens de SQT ook al LPO, zodat we wisten dat we iemand kregen die er het talent voor had. We hadden niets dan goeds over hem gehoord. We hadden geluk dat we hem kregen en het is uitstekend uitgepakt. Als het peloton is opgedeeld in twee squads, ben ik bij het ene squad, en is Rick bij het tweede. Op die manier kunnen we de squad-officieren helpen. De LPO wordt gekozen op basis van leeftijd en ervaring. Het een vloeit gewoonlijk voort uit het ander, maar niet altijd. Soms heeft een man er moeite mee uit de rol van slede-hond te stappen en zelf verantwoordelijkheid te nemen voor de mannen in het peloton. Het is echter een belangrijke functie en een voorwaarde voor promotie tot pelotonssergeant-majoor in de teams. Volgens mij is de LPO-functie de zwaarste van het hele pelo-ton. Het zit zo,' vervolgt sergeant-majoor Schroeder grinnikend. 'De LPO is de "moeder" van het peloton, en de sergeant-majoor is de "vader". Een van de taken van moeder is zorgen dat vader tevreden is. Moeder moet ervoor zorgen dat de kinderen op de juiste plaats zijn, op het juiste moment, en dat ze naar behoren gekleed zijn – dus in het juiste uniform en met de juiste uitrusting. Als er problemen zijn met de jongens, disciplinair of anderszins, moet de LPO het op-lossen. Geen enkele LPO wil dat zijn sergeant-majoor erbij moet ko-men om in dat soort situaties zelf zijn SEALs te corrigeren. Ik wéét dat Rick niet wil dat ik zoiets moet doen en ik denk niet dat dit in het Foxtrot-peloton ooit zal voorkomen. Rick doet het uitstekend.'

Ik herinner me sergeant een Rick Gladden. Ik heb hem leren ken-nen in 1999, toen hij nog STT-instructeur was, voordat de STT de SQT werd. Hij heeft drie jaar samengewerkt met adjudant Mike Loo en dat is te merken. Gladden is met zijn 1,88 m en gewicht van 103 kg een echte 'kleerkast' en zo hard als een bikkel. Hij is eenendertig en heeft zowel een graad in strafrecht als sociologie van de Universiteit van North Carolina. Hij is een veteraan met drie operationele inzet-ten in een peloton van SEAL-team One.

'Mijn taak is de supervisie over de afdelingshoofden van het pelo-ton. Ik geef ze de ruimte om zo te werken als zij het beste vinden. Als het werk maar wordt gedaan, daar gaat het om. Ik probeer te leiden door het voorbeeld te geven en de vraagbaak voor mijn mannen te zijn.'

'Veel van de discipline in het peloton is van jou afhankelijk. Hoe doe je dat?'

'Ik geef aanwijzingen en bepaal grenzen voor wat wel en wat niet door de beugel kan. De jongens weten hoe ik erover denk en wat hun positie is.'

'Hoe gaat dat met de nieuwkomers?' vraag ik.

'Als het aan mij ligt, komt er geen groentje in de problemen. Iedere nieuweling werkt onder een van de veteranen in het peloton, meestal een afdelingshoofd. Als een nieuwkomer zich misdraagt of iets stoms doet, wend ik me rechtstreeks tot de man die verantwoordelijk voor hem is, de pelotonsveteraan. Zo gaan de dingen in dit peloton.'

'Het bevalt je goed om LPO te zijn?'

'Of het me bevalt? Goeie genade, ik geniet ervan!'

Het leidinggevende comité van een SEAL-peloton wordt in de wandeling aangeduid als de *top four*: pelotonscommandant, assistent-pelotonscommandant, pelotonssergeant-majoor en pelotonsonderofficier (een sergeant een). Deze vier leiders – soms aangevuld met een extra onderofficier of toegevoegde officier – nemen de beslissingen in het peloton. Zij dicteren gezamenlijk of in diverse combinaties het leven in het peloton. Belangrijke aspecten met betrekking tot de training, personele bezetting en administratie van het peloton zijn altijd een afspiegeling van de gezamenlijke kennis en ervaring van de 'grote vier'. Als er echter moeilijke of belangrijke beslissingen moeten worden genomen, worden die in de regel genomen door de pelotonscommandant, in samenspraak met de sergeant-majoor.

Samenwerking, chemie en wederkerig professioneel respect tussen de pelotonscommandant en zijn sergeant-majoor zijn essentieel. Deze twee leiders moeten samen voor het succes zorgen. Gebeurt dat niet, dan zal teamcommandant Joe Rosen ze daarvoor aansprakelijk stellen. Vermoedelijk is het in heel de Amerikaanse strijdkrachten uniek dat een onderofficier en een officier bij dezelfde eenheid exact dezelfde militaire training hebben doorlopen en tevens operationele ervaring hebben. Terwijl Joe Rosen SEAL-team Seven samenstelt en zich door de myriaden details en problemen heen worstelt waarvoor iedere commandant van een speciale gevechtseenheid zich gesteld ziet als hij zijn mannen op oorlog voorbereidt, is er niets waaraan hij meer zorg en aandacht moet besteden dan aan de relatie tussen zijn pelotonscommandanten en hun sergeants-majoor.

'Er worden momenteel veel aanslagen op mijn tijd gedaan, nu ik dit team op poten zet en daarbij de nieuwkomers moet integreren. Ook moet ik zorgen dat ze de juiste cursussen gaan doen of hebben gedaan,' vertrouwde Rosen me toe. 'Toch zal ik in mijn agenda genoeg tijd vrijmaken om erbij te zijn en te zien hoe mijn pelotons hun werk doen. Ook zal ik zoveel mogelijk tijd besteden aan contacten met de grote vier van de pelotons.'

Bij Team Seven zijn er geen derde officieren (vaandrigs) bij de pelotons en ook geen extra onderofficieren. De standaardsamenstelling van een SEAL-peloton is twee officieren, een sergeant-majoor, een sergeant een en tien manschappen. Bij sommige teams worden nieuwe officieren, voornamelijk vaandrigs met wat vlootervaring, als derde officier aan een peloton toegevoegd. Dit is al een aantal jaren de gangbare praktijk. In deze rol assisteren zij bij het uitoefenen van officierstaken en kunnen ze praktijkervaring opdoen. Veel pelotonswerk wordt gedaan in squadverband, waarbij de pelotonscommandant en de assistent-pelotonscommandant ieder een squad leiden. In tactisch opzicht is de derde officier een extra pelotonsschutter. Na een operationele inzet schuift de derde pelotonsofficier een plaatsje op en wordt hij bevorderd tot assistent-pelotonscommandant, terwijl zijn voorganger pelotonscommandant wordt. Vrijwel altijd krijgen de pelotonscommandant en de pelotonssergeant-majoor een nieuw peloton. Zo gaat het niet bij Team Seven. Kapitein-luitenant-ter-zee Bob Harward, commandant van de Naval Special Warfare Group One, heeft zijn teamcommandanten de ruimte gegeven om hun vaandrigs te laten opleiden tot specialisten in disciplines die de operationele pelotons nodig hebben en die heel nuttig zijn voor een operationeel SEAL-squadron. Ik vraag een van de nieuwe officieren van SQT-klas 2-02 hoe dit er in de praktijk uitziet.

'Het is een beetje zuur om een specialist te zijn. Wij willen allemaal het liefst naar een peloton om operationele ervaring op te doen. Maar de teamcommandant heeft ons een paar uiterst interessante taken toebedeeld. Ik word expert op het gebied van Close Air Support of CAS. Ik moet iedere beschikbare militaire school bezoeken om een specialist op het gebied van nabije luchtsteun te worden.

Een van de andere vaandrigs moet zich specialiseren in verbindingen en sluipschuttersoperaties. Een andere vaandrig wordt de verplaatsingenexpert: hij werkt met de woestijnpatrouillewagens en de Humvees. Weer een ander wordt de gevechtsspecialist. We hebben er zelfs een die nu een cursus krijgt in het besturen van onbemande vliegtuigen. Toch kunnen we geen van allen wachten op het moment dat we naar een peloton gaan.'

Tijdens de Vietnamperiode bestonden SEAL-pelotons uit twee officieren en twaalf onderofficieren en manschappen. Een enkele keer was een van de officieren een adjudant-officier, en het was niet ongewoon dat de assistent-pelotonscommandant een adjudant-onderofficier was. Een squad was de standaardgevechtseenheid in Vietnam. Het eigenlijke werk werd gedaan door de squads, waarvan de samenstelling werd afgestemd op de vereisten van de missie. In de jaren tachtig kregen pelotons de zestienmansconfiguratie, omdat er vaak een surplus aan officieren naar de teams kwam. Ook begon toen de praktijk van het toevoegen van een derde officier aan een peloton. Sommige pelotonssergeants-majoor en pelotonsonderofficieren hadden het gevoel dat zij voor deze nieuwe officieren als babysitter fungeerden. Toch had het vele voordelen om nieuwe officieren direct ervaring in een peloton te laten opdoen. De voornaamste daarvan was dat dan de pelotonscommandant aan zijn derde operationele inzet toe was, zodat de nieuwe vaandrig zijn eerste SEAL-operaties mét de manschappen kon opdoen – vaak als schutter, meer niet. De pelotonscommandant en zijn assistent laten gewoonlijk een deel van hun administratieve taken aan de derde pelotonsofficier over. De tactische beslissingen worden door de twee hoogste pelotonsofficieren genomen. Wel wordt de derde pelotonsofficier erbij betrokken, maar hij heeft zelden een stem in de beslissing zelf. Na een poosje begonnen de oudere onderofficieren aan deze praktijk te wennen en nu zien ze graag een derde pelotonsofficier als een soort leerling die bij de manschappen ervaring opdoet.

'Ik zie ze graag op patrouille met een M60-mitrailleur en zo'n band met vierhonderd 7.56 mm-patronen sjouwen,' vertrouwde een pelotonssergeant-majoor me toe. Als het dan zijn tijd is om leiding te geven, weet hij wat het voor zijn mitrailleurman is om de Pig en die munitielast mee te zeulen.'

De pelotonssergeant-majoor en de pelotonsonderofficier vonden dat dit hun de kans gaf bij te dragen aan de 'opvoeding' van hun toekomstige pelotonsofficier. Inmiddels bestaat de kans op een wijziging die betekent dat er geen derde pelotonsofficier meer komt. Dit stond het merendeel van de sergeants-majoor en sergeants een met wie ik erover heb gesproken niet aan. Zoals het geval is in de meeste organisaties die door alfatypes worden gedomineerd, hebben ook zij een stellige mening over hoe de dingen moeten zijn en hoe ze moeten worden gedaan. Bij de SEALs zijn zij echter echte teamworkers die uiteindelijk iedere situatie aanvaarden en zorgen dat alles functioneert.

De vaardigheden

Gedurende de zes maanden van de PRODEV-fase zal Team Seven alles in het werk stellen om de individuele operators van de SEAL-pelotons voor te bereiden op de preoperationele training met hun peloton. Na deze ontwikkelingsfase beginnen de pelotons ieder voor zich aan de zes maanden van Unit Level Training (ULT). De SEALs noemen het 'pelotonstraining'. Als voorbereiding op deze uiterst belangrijke component van de preoperationele training moeten de pelotons verscheidene collectieve vaardigheden hebben ontwikkeld. Die voorbereiding op de ULT heeft plaats gedurende de PRODEV-fase. Het hele spectrum van individuele bekwaamheden en het creëren van een balans ertussen houdt een peloton gedurende deze hele ontwikkelingsfase intensief bezig. Bovendien staat kapitein-luitenant-ter-zee Rosen erop dat de SEALs die nog recht op verlofdagen hebben deze in deze periode opnemen. Er doen zich tijdens de ULT wat pauzes voor in de preoperationele training en de overgang naar de squadronstatus, maar die blijven beperkt tot hier en daar een dag of een paar dagen. Hij weet ook dat zijn veteranen die net terug zijn van een operationele inzet tijd nodig hebben om weer te wennen aan hun gezin en wellicht ook wat tijd nodig hebben buiten de teams.

Ik heb ontdekt dat twee sets vaardigheden bepalend zijn voor de individuele SEAL-training, als voorbereiding op de pelotonstraining. Ten eerste zijn er de instructies van het NSW Command die een lijst van kwalificaties bevatten die verband houden met administratieve taken en het veilig opereren van een peloton in een trainingssituatie. Elk SEAL-peloton moet een aantal mannen hebben die in het bezit zijn van deze certificaten en kwalificaties: sprongmeester (luchtlandingen), duiksupervisor, beveiligingsofficier (op schietbanen), voorklimmer, laadmeester (vliegtuigen), abseilexpert en lijnbevestiger. De lijst wordt langer en langer. De scholen en cursussen die voor deze certificaten opleiden variëren qua duur van enkele dagen tot een week. Die kwalificaties stellen SEALs in staat om te trainen in overeenstemming met de veiligheids- en toezichtseisen, bepaald door het opperbevel. Er zijn op administratief gebied eisen die bepalen dat sommige leden van een peloton worden opgeleid in de juiste omgang met geheime stukken en militaire instructies. Ook zijn er zeer specifieke vaardigheden die geëist worden van een bepaald aantal leden van het peloton, zoals de sluipschutterskwalificatie, een kwalificatie voor het gebruik van Stinger-luchtdoelraketten, kwalificaties op het gebied van communicatie (en apparatuur), een kwalificatie na een formele training in de omgang met chemisch-biologische wapens of de daardoor veroorzaakte omstandigheden. Ook zijn er nog wat individuele kwalificaties waarover sommige pelotonsleden moeten beschikken. Er is in de PRO-DEV-fase domweg niet genoeg tijd om deze training te voltooien, omdat sommige cursussen te lang duren. Pelotons beschikken in de regel over twee SEALs die in het bezit zijn van het Army Eighteen Delta Certificate (AED), het diploma medisch korpsman speciale operaties, en het Navy Special Operations Technician Certificate (NSOT), het diploma technisch specialist speciale operaties. Deze opleidingen kunnen een jaar of zelfs langer duren. Volgens de WAR-COM-eisen moeten op zijn minst acht pelotonsleden de HALO-kwalificatie hebben (d.w.z., parachutespringen met vrije val). Ook dienen alle pelotonsleden de SERE-school (overleven, ontwijken, weerstand bieden en ontsnappen) te hebben doorlopen. De leden van elk peloton moeten tal van individuele trainingen en cursussen met goed gevolg hebben afgesloten.

De tweede set vaardigheden bestaat uit cursussen/trainingen die door de ULT-trainers zelf aan de beide NSW-groepen zijn aanbevolen. Er zijn veel overlappingen tussen de WARCOM-eisen en de vaardigheden die de trainingkaders graag bij hun pelotons willen hebben voordat zij aan de pelotonstraining gaan beginnen. De ULT-kernkwalificaties zijn een afspiegeling van wat nodig is om een modern SEAL-peloton door training voor te bereiden op oorlogvoering. Dit vloeit voort uit de continue informatiestroom uit actief-operationele pelotons: het is wat zij hebben ontdekt nodig te hebben doordat ze gemis voelden. Gelet op 11 september 2001, de voortgaande operaties in Afghanistan, in Irak en op de Filippijnen, en het gevaar van toekomstige conflicten in het Midden-Oosten en mogelijk ook Centraal-Afrika, wordt er sterk gefocust op de training van eenheden als voorbereiding in alle eventualiteiten in deze regio's. Daarom laten de trainingsdetachementen (TRADETs) van NSW Group One en Two al voordat de pelotonstraining (ULT) begint de pelotons weten over welke vaardigheden zij moeten beschikken. In de gebouwen van Team Seven zijn enorme witte schoolborden opgesteld, met daarop de namen van SEALs in de linkerkolom. Bovenaan staan de opleidingsscholen en kwalificatiecursussen vermeld. Veel van waar het in de PRODEV-fase om draait, komt neer op het vergaren van het juiste aantal vinkjes in de juiste hokjes.

Als een peloton aan de ULT begint, moet iedereen in staat zijn gevechtsduikoperaties te volbrengen, in overeenstemming met de actuele SQT-trainingsmaatstaven. Dat houdt in dat iedere peloton-SEAL zijn complete gevechtsduikuitrusting tiptop in orde moet hebben, klaar voor training. Ook moet hij vertrouwd zijn met de Draeger. Hij moet zijn kompas en diepte-hellingshoekmeter hebben gecontroleerd en recentelijk zijn zwemslagteller hebben gekalibreerd, met en zonder kleefmijn op de rug. In het instructielokaal moeten de peloton-SEALs een opfrisprogramma over eerstehulp bij caissonziekte en andere noodprocedures doorwerken. Voor de nieuwkomers die net van de SQT komen is dit allemaal nog vers; bovendien hebben zij up-to-date informatie. Sommige pelotonsveteranen hebben hun laatste gevechtsduikoefeningen gedurende de vorige preoperationele training gedaan. De opfriscursus bereid hen voor op gevechtsduiktraining in pelotonsverband.

Peloton-SEALs moeten hun schietvaardigheid op peil hebben gebracht als zij aan de pelotonstraining beginnen, met zowel het pistool als het geweer. De eis is dat iedereen aan de minimale schutterscore moet voldoen, maar in de praktijk wordt van hen verwacht dat zij op het standaardpistool van de Navy voldoen aan de eis voor de specialist op pistool én M4-geweer. Op de schietbaan moet iedere SEAL zijn wapen hebben ingeschoten op driehonderd meter. Van SEAL-operators wordt bovendien verlangd dat zij hun primaire en secundaire wapens voor de strijd van nabij hebben ingeschoten en gevechtsschietoefeningen hebben gedaan. Het komt erop neer dat de SEAL-pelotons tijdens de PRODEV-fase een minischietcursus naar SQT-maatstaven moeten hebben gedaan om hun vaardigheden op te voeren tot het peil dat de ULT-fase vereist. Gedurende deze pelotonstraining is ongeveer de helft van de pelotons- en de squadtraining gewijd aan deels op scenario's gebaseerde schietoefeningen met scherpe patronen. Van peloton-SEALs wordt verwacht dat ze niet alleen individueel maar ook in pelotonsverband uitstekend schieten. Ze melden zich voor de pelotonstraining met de ijzeren en telescopische vizieren van al hun wapens gekalibreerd. Dit zijn de wapens waarmee zij de oorlog in gaan.

Er is een aantal kwalificaties voor vaardigheden die in de regel slijten, zodat het individu zich er voor alle zekerheid nóg eens voor moet kwalificeren. Daarom krijgen de pelotons in de PRODEV-fase opnieuw oefeningen in landnavigatie, maar nu met hulpmiddelen als stafkaarten, een kompas en gps. Ook moeten hun vaardigheden in parachutespringen, ook met vrije val, op peil worden gehouden. Iedereen moet zijn getraind in de strijd van man tegen man – de CQD-cursus die ze ook tijdens de SQT hebben gehad – zodat iedere SQT-trainee deze cursus heeft gehad als hij bij de teams komt. De weinige veteranen die deze training bij hun vorige preoperationele training hebben gemist, proberen tijdens de PRODEV een gelegenheid te vinden alsnog de CQD-cursus te volgen. Alle peloton-SEALs moeten een volle week training hebben gehad in de omgang met chemische en biologische wapens en het werken in een door deze wapens geteisterde omgeving. Hiertoe behoort het vermogen om tijdens strategische verkenningen deze wapens te herkennen en de bereidheid van de vijand ze te gebruiken in te schatten. Tot de PRODEV-fase behoort ook een complete opfriscursus in eerstehulpverlening in gevechtsomstandigheden. Alle peloton-SEALs moeten het hartmassagecertificaat van de American Heart Association hebben en die vaardigheid op peil hebben gehouden. Daarnaast is er een massa meer algemene militaire vaardigheden, zoals het gereedmaken en verfijnen van de eerste-, tweede- en derdelijnsuitrusting. Iedereen moet zijn uitrusting (die in zijn geheel wordt aangeduid als Load Bearing Equipment (LBE) volledig waterdicht en -bestendig hebben gemaakt om met dit gedeeltelijke of volledige 'lastdraagsysteem' strandoversteekoperaties te kunnen uitvoeren, ook nadat hij de uitrusting tijdens een lange zwemtocht mee heeft gesleept. Ook is er Imagery Training (IT): beeldtraining overdag dag en 's nachts: iedereen in het peloton moet in staat zijn digitale beelden te ontvangen, te downloaden en elektronisch te verzenden.

Dit zijn de elementaire vaardigheden die iedere peloton-SEAL onder de knie moet hebben als hij aan de pelotonstraining begint. Het zijn voor het merendeel geen nieuwe vaardigheden, maar ze moeten individueel zijn getraind en ook, waar mogelijk, in teamverband. Daarnaast zijn er tal van vaardigheden uit de categorieën 'die kun je maar beter hebben' en 'dat hebben we hard nodig'. Kapitein luitenant-ter-zee Rosen en zijn pelotonscommandanten doen alles wat in hun vermogen ligt om al deze trainingen en cursussen onder te brengen in de PRODEV-fase van maar zes maanden. Van de actief-operationele SEAL-squadrons komt een nooit eindigende stroom van nuttige informatie en geleerde lessen die een deel van de dingen die pelotons in de PRODEV- en de ULT-fase doen zullen veranderen. Er is een aantal kernvaardigheden die het vermelden waard zijn en die de pelotons onder de knie moeten hebben na een training die

– als het even kan – aan de PRODEV-fase is toegevoegd, of die alleen te verwerven zijn door een SEAL uit de operationele-inzetcyclus te nemen, zodat hij een uiterst gespecialiseerde of technische opleiding kan volgen. Een paar mannen van SQT-klas 237 zullen de kans krijgen dit soort werk te doen voordat zij voor het eerst aan een SEAL-team worden toegevoegd. Een van die uitverkorenen is sergeant Mark Garrison.

Mark komt uit Chicago en heeft een graad in geschiedenis aan Southern Illinois University. Nadat hij verscheidene jaren aan een middelbare school les in geschiedenis en sociale wetenschappen had gegeven, was hij tot de conclusie gekomen dat hij krijgsman en verpleegkundige wilde worden. Met zijn achtentwintig jaar was hij een van de oudste leden van BUD/S-klas 237. Na zijn SQT-graduatie met klas 2-02 werd hij naar Fort Bragg in North Carolina gestuurd om daar de opleiding voor medisch korpsman AED te volgen. De verenigde medische opleiding voor speciale strijdkrachten (Joint Special Operations Medical Training Course of JSOMTC) leidt verpleegkundigen op voor alle speciale strijdkrachten van het leger en de Navy-SEALs. Ook worden hier verpleegkundigen voor de speciale strijdkrachten van de luchtmacht en de Rangers opgeleid. De cursisten die voor deze opleiding slagen, zijn gekwalificeerde paramedici en experts in de verzorging van gewonden onder gevechtsomstandigheden. Iedere medisch korpsman gaat geregeld terug naar Fort Bragg om zijn kwalificaties te actualiseren. In deze opleidingsschool (met een jaarbudget van 25 miljoen dollar) leren de cursisten het volledige spectrum van klinische en diagnostische vaardigheden niet alleen in de klas, maar trainen ze deze ook onder gevechtsomstandigheden. Bovendien worden zij naar burgerziekenhuizen gestuurd om ervaring op te doen op een afdeling Spoedgevallen of in een traumacentrum. Ze leren zelfs te assisteren bij bevallingen!

'Deze opleiding overtreft al mijn verwachtingen,' verzekerde Garrison mij. Ik heb hem tijdens de SQT leren kennen en was later blij een Navy-gezicht in dit opleidingscentrum van de landmacht te zien. Hij is echter niet de enige. Er zijn meerdere SEALs-in-opleiding en tot de staf behoort zelfs een ervaren SEAL-korpsman. 'Er valt een massa te leren. We kregen veel lessen op het gebied van infectieziekten – waar je op moet letten en hoe je de diagnose moet stellen. Iedere verpleegkundige die bij de speciale strijdkrachten dient, moet leren hoe je mensen tegen malaria en darmparasieten behandelt. We zijn hier vooral met het oog op de behandeling van verwondingen op het slagveld, maar we krijgen het volledige lesprogramma. Ik kijk uit naar de dag dat ik naar de teams ga. Toegegeven, Fayetteville in North Carolina haalt het niet bij San Diego in Californië, maar ze behandelen ons hier goed. En alles wat ik hier leer, komt mijn peloton straks ten goede – als ik er eenmaal ben.'

De opleiding kent twee fasen. De eerste fase is de Special Operations Combat Medic Course (SOCMC), de opleiding voor de behandeling van oorlogsverwondingen die tweeëntwintig weken duurt. Hierop volgt de vierentwintig weken durende Advanced Special Operations Medic Course (ASOMC), de opleiding tot gevorderd verpleegkundige. Deze tweede opleidingsfase kwalificeert de verpleegkundige van speciale strijdkrachten voor het AED-certificaat, zodat hij zelfstandig mag behandelen. Vaak sturen de teams een SEAL voor de eerste fase naar Fort Bragg, en na een operationele inzet gaat hij dan terug voor de tweede, afrondende fase. In Garrisons geval is dat anders: hij blijft een vol jaar of nog langer in Fort Bragg voordat hij terug kan naar de teams.

'Heb je ooit gewenst dat je geen medisch korpsman was geworden? Dan zou je namelijk nu aan je preoperationele training bezig zijn.'

'Daar moet ik vaak aan denken. Als we naar Irak gaan, zullen een paar jongens van mijn klas daar waarschijnlijk deelnemen aan de strijd. Ik hoop dat ik de behandeling van oorlogswonden die ik hier opsteek nooit zal hoeven gebruiken, maar de oorlog tegen het terrorisme zal niet gauw eindigen. Als ik straks terugkom bij mijn peloton, zal ik klaar zijn om dit werk te kunnen doen.'

'Kun je het een beetje vinden met de andere cursisten van je klas?'

'O, ze pesten ons SEALs graag, dat wel. Ze noemen ons inktvissen, maar het is altijd gemoedelijk. We raken vertrouwd met onze medecursisten van land- en luchtmacht, maar het is toch anders dan bij de BUD/S en de SQT. Het zijn prima kerels, maar het zijn geen teammaten, zoals bij ons.'

'Hoelang moet je nog?' vraag ik.

Garrison kijkt op zijn horloge en maakt uit het hoofd vlug een rekensommetje. 'Drieënzeventig dagen. Dan ga ik terug naar Virginia en SEAL-team Two. Ik kan bijna niet wachten.'

Verscheidene leden van SQT-klas 2-02 gaan naar de opleiding voor communicatie. Elk ingezet SEAL-peloton moet op zijn minst twee verbindingenexperts hebben. In mijn tijd heetten ze gewoon 'radiomannen', omdat zij tactische zender/ontvangers meesjouwden en bedienden. Hun enige taak was praten met ondersteunende elementen en vragen om luchtsteun. Destijds hadden we alleen op de rug meegedragen zender/ontvangers met een bereik van niet meer dan pakweg vier, vijf kilometer. Dat is drastisch veranderd, en de veranderingen gaan maar door. De verbindingencursus van zes weken is de standaardeis op het gebied van pelotonscommunicatie. Als gevolg van de technologische evolutie moeten de verbindingenexperts na iedere operationele inzet de opleiding opnieuw doen. Sommige nieuwe SEALs van 2-02 doen dit samen met enkele veteranen uit hun team.

Het grootste deel van de SEAL-training gebeurt in het NSW Center in Coronado. Dat geldt ook voor de Communication Course. Deze opleiding tot verbindingenexpert is ontwikkeld en wordt geleid door Ken Reeves. Ken is een burgerspecialist op communicatiegebied en zijn taak bestaat uit het opleiden van gewone SEALs en SDV-SEALs, bemanningsleden van de Special Warfare Combattant Crafts (SWCCs), specialisten in Explosive Ordnance Disposal (EOD – experts in het opblazen van mijnen, bermbommen en munitievoorraden) en de verbindingenexperts van de mobiele communicatieteams van het NSW Command. Reeves kan model staan voor de elektronische technicus van middelbare leeftijd, met een buikje en een beminnelijke lach. Hij draagt een wit overhemd met korte mouwen en een gestreepte stropdas. Hij kent communicatieapparatuur even goed als BUD/S-trainees vertrouwd zijn met koud zeewater, en zijn taak is van het grootste belang. In principe is het zijn verantwoordelijkheid om SEALs en iedereen die SEALs tot steun kan zijn op te leiden in geijkte én specialistische militaire verbindingen. Communicatie is essentieel bij speciale operaties.

'De apparatuur verandert voortdurend,' zegt Ken, terwijl hij me een PRC-148-intersquadradio aanreikt. 'Daardoor moeten we de opleiding voortdurend bijstellen en actualiseren. Onze inventaris telt een aantal verschillende zender/ontvangers en bovendien veel toestellen die door andere militaire eenheden worden gebruikt – dus moeten we met al die dingen vertrouwd zijn. Veel van ons verbindingenwerk vindt plaats via communicatiesatellieten en SATCOM-technologie is dezelfde als die van de mobiele telefoon. Als het functioneert, werkt het uitstekend. Omdat het merendeel van onze zender/ontvangers is voorzien van geïntegreerde cryptologie en de mogelijkheid om van de ene frequentie naar de andere te springen, is onze apparatuur bijzonder veilig. Het mooie is dat de apparatuur steeds beter, kleiner en gebruiksvriendelijker wordt. Maar als de locatie dat vereist, of als er rekening moet worden gehouden met operationele beveiliging, kan het nodig zijn de ouderwetse zender/ontvangers met hoge frequenties te gebruiken.

Wij besteden daarom veel tijd aan HF-communicatie, en ook aan UHF- en VHF-communicatie, maar de meeste tijd gaat toch in de HF-communicatie zitten. Als satellietcommunicatie niet mogelijk is, moet de verbindingenexpert weten hoe hij radiogolven via de ionosfeer naar een ontvangstlocatie kan afbuigen. Dus moet hij weten hoe hij provisorische tactische antennes kan opzetten en de juiste antennelengte voor de te gebruiken frequentie moet berekenen. Dat vereist wat tijd en oefening. Wij doen veldtrainingen waarbij we een basisstation opzetten in La Posta en we hen in koppels laten verspreiden over het hele zuidwesten. Ze verplaatsen zich in lussen van achthonderd tot duizend kilometer en proberen onderweg HF- en SATCOM-verbindingen tot stand te brengen.

'Bedoel je,' vraag ik met een stalen gezicht, 'dat jij SEALs helemaal naar wegrestaurants in Arizona stuurt om antennes te spannen en naar huis te bellen?'

'Precies,' lacht Reeves. 'Net als op die televisiereclame voor Verizon. "Hoor je me nu?" Die gasten beleven er veel lol aan en ze proberen elkaar fel te overtroeven. SEALs houden er nooit van te verliezen, maar een paar verbindingenjongens van de mobiele communicatieteams zijn heel kien. Zo houden we iedereen scherp. Dit is een van de weinige cursussen waarbij SEALs rechtstreeks met een ondersteunend element trainen. Het is goed voor de SEALs en hun steunelementen om met elkaar te leren communiceren voordat ze het tijdens reële operaties moeten doen. Voor de SEALs en bootbemanningen kan het succes van de missie afhankelijk zijn van communicatie. Wij nemen dat hier heel serieus, maar we beleven er veel plezier aan.'

'Hoe staat het met computers?' vraag ik. 'Daarin instrueren jullie hier ook, nietwaar?'

'Klopt. SEALs gaan gewoonlijk op missie met een mix van zenders/ontvangers waarvan de samenstelling afhangt van de aard van de missie, maar ze verlaten de vooruitgeschoven operatiebasis zelden zonder computer. Wij maken gebruik van een PC met Windows NT die we een *toughbook* noemen. Het is een versterkte PC die communiceert met onze camera's en radio's. Iedere NSW-verbindingenman moet met de computer overweg kunnen en weten hoe hij geluid, databestanden en beelden moet ontvangen en versturen. Eenmaal terug in hun peloton zullen ze de andere peloton-SEALs leren hoe ze het moeten doen. De computer helpt ons om dit sneller te doen. We proppen veel lesmateriaal in deze cursus van zes weken. Na al het veldwerk volgt een schriftelijke overhoring. Als een cursist niet aan de maatstaven voldoet, krijgt hij geen certificaat voor inzet als verbindingenman.

'Jij hebt sergeant Park in een van je communicatieklassen,' zeg ik. 'Hoe doet hij het?'

Reeves aarzelt een ogenblik. 'O, ja, Park! Scherp verstand en hij werkt hard. Hij doet het uitstekend.'

'Is er een kansje dat hij als beste van de klas slaagt?' Ik dacht aan de expliciete instructie van Parks pelotonscommandant.

Ken denkt erover na. 'Mogelijk, maar zoals ik al zei, een paar van die mobiele jongens zijn verrekt slim.'

SEALs krijgen op basistactisch niveau taallessen, maar soms ook op uitgebreide basis voor een operatiegebied. Deze laatste benadering impliceert dat ze gedurende langere tijd worden ondergebracht bij een gezin uit dat land dat de taal ervan spreekt. Normaal gesproken is de taalopleiding niet zo intensief als bij de speciale strijdkrachten van de landmacht, die samen met ongeregelde buitenlandse strijd- groepen leven en opereren omdat dit hun primaire missie is. De teams hebben inmiddels meerdere SEALs die Spaans of Mexicaans- Spaans spreken, en ook een paar SEALs uit Franstalige regio's. Een select groepje met wat achtergrondkennis of bewezen taalvaardig- heid wordt naar het Defense Language Institute (DLI) in Monterey (Californië) gestuurd om daar een jaar lang een taal te leren. Gelet op de huidige focus op het Midden-Oosten zijn er bij de meeste ope- rationele pelotons twee of drie man die een cursus in modern Stan- daardarabisch hebben gevolgd. Dit is een cursus van drie maanden die gegeven wordt door een civiele tweetalige contractant die het Arabisch vloeiend beheerst. Het is een moeilijke taal en er worden in de Arabische wereld talloze dialecten gesproken. Verscheidene SEALs van het Foxtrot-peloton zijn aangewezen voor deze stoom- cursus Arabisch.

In principe leren we een nuttig vocabulaire voor tactisch ge- bruik,' vertelde een van de SEALs van Team Five me. Hij was lid van BUD/S-klas 228 en is nu bezig aan zijn tweede preoperationele trai- ning. 'Het is voldoende dat we in het veld een verhoor kunnen afne- men en ons op elementair niveau goed verstaanbaar kunnen maken. Persoonlijk heb ik aan de cursus meer waardering voor hun cultuur overgehouden, en voor de manier waarop deze mensen denken en waaraan ze waarde hechten. Ik geloof dat ik nu genoeg weet om niet onbeleefd over te komen en op de juiste manier respect te tonen. Dat kan heel belangrijk zijn als je met een geweer een of ander dorp bin- nentrekt. Ik geloof graag dat het mij kan helpen onze missie tot een goed einde te brengen.'

'Geloof je ook dat de oorlog op jou zal wachten?' In die tijd stond Team Five juist op het punt de pelotonstraining af te sluiten; over zes maanden zou het team operationeel worden ingezet – half april

2003. De pelotons van Team Five weten dat zij ook eerder kunnen worden ingezet, als de nood aan de man mocht komen.

'Daar hebben we het geregeld over en er zijn veel geruchten in omloop. We gaan als ons dat wordt opgedragen en we zullen doen wat gedaan moet worden. Intussen trainen we zo intensief mogelijk. Mijn vrouw en ik hebben net een baby gekregen – ons eerste kind. Ik ben natuurlijk dankbaar voor de tijd die ik thuis kan zijn. Maar als we eerder weg moeten, dan zijn we er klaar voor, ikzelf incluis.'

Sluipschutters zijn een cruciale component in een SEAL-peloton en hun vaardigheden omvatten meer dan alleen raak schieten over grote afstanden. De sluipschutterstraining is een van de populairste opleidingen in de teams en gewoonlijk is dit een privilege van SEAL-veteranen die al hun eerste of tweede operationele inzet achter de rug hebben. Volgens de regels moet elk peloton twee sluipschutters tellen, maar de meeste pelotons die ik heb geobserveerd hadden er vier. Tot nog maar kortgeleden stuurden de SEALs hun sluipschutterkandidaten voor training naar het Korps Mariniers, of zelfs naar de Army Marksmanship Unit (AMU) in Fort Benning (Georgia). Momenteel worden zij, op enkele uitzonderingen na, opgeleid door het NSW Center zelf. Met het oog op de SEAL-specifieke eisen voor sluipschutters en de overige vaardigheden die de pelotons van hun sluipschutters vragen, heeft het Center de opleiding zelf ter hand genomen. De cursus is een combinatie van de Photo Intelligence Course (PIC), het herkennen en analyseren van foto's, plus een training in besluipen en accuraat schieten.

'Het duurt twaalf weken om een man door deze training te helpen, want het is een veeleisend programma. Je maakt veel dagen van achttien uur en het is niet alleen zwaar voor de cursisten, maar ook voor ons. Dit is een van de belangrijkste cursussen van het Center en veel jongens willen er doorkomen. Ze halen het echter niet allemaal – niet iedereen is in de wieg gelegd voor sluipschutter. Sommigen – voor het overige prima SEALs die in hun peloton uitstekend presteren – halen het eind van deze cursus niet. Nee, het is niet voor iedereen weggelegd.'

Sergeant-majoor Bob Greenwood leidt de sluipschutterstraining. Bob was voorheen instructeur voor de Fase 1 van de BUD/S-training en een zeer ervaren SEAL-veteraan van de Teams Two en Eight en heeft in de Golfoorlog gevochten. Toen hij zijn loopbaan bij Naval Special Warfare wilde gaan afbouwen, werd hem gevraagd de operationele taken in de verschillende SEAL-missierapporten te analyseren op de vereiste vaardigheden, en een cursus te ontwikkelen om deze te versterken. Zoals je een schutter nodig hebt om een schutter te leiden, heb je ook een schutter nodig om een schutter op te leiden. De sergeant-majoor is een voortreffelijk schutter en, belangrijker nog, hij is bovendien een geweldige trainer. Voordat een kandidaat-sluipschutter de sluipschutterstraining kan beginnen, moet hij de twee weken durende cursus in beeldherkenning en -analyse hebben doorlopen.

De Photo Intelligence Cours (PIC) wordt geleid door John Connors. Hij heeft bij de marine de rang van 1st Class Photographers Mate en is een expert in tactische fotografie. Zijn vader was beroepsfotograaf en John heeft aan het Rochester Institute of Technology het vak geleerd voordat hij dienst nam bij de Navy. Kandidaat-sluipschutters komen eerst bij hem om te leren fotograferen. Scherpschieten en fotograferen lijkt een onwaarschijnlijke combinatie, maar SEAL-sluipschutters of, juister gezegd, verkenners/sluipschutters – zijn over het algemeen de beste peloton-SEALs waar het hun verkennersvaardigheden betreft. Als het een Special Reconnaissance Mission (SR-missie) betreft, zijn het de sluipschutters die naar het doelwit tijgeren om met de camera te schieten, in plaats van het geweer.

'Ik heb ze twee weken en we maken massa's foto's,' vertelde Connors mij, 'en het is allemaal digitaal. Het mooie van digitaal werk is dat je de resultaten direct ziet, maar ze moeten wel leren om bij weinig licht goed te fotograferen. Later, met het geweer, draait het om elevatie en windcompensatie. Hier werken ze met sluitersnelheden en de f-stop, de diafragma-instelling die bepaalt hoeveel licht de lens doorlaat. Net als bij conventionele fototoestellen leren ze de camera te "bedotten" om een object bij schaars licht toch goed te fotograferen. Ze moeten ook leren hoe ze de beelden moeten prepareren voor verzending naar een hoger commandocentrum. Dat is eigenlijk de taak van de verbindingenman, maar wij willen dat onze jongens het ook goed kunnen.'

'Daar komt een computer aan te pas, nietwaar?'

'Klopt. Het merendeel van deze gasten kan aardig overweg met een computer, maar sommige weten alleen hoe je e-mails verstuurt of ontvangt. Als ze hier weggaan, kunnen ze een databank opzetten en de bestanden daarin managen. Ze kunnen beelden uit de camera overpompen en ze voorbereiden voor tactische SATCOM-transmissies. We werken dat gedeelte snel af en gaan dan verder met de camera, zodat ze foto's leren nemen. O, en uiteraard doen we ook veel telefotowerk,' grijnst Connors. 'We sturen ze eropuit voor tactische missies in de stad. De teamcommandanten worden het zo langzamerhand zat om het slachtoffer van een Candid Camera te worden. Gisteren nog kwam een van de jongens terug met een geweldige foto waarop te zien is hoe zijn teamcommandant aan zijn sleutelbos frunnikte toen hij voor zonsopgang naar zijn werk wilde. Wat wij doen, is geen portretfotografie. Wij willen dat die gasten beelden schieten onder de moeilijkste omstandigheden: op grote afstand, in de regen, in de mist, 's nachts en noem maar op. En de technologie verandert voortdurend. We beginnen nu bijvoorbeeld veel werk te doen met tactische videosystemen. Het zal niet lang meer duren voordat we in staat zijn op grote afstand tactische videofilms live te maken en te verzenden.'

Na de PIC cursus begint de tien weken durende opleiding tot sluipschutter. De eerste vier weken zijn gewijd aan de kunst van het verkennen of besluipen, de resterende zes weken aan het scherpschieten zelf. Tegen het eind van deze training zijn de cursisten vele uren bezig met het besluipen van een doelwit om slechts één opname te maken. Sluipschieten is een subtiele mix van kunde, kunst, technologie en geduld. Het succes van iedere sluipschutter bestaat uit de juiste combinatie van doelpersoon en wapen of camera. De verkenner/sluipschutterinstructeurs van het Center zijn wat oudere onderofficieren met veel operationele ervaring en een grote staat van dienst als scherpschutter. De stafleden hebben samen zo ongeveer alle schietscholen van militaire, civiele en federale instanties doorlopen, en tal van sluipschuttersscholen in het buitenland. Ik vraag sergeant-majoor Greenwood welke eigenschappen hij zoekt bij een kandidaat-sluipschutter.

'Om te beginnen moeten ze goed met het ijzeren vizier kunnen schieten, bij voorkeur ruim boven het standaardniveau. En ze moeten hier komen om te leren. Ik heb liever een knaap met veel zelfdiscipline dan iemand die van nature goed kan schieten. De meeste kandidaten zijn SEAL-veteranen, hoewel we af en toe ook een nieuweling zien. Soms is het makkelijker om een nieuwkomer iets te leren, omdat hij nog niet zo lang heeft geschoten en nog niet te veel slechte gewoonten heeft ontwikkeld. Wat de nevenvaardigheden van pelotonschutters betreft: wij zien graag dat ze al wat ervaring met de moderne communicatiemiddelen hebben opgedaan, hoewel dat geen eis is.'

Tijdens het schietgedeelte van de opleiding leren de cursisten de grondbeginselen van besluipen, dekking vinden en de kunst van het onzichtbaar blijven, met geduld als belangrijke factor. Ze worden ook vertrouwd gemaakt met observatiemethoden, afstandsschattingen en het maken van schetsen. Soms is een schets, compleet met zorgvuldig genoteerde waarnemingen over een wat langere periode, waardevoller dan een digitaal beeld. SEALs moeten zich vaak gedurende langere perioden geruisloos verplaatsen om een doelwit dicht genoeg te naderen. Hun missie kan bestaan uit observaties voor een toekomstige rechtstreekse aanvalsoperatie, of voor het leiden van een precisieluchtaanval. In Afghanistan hebben ze bijvoorbeeld in een gebied lange tijd gewacht en waarnemingen gedaan voordat de mariniers landden op een locatie die later Camp Rhino zou worden. Bij een andere gelegenheid beslopen ze ongemerkt een Al-Qaïda-compound die later het doelwit moest worden van een luchtaanval. In deze compound bevond zich de verblijfplaats van Osama bin-Ladens lijfarts. Bij nauwkeurige observatie door een verkenners/sluipschuttersteam bleek dat deze compound vooral door vrouwen en kinderen werd bewoond. De luchtaanval werd afgelast. In Irak voerden de SEALs SR-missies uit rond de olieboorplatforms bij Oemm Qasr, voordat er een directe aanval werd ondernomen om deze boorplatforms in te nemen. Er zijn allerlei soorten missies voor de SEAL-verkenner/sluipschutter. Op grote afstand schieten is er maar één van.

SEAL-sluipschutters zijn actief geweest in Afghanistan én Irak. Omdat het gros van de operaties in Afghanistan in ruig, open terrein plaatshad (en plaatsheeft), zijn er talloze mogelijkheden voor schieten op grote afstand. Er zijn niet weinig strijders van de taliban en Al-Qaïda onverwachts uitgeschakeld door een SEAL-sluipschutterskogel. In Irak ging het vooral om antisluipschuttersoperaties. SEALs op patrouille in een stedelijke omgeving voelen zich een stuk beter als ze zich onder het beschermende oog van een sluipschutter verplaatsen. Sluipschutterteams waken over hun teamgenoten, of ze zochten in Irak eenvoudigweg een goede uitkijkpost om daar te wachten totdat de een of andere pechvogel van een vijandelijke soldaat of lid van de Fedayien van Saddam probeerde op een lid van de coalitiestrijdkrachten te schieten.

In sluipschutterskringen wordt veel gedebatteerd over de vraag wie de beste schutters zijn. SEALs wisten mij te vertellen dat historisch gezien de mariniers de besten waren en dat hun instructeurs het veldwerk nog steeds uitstekend onderrichten, maar dat hun sluipschutters geen optimale wapens hebben en dat zij niet genoeg kogels pompen uit de wapens die ze hebben.

'Ik ben een paar jaar geleden naar de sluipschuttersschool van de mariniers geweest,' hoorde ik van een SEAL van Team Five, 'en ik schoot evengoed als hun instructeurs – met *mijn* wapen. Toen nam een van hun instructeurs mijn wapen over en demonstreerde er een paar ongelooflijke staaltjes van het echte scherpschieten mee. Volgens mij schieten we momenteel een stuk beter dan zij. Onze opleiding is beter en we hebben betere wapens.'

De Army Marksmanship Unit gaat er graag prat op de beste militaire schutters te hebben, maar dat zijn beroepsschutters die niets anders doen. Weinig van hen nemen deel aan actieve operaties, maar veel deelnemers aan de Olympische Spelen zijn afkomstig van de AMU. Aan één ding hoeft niemand te twijfelen: de deelnemers aan de SEAL-sluipschutterscursus verschieten meer patronen dan de schutters van alle overige sluipschuttersopleidingen. Bovendien doen ze dat met diverse geweren. Het arsenaal van de SEAL-sluipschutters is een waar smörgasbord van sluipschutterswapens.

Iedere SEAL die aan de sluipschutterstraining begint is goed vertrouwd met het M4-geweer en het M14-geweer. Tijdens de opleiding tot sluipschutter schieten ze met de MK4, een verfijnde versie van de standaard M4, uitgerust met speciale optica en een nachtvizier. De M14 van de sluipschutter is geconstrueerd uit hoogwaardige componenten voor scherpschuttersdoeleinden, met het beste telescoopvizier dat er te koop is. Er worden patronen van wedstrijdkwaliteit met dit wapen verschoten. In Vietnam werden zelden sluipschutters ingezet, maar als het gebeurde, gebruikten de SEALs dezelfde M14, uitgerust met een Redfield-telescoopvizier 10X. Als het standaard-sluipschuttersgeweer in de teams beschikbaar is, is dat de Stoner SR-25, een semiautomatisch geweer waarmee .308-patronen (172 grain) worden verschoten. Hiermee kan de sluipschutter een doelpersoon met meerdere kogels op een afstand van 800 m of meer raken. Vermoedelijk het populairste sluipschutterswapen onder SEALs is de Winchester Magnum, kaliber .300. De Win Mag .300 vuurt patronen van 190 grain af en is accuraat tot afstanden van maximaal 1200 m. De SEALs zijn om dezelfde redenen als jagers gesteld op dit wapen: de kogelbaan is vlak en de kogel is supersnel en zwaar – ideale eigenschappen voor accuraat schieten op grote afstanden. De zwaargewicht in het sluipschuttersarsenaal van de SEAL-teams is het sluipschuttersgeweer kaliber .50. Het wapen is dodelijk tot afstanden van 1800 m en wordt gewoonlijk gebruikt tegen voertuigen, een geparkeerd vliegtuig of een radarinstallatie. In principe wordt de .50 met de kolf tegen de schouder afgevuurd. Het is een wapen van zwaar kaliber dat primair wordt gebruikt voor missies die een hard doelwit met chirurgische precisie moeten uitschakelen. Zelf ben ik geen scherpschutter, maar ik kon er consequent een olievat van 250 ltr op een afstand van ruim 1250 m mee raken.

Het grappige is dat je kandidaat-sluipschutters van de SEALs altijd kunt herkennen omdat zij – als gevolg van de terugslag van hun wapens – altijd met een afgezakte schouder lopen. De cursist vuurt met de Win Mag .300 niet minder dan 100 patronen per dag af, en met de M14 of de SR-25 zelfs tot 150 patronen. Veertig patronen met het sluipschutterswapen .50 is een zware dag. Toch is schieten slechts een onderdeel van de kunst van het sluipschuttersvak. De belangrijkste vaardigheid is het vermogen om met het sluipschutterswapen op de Advanced Firing Position (AFP), de vooruitgeschoven vuurpositie, te komen. Het grootste deel van de schietoefeningen wordt afgewerkt op de schietbanen van Camp Pendleton, maar de besluipingen op afstand worden geoefend in Camp Billy Machen. Ook de kandidaat-sluipschutters in Billy Machen zijn direct herkenbaar: zij zien er ongeveer uit als zwervers op een spoorwegemplacement. Deze mannen brengen een groot deel van hun wakende uren door in het woestijnzand. Voor het bereiken van een vuurpositie moet de cursist soms wel zes uur door de woestijn tijgeren, over een afstand van ruim drie kilometer. Eigenlijk is het geen tijgeren, maar kruipen, waarbij ze ongezien een goede vuurpositie moeten bereiken. Dat alles voor één enkel schot! Dat is het credo van de sluipschutter: een schot, een dode vijand. De meeste Californiërs hebben weleens sluipschutters gezien, in hun onaanzienlijke Gilliegevechtspak met woestijncamouflage. In de woestijn zien ze eruit als vaalgrijze bobbels die opgaan in het zand en de rotsige woestijngrond.

'Het is ongelooflijk zwaar werk en je hebt voor een goede besluiping je hele concentratievermogen nodig,' verzekerde een van de cursisten mij. 'Je kunt een droge stroombedding wel tien minuten bestuderen voordat je besluit hoe je hem oversteekt, of hoe je over een verhoging komt zonder een silhouet te tonen. Je hebt een tijdlijn, maar je moet een zorgvuldig evenwicht zoeken tussen de tijdslimiet en hoe je je verplaatst – niet te snel en niet te langzaam. Als je eenmaal op de vuurpositie bent, verandert alles. Je concentreert je volledig op het uitvoeren van het schot. Dat betekent dat je je ademhaling en polsslag moet vertragen en heel voorzichtig je wapen gereedmaakt voor het schot. Het maakt niet uit hoeveel water ik drink, tijdens een lange besluiping verlies ik ruim twee kilo en voel ik me alsof ik net terug ben van een duurloop met volle bepakking van zestien kilometer.'

'Allemaal voor dat ene schot?'

'Zo is het. Een schot, een dode vijand.'

Bij mijn observaties van Team Seven van het Foxtrotpeloton en andere pelotons gedurende de ontwikkelingsfase van de preoperationele training, trof me een gemeenschappelijk kenmerk: de BUD/S-training, de SQT en de teamcultuur hebben hun stempel op deze mannen gedrukt. Zij hebben geen idee van een achturige werkdag, Als hun training vereist dat ze arbeidsdagen van twaalf of zelfs veertien uur maken, doen ze dat. Dit is niet ongewoon, vooral niet als de instructeurs zelf SEALs zijn. Het is niet onverwacht en er wordt niet over gekankerd. Het motto dat de SEAL 'net zo moet trainen als hij vecht' is geen holle frase: trainen voor de strijd is geen baantje van negen tot vijf. De jongens werken ontzettend hard en toch is de periode van preoperationele training de episode waarin ze de meeste vrije tijd hebben en bij hun eventuele gezin kunnen zijn.

Meer dan ooit weten de SEALs van nu dat zij trainen voor de strijd, zodat zij alles doen wat in hun vermogen ligt om zich voor te bereiden op hun persoonlijke bijdrage aan de slagkracht van hun peloton. Dat is wat zij de volgende zes maanden zullen doen: trainen om te vechten als een peloton.

Een mokerslag uitdelen. SEALs trainen met verscheidene typen raketten die vanaf de schouder worden afgevuurd. Deze SQT-trainee bereidt zich voor op het afvuren van een antitankraket van het type AT4, kaliber 84 mm. *Foto Dick Couch*

5

DE PELOTONS

Het trainingsdetachement

'Juist mannen, als iedereen zit, kunnen we beginnen. Dit is jullie briefing voor pelotonstraining. Voor degenen die mij nog niet kennen: mijn naam is Brian Schmidt. Voor de komende zes maanden zijn jullie voor de preoperationele pelotonstraining onderdeel van het trainingsdetachement van Group One. Wij hier noemen het Unit Level Training of ULT, maar het is gewoon pelotonsgewijze training. Het TRADET oefent TACON oftewel tactische controle over jullie uit: jullie vallen dus onder ons gezag en wij zijn verantwoordelijk voor jullie. Jullie wacht een grote klus, en het is een belangrijke klus. Wij nemen dit werk heel serieus. Het resultaat van dit werk kan niet goed zijn als we niet samenwerken. Wij zullen hard werken, en jullie moeten ook flink aan de bak. Daarom wil ik eerst een paar dingen op tafel leggen. Ten eerste de verwachtingen die wij van jullie hebben, en ten tweede jullie verwachtingen van ons. Sommigen onder jullie zijn nieuwkomers in de teams; anderen waren al bij de teams toen ik nog studeerde. Ik heb mijn taken, jullie hebben die van jullie. Dit is serieuze arbeid en ik wil geen misverstand laten bestaan over onze rol en die van jullie.'

Luitenant-ter-zee 1ste klas Brian Schmidt is de commandant van het TRADET van NSW Group One. Op deze post is hij belast met een enorme verantwoordelijkheid: hij moet garanderen dat de SEAL-pelotons uitstekend voorbereid zijn als ze de oorlog in gaan. Voor de invoering van het NSW21-concept had elk SEAL-team een eigen trainingsdetachement dat de pelotons trainde voor operationele inzet. De NSW

Groups aan de oost- en westkust evalueerden zelf de pelotons en kenden ze een certificaat van gereedheid voor de strijd toe. Nu doen de NSW Groups alles. Schmidt selecteerde de beste instructeurs uit de trainingsdetachementen van de teams en de kaders die de groepsevaluatie deden, en voegde ze samen tot het TRADET van NSW Group One. Dit trainingsdetachement is zesentachtig man sterk. Adjudant-officier Mike Loo van de SQT zal het er wellicht niet mee eens zijn, maar de SEAL-instructeurs van TRADET One aan de westkust en hun collega's van TRADET Two aan de oostkust zijn wellicht de grootste concentraties van SEAL-talenten in de Naval Special Warfare-gemeenschap. De groep instructeurs omvat alle onderofficiersrangen, van adjudant-onderofficier tot sergeant. De mannen die zij moeten trainen, zijn niet langer de BUD/S-trainees of de kandidaat-SEALs van de SEAL-kwalificatietraining (SQT). Het zijn op zijn minst stuk voor stuk gekwalificeerde SEALs. Voor het merendeel zijn het zeer ervaren en getalenteerde SEAL-operators en velen hebben gevechtservaring opgedaan. Schmidt en zijn trainingskader moeten ze allemaal net zo lang trainen tot zij aan de geldende eisen voldoen. De peloton-SEALs weten dit: hun leven in de operationele pelotons is een aaneenschakeling van trainingen en cursussen. Dat zij deze preoperationele training al eerder hebben gedaan, doet niet ter zake. Dat wil niet zeggen dat het trainingskader geen subtiele vaardigheden op het gebied van egobeheersing zou hoeven hebben. Evenmin kunnen ze vergeten dat de SEALs die zij trainen op sommige terreinen meer expertise kunnen hebben dan zijzelf. Hoe dan ook, de instructeurs moeten *alle* SEALs trainen en de pelotons moeten deze tijd benutten voor het uitbouwen en verfijnen van hun gevechtsvaardigheden. Het gaat erom dat iedereen dit inzicht heeft: er hangen levens van af.

De pelotons komen met hun geactualiseerde en bevestigde individuele kwalificaties naar Brian Schmidt voor de ULT. In het ULT-rotatieschema van dit moment zijn het pelotons van SEAL-team Five. Sommige pelotons hebben in de ontwikkelingsfase (PRO-DEV) al wat teamtraining gedaan. Ze hebben misschien een week lang getraind in strijd van nabij of man-tegen-mangevechten, of wat veldwerk met squadmissies gedaan, maar het grootste deel van hun tijd in de eerste preoperationele fase was gewijd aan de vaardigheden van elk individu. Nu is het tijd voor teamvorming.

'Nu we aan deze trainingsperiode beginnen, wil ik jullie eerst deelgenoot maken van mijn filosofie over de pelotonstraining van SEAL. Wij zijn hier om SEAL-krijgslieden te trainen, punt uit. Jullie zijn hier om je voor te bereiden op strijd. Dat betekent dat je moet samenwerken en voor elkaar moet zorgen. De training is zwaar. Dat moet ze ook zijn, en ik heb het niet over "zwaar" als in de helse week van de BUD/S: het behoort zwaarder te zijn dan dat. Onze verantwoordelijkheid is veel groter dan die van de BUD/S-instructeurs en voor jullie zelf staat er ook veel meer op het spel dan toen. Jullie gaan straks een oorlog in. Tijdens de BUD/S en de SQT hoefde je alleen maar te doen wat je werd opgedragen en zorgde je voor jezelf. Tot op zekere hoogte was dit ook tijdens de ontwikkelingsfase zo. Nu zijn jullie niet alleen verantwoordelijk voor jezelf, maar ook voor je pelotonmaten. Niemand wil de oorlog in met iemand die niet gereed is voor de strijd, dus moeten jullie ons helpen erop toe te zien dat iedereen in je peloton aan de eisen voldoet en klaar is om te gaan. Wij moeten elkaar helpen en elkaar ook trainen.

Nu wil ik het hebben over een paar dingen die hier niet kunnen. Ik zou deze dingen eigenlijk niet hoeven te zeggen, maar ik zeg ze toch, om misverstanden uit te sluiten. Ik heb geen tijd voor zeurkousen of gasten die niet op hun teamgenoten passen. Dat geldt ook voor hen die geen verantwoordelijkheid nemen voor hun eigen daden, of liever de schuld afwentelen op anderen. Zorg niet alleen goed voor je uitrusting, maar ook voor je teamgenoten. Ik verwacht van jullie dat je te allen tijde professioneel en verantwoordelijk handelt. Ik wil niet harteloos zijn, maar barmhartigheid is onze taak niet. Als we aan de slag gaan, zitten we krap in onze tijd. Wij houden er geen rekening mee als je thuis een probleem hebt. Er zijn uitzonderingen, maar zorg dat je thuis alles op de rails hebt, zodat je je kunt focussen op deze training voor oorlog.' Schmidt last een pauze in en raadpleegt zijn aantekeningen. 'We zullen later graag van jullie horen wat jullie van deze training vinden, maar niet nu, of als we volop bezig zijn met een trainingsonderdeel. Zet het in je commentaar en ga door met de training, tenzij het een kwestie van veiligheid betreft. Als er iets mis is, of als er iets is wat we beter zouden kunnen doen, stellen we de zaak meteen bij voor de volgende pelotons die hier komen trainen.

Nu de dingen die ik als commandant van dit TRADET van jullie verwacht. Ik verlang van jullie dat je je mensen kent, dat je je uitrusting kent en dat je het klappen van de zweep kent. Iedereen hier dient te weten wat er van een trainingsonderdeel wordt verwacht en dat hij in staat moet zijn om dat te realiseren. Ik verlang van jullie dat je plant, repeteert en controleert. De leiders onder jullie inspecteren iedere man voordat er aan een operatie wordt begonnen, zelfs als het een trainingsmissie betreft. De leiders worden zelf ook geïnspecteerd, en wel door hun teamgenoten. Tijdens een veldoefening verwacht ik dat jullie geen moment verslappen, zodat je tactisch actief blijft en steeds doorzet. Ook als er iets stukgaat of er zich een probleem voordoet, blijf je tactisch actief en corrigeert de zaak – er wordt niet gewacht. Tot slot verwacht ik van jullie dat je een correcte debriefing doet: zeg wat er goed is gegaan en wat niet. Wij zijn eropuit om jullie een goede training te geven. Daar hebben we jullie hulp en medewerking voor nodig. Ik weet dat mijn kader hard zal werken om dat doel te realiseren. Dit is waaraan ik me tegenover iedereen hier committeer. Ik verwacht van jullie dat iedereen op tijd is voor elk trainingsonderdeel, en op de juiste plaats en met de juiste uitrusting. Hier gelden gedragsregels voor volwassenen en we maken ons nergens gemakkelijk van af: alles wat jullie ooit over veiligheid hebben geleerd, is hier volledig van kracht. Voorafgaand aan elk trainingsonderdeel krijg je een veiligheidsbriefing. Wij willen jullie voorbereiden op de strijd, maar we moeten jullie veilig trainen om te zorgen dat je aan strijden toekomt. Nog vragen?'

Er zijn geen vragen.

'Bedankt voor jullie aandacht. Nu hebben we een aardige verrassing voor jullie: de staf gaat nu een schriftelijk examen uitreiken. In principe is het gelijk aan het SQT-eindexamen. Slagen voor een test is niet hetzelfde als operationele ervaring, maar ik wil me eerst een oordeel kunnen vormen over ieders professionele kennis. Ik zal jullie straks laten weten waar jullie staan, en jullie laten ons weten waarop wij ons gedurende de pelotonstraining moeten focussen.'

Terwijl de leden van SEAL-team Five druk bezig zijn met hun test, vraag ik Brian Schmidt wat hij met de uitslagen gaat doen.

'Ze gaan op het mededelingenbord. Kijk, het is nog altijd profijtelijk om in dit spel te winnen, maar het heeft meer om het lijf. Ik zal sommige oudere mannen laten weten dat er wat informatie is waarin ze zich wat beter moeten verdiepen om op de hoogte te blijven. Ook zal ik hun laten weten dat sommige nieuwkomers met veel nuttige kennis en informatie van het Center hierheen zijn gekomen.'

'Laat je ze dit examen nog eens doen als de pelotonstraining eropzit?'

'Daar heb ik nog niet bij stilgestaan, Misschien wel!'

Tijdens de pelotonstraining heb ik twee pelotons gevolgd die aan hun preoperationele training bezig waren. De zes pelotons van SEAL-team Five worden verdeeld over drie operationele taakgroepen. De pelotons die ik heb geobserveerd, waren Five Echo en Five Foxtrot, die gezamenlijk trainden met Task Unit Charlie (waar enkele SEALs aan de leidinggevende groep waren toegevoegd). Echo en Foxtrot zijn 'zusterpelotons'. Deze twee pelotons vormen met taakgroep Charlie het deel van Team Five dat onder het CENTCOM valt. Deze taakgroep zal dus in het Midden-Oosten opereren. Gelet op de concentratie op Irak en de voortgaande behoefte aan speciale strijdkrachten in Afghanistan zullen ook andere pelotons specifiek met het oog op inzet in het Midden-Oosten worden getraind, maar van Team Five zijn de pelotons Echo en Foxtrot de eerste. De andere vier pelotons van Team Five (de taakgroepen Alpha en Bravo) zullen in eerste instantie voor het Pacific Command (PACOM) worden getraind. SEAL-pelotons zijn bijzonder veelzijdig, en als ze eenmaal operationeel zijn, kunnen ze zo ongeveer overal voor speciale missies worden ingezet. Tegen de tijd dat ze naar een AO (operatiegebied) gaan, kunnen de operationele behoeften het nodig maken dat er nog vier of meer pelotons van Team Five aan het Central Command Middle East worden toegevoegd. Alle zes pelotons krijgen een vergelijkbare training, maar een deel ervan zal oorlogsgebied-specifiek zijn, want taakgroep Charlie zal wat andere dingen moeten doen dan de taakgroepen Alpha en Bravo.

De pelotons Echo en Foxtrot van Team Five

Als zusterpelotons zullen Echo en Foxtrot gezamenlijk trainen. Met het oog op taken in het Midden-Oosten zal het accent op trainingen in de woestijn en bergachtig gebied komen te liggen. Dat betekent echter niet dat zij niet bij hun inzet over hetzelfde spectrum van maritieme speciale operatievaardigheden zullen beschikken als de pelotons van Team Five die in de Pacific zullen worden ingezet. Die vier pelotons, Alpha, Bravo, Charlie en Delta, kunnen heel goed alsnog in het Midden-Oosten worden ingezet. Niet alleen kan elk Team Five-peloton naar het Midden-Oosten worden gestuurd, maar ook naar de Filippijnen, Maleisië of het Somalisch Schiereiland, ook bekend als de Hoorn van Afrika. Zij weten het allemaal, net als het TRADET-kader.

Het Echo-peloton zal met zestien man – twee officieren, wat onderofficieren plus manschappen – trainen. Zij hebben echter drie SEALs verloren aan de uitbreiding van Team Seven. Daarom hebben ze nu drie nieuwkomers, SEALs die voor het eerst actief-operationeel zullen worden. Een van deze SEALs is afkomstig uit BUD/S-klas 228; een tweede is BUD/S-instructeur geweeest, tijdens de opleiding van deze klas. Van de twee zusterpelotons beschikt Echo over de meeste ervaring, en over drie sergeants een. De meeste veteranen zijn al operationeel ingezet geweest onder bevel van Central Command Middle East: 'Golf-inzetten' zoals de peloton-SEALs het noemen. Nieuw voor het peloton, maar niet nieuw in de pelotons, is sergeant Matt Reilly, de schietinstructeur tijdens de SEAL-kwalificatietraining. Reilly heeft zijn periode aan het Center afgesloten en is nu terug voor operationele inzet. Het Foxtrot-peloton begint de training met drie officieren, plus onderofficieren en manschappen, in totaal zeventien man, hoewel de derde officier voor andere taken kan worden weggehaald terwijl Team Five zich nog voorbereidt op operationele inzet. Afgezien van de derde officier heeft Foxtrot vier nieuwe SEALs – een hoog aantal voor een peloton. Een van hen is afkomstig uit SQT-klas 2-02; hij is pas twee maanden voor het begin van de pelotonstraining aan het Foxtrot-peloton toegevoegd. Het merendeel van de veteranen heeft ervaring in de Perzische Golf opgedaan; twee man hebben in Afghanistan gediend.

Five Echo en Five Foxtrot zijn typische SEAL-pelotons. De gemiddelde leeftijd van Echo is achtentwintighalf. Bij Foxtrot is die wat lager vanwege de nieuwkomers: zevenentwintig jaar. De beide pelotons hebben ongeveer twee jaar collegeonderwijs per man. Ondanks de jonge SEALs in Foxtrot, is de gemiddelde operationele ervaring voor beide pelotons twee operationele inzetten per man. De doorsnee-diensttijd bij de Navy bij het Echo-peloton is acht jaar; bij Foxtrot zeven jaar. Beide pelotons hebben vier man met ervaring bij de vloot of een ander deel van de krijgsmacht voordat ze bij de teams zijn gekomen. Op het eerste gezicht lijkt er op de pelotons-roosters een fout te zijn gemaakt, want de pelotonscommandanten hebben dezelfde naam. Toch is het geen fout: de commandanten van de beide zusterpelotons zijn broers van elkaar.

Luitenant John Rasmussen voert het bevel over Five Echo. Hij is gegradueerd met BUD/S-klas 218. Eerder was hij derde pelotonsofficier en assistent-pelotonscommandant en in beide gevallen was hij operationeel ingezet met Team Five. Deze keer wordt hij operationeel met ervaring als pelotonscommandant: tijdens zijn tweede inzet is zijn pelotonscommandant ziek geworden en heeft hij als diens plaatsvervanger het peloton geleid. Phil Rasmussen, elf maanden ouder dan John, is met BUD/S-klas 216 gegradueerd. Hij heeft *vier* operationele inzetten achter zich: een als assistent-pelotonscommandant en twee als de liaisonsofficier van een SEAL-taakgroep – de eerste keer aan boord van een vliegdekschip, de tweede keer in Europa. Voor liaisonsofficieren is niet de langdurige preoperationele training vereist die nodig is voor de operationele inzet van een peloton. Toch is Phil Rasmussen vaak in het buitenland geweest. Hij is niet lang na 11 september 2001 uit Europa teruggekeerd naar de westkust. Een week later zat hij al met de Task Unit South voor Speciale Operaties in Kandahar. Nu hij terug is bij de pelotons, wordt hij Foxtrot-Rasmussen genoemd. Het lijkt wel alsof de twee broers in de wieg zijn gelegd voor de SEAL-teams. Ze zijn opgegroeid in San Diego en hun vader was in de Vietnamtijd kikvorsman. De broers waren waterpolosterren in hun highschoolteam en ze hebben allebei in hun studietijd rugby gespeeld: John aan de Universiteit van Californië in Los Angeles en Phil aan de Long Beach State University. Ze waren er allebei goed in, hoewel Phil iets beter speelde: hij heeft drie jaar in het eerste All-American-team gespeeld. De broers gingen naar de Officer Candidate School en zijn na de OCS meteen toegelaten tot de BUD/S-training. Ik ben er trots op dat ik er zelf de hand in heb gehad: ik heb hen geïnterviewd toen ze zich kandidaat stelden voor de BUD/S. Ik kan je verzekeren dat deze twee mannen allang niet meer de jonge studentjes zijn die ik in 1996 heb leren kennen.

'Wanneer hebben ze besloten SEALs te worden?' heb ik hun vader gevraagd. Ik heb hem niet gekend toen hij en ik bij de marinereserve dienden.

'Wil je de echte reden, of de politiek correcte?'

'Waarom niet allebei?'

'Toen ze opgroeiden, hebben ze gezien hoeveel plezier ik beleefde aan mijn weekeinden bij de reserve. Ze hebben dit al van jongs af aan gewild. Ze speelden als kind geen cowboy en indiaantje; ze speelden kikvorsman. Het politiek correcte antwoord, dat ook waar is, is dat ze heel vaderlandslievend zijn. Ze vinden het heel belangrijk hun land te dienen.'

'Je moet wel trots op ze zijn,' opperde ik.

'Reken maar! Hoewel ik me ook wat zorgen maak. Ze zijn nog steeds mijn jongens en ze gaan de oorlog in.'

'Zo was het voor ons ook, eind jaren zestig,' herinner ik hem, 'toen wij ons meldden voor de BUD/S, weet je nog?'

'Zeker, ik weet het nog,' antwoordt hij, 'maar dit is niet hetzelfde – voor mij niet, tenminste. Dit zijn mijn zoons. Jij hebt geen kinderen, of wel?'

'Nee,' erkende ik. Hij weet dat ik geen kinderen heb, maar hij vond het nodig me daaraan te herinneren. En terecht. Als veteraan deel ik zijn gevoelens, maar niet die van de vader van een krijgsman, laat staan twee stuks.

De assistent-pelotonscommandanten zijn allebei afkomstig van de Marine Academie. Luitenant Sam Crenshew van het Echo-peloton heeft een derde O-tour achter zich, waardoor hij als een soort wonderboy wordt gezien. Hij is met de jaargang 1997 van de academie in Annapolis gekomen en maakte deel uit van BUD/S-klas 221. Luitenant Todd Bollinger kwam, na te hebben gediend op een fregat voor het lanceren van geleide raketten, naar de BUD/S en is een gekwalificeerd marineofficier (academiejaargang 1998; BUD/S-klas 235). Hij wordt voor het eerst operationeel ingezet, als assistent-commandant van het Foxtrot-peloton. Alleen dit peloton heeft een toegevoegde derde officier. Hij traint als hij kan met het peloton mee, maar hij moet een deel van de tijd naar de UAV School, de opleiding voor het besturen van onbemande vliegtuigen (drones). Drones worden als verkennings- en aanvalsvliegtuig steeds belangrijker, een taak waarvoor SEALs vaak worden ingezet. Wat de Predator en de Global Star wel of niet kunnen, zal grote invloed hebben op de toekomstige missietaken van SEALs.

De tactische leiding van het Echo-peloton is in handen van sergeant-majoor Cal Rutledge en sergeant een John Lopez. Rutledge, een stille, gedecideerde man met een gulle lach, komt ook uit Californië en dit wordt zijn vijfde operationele inzet. Hij is kortgeleden teruggekeerd naar Team Five, na een periode als SQT-instructeur. Hij heeft twee inzetten met Team Five en nog eens twee inzetten met Team One op zijn conduitestaat. Lopez is Puertoricaan en heeft drie inzetten achter zich, alle drie met Team Five. Beide onderofficieren hebben gestudeerd, maar ze hebben de studie niet met een diploma afgesloten. Ze hebben veel ervaring en zijn met iedereen (de een of de ander) in het peloton actief-operationeel geweest. Ik vroeg sergeant-majoor Rutledge hoe hij het peloton leidt.

'Het hart van een goed peloton bestaat uit de sergeants voor wie dit de tweede of derde operationele inzet wordt – en daar hebben we er verscheidene van. We hebben twee zeer kundige sergeants plus John als sergeant een. Zij kennen het klappen van de zweep en weten wat ze wel of niet kunnen. Ze hebben alle opleidingen gevolgd en hebben veel praktische ervaring. Ik heb geluk, want ik heb voor alle pelotonsafdelingen bewezen experts. We hebben vier prima sluip-schutters en een van de beste wedstrijdschutters van het hele Team, Matt Reilly. Mijn taak is zorgen dat ze op de toppen van hun kunnen presteren. In veel situaties komt dat erop neer dat ik ze de taak op-draag en zelf op afstand blijf. Niets doet me meer plezier dan wan-neer een verbindingenman van een ander peloton naar de mijne komt om te vragen hoe hij iets moet doen. Ik wil dat al mijn specia-listen pelotonsleider en daarna pelotonssergeant-majoor worden.'

'Hoe pak jij disciplinaire kwesties aan?'

'Het blijft binnen het peloton, tenzij het om iets ernstigs gaat. Deze jongens zijn hier omdat ze strijd willen leveren. Als er zich een probleem voordoet, wordt dat in de meeste gevallen afgehandeld door John.'

Lopez zelf voegt eraan toe: 'Op dat vlak hebben we niet veel pro-blemen. Een enkele keer komt een van de jongens te laat voor een in-structie of een trainingsonderdeel. Ik laat dan het hele peloton drie kwartier voor de eerstvolgende training aantreden. Als ik dat een of twee keer heb gedaan, is het probleem uit de wereld. Als een van de nieuwkomers in moeilijkheden mocht komen, of een probleem heeft, stel ik zijn afdelingsleider ervoor verantwoordelijk. Wat mij betreft, kan een nieuwkomer nooit problemen hebben. Als dat toch zo mocht zijn, wend ik me rechtstreeks tot de afdelingsveteraan on-der wie hij werkt. Het is *zijn* werk om hem te trainen en op niveau te brengen.'

Sergeant-majoor van het Foxtrot-peloton is Will Hanford, bijge-staan door sergeant een Ron Kendall. De laatste heeft drie operatio-nele inzetten op zijn naam en is een rijke bron van parate kennis, op-gedaan tijdens SEAL-operaties in de Perzische Golf. Toen Foxtrot werd geformeerd, wilde Hanford Kendall vanwege zijn kennis en er-varing als zijn sergeant een. De pelotonsleden noemen hem Data, naar het personage in *Star Trek*. Kendall heeft vijf nieuwkomers, luitenant Bollinger en de derde officier meegerekend. Net als John Lopez van het Echo-peloton heeft hij de onderofficieren en afdelingshoofden uitgelegd wat hij met betrekking tot het mentorschap van de nieuwkomers van hen verwacht. Zelf zal sergeant-majoor Hanford fungeren als mentor voor Kendall, zodat deze hem na de operationele periode kan vervangen als pelotonssergeant-majoor.

Hanford is in feite een verpleegkundige sergeant-majoor uit Oklahoma die vanuit de marine naar de SEALs is overgestapt. Dat gebeurde langs een omweg. Een selecte groep mannen dient als verpleegkundige bij de marine, zodat Hanford na zijn verpleegkundige opleiding aan een verkenningspeloton van de mariniers werd toegevoegd. Het Korps Mariniers wilde hem niet laten gaan, maar uiteindelijk kreeg hij voor elkaar dat hij naar de SEAL-teams werd overgeplaatst en de BUD/S-training kon gaan volgen. Hij is volledig gekwalificeerd verpleegkundige, ook voor de SEALs. Hij is drie keer met Team Five actief-operationeel geweest en had al drie operationele inzetten als korpsman bij een verkenningspeloton van het Korps Mariniers op zijn conduitestaat. Als zodanig was hij al bevorderd tot assistent-commandant van een verkenningspeloton van de mariniers. Ron Kendall is een bedaarde, rustige figuur, maar Will Hanford is een levendige man die graag bereid is over zijn peloton te praten.

'Tot dusverre doen de jongens het allemaal prima; volgens mij gaat dit een geslaagde inzet worden. Ik ben enthousiast. Ik heb graag een ontspannen peloton en probeer de dingen zoveel mogelijk te stroomlijnen. Grenzen trekken over wat wel of geen aanvaardbaar gedrag is, zowel in diensttijd als daarbuiten, is een van mijn taken. We moeten goed presteren en een hecht gevechtsteam worden. De nieuwelingen? Uiteraard heb ik daar mijn zorgen over. Voordat ze hier kwamen, heb ik wat gepraat met hun BUD/S- en SQT-instructeurs, om te weten te komen waar ze sterk in zijn en waarin niet. Volgens mij hebben we ze aan de juiste veteranen gekoppeld, maar zo dat ze op gebieden werken waarop ze kunnen excelleren. En Ron hier doet het heel goed met ze.'

De overige peloton-SEALs vormen een mengeling van veel ervaringen en sterk verschillende achtergronden. Een van de leden van Echo noemen ze Rainman, naar het personage dat Dustin Hoffman vertolkte. Hij is fors uit de kluiten gewassen en brengt veel tijd door in het fitnesslokaal. Hij kan uitstekend uit het hoofd ingewikkelde vermenigvuldigingen en delingen doen. Een Foxtrot-SEAL wordt MacGyver genoemd, naar de gelijknamige figuur in de televisieserie. Hij is een handige korporaal die van alles kan repareren. Zijn peloton reed eens in een zes-bij-zestruck door de woestijn, op weg naar een trainingsbaan. De verbindingsstang van het koppelingspedaal brak af en het peloton was gedoemd tot een lange mars naar huis. MacGyver nam een stalen loopreiniger uit zijn uitrusting, kroop onder het voertuig en verving de verbindingsstang. De truck kon verder.

'Deze mannen zijn voor een tijdje toegevoegd aan het peloton, maar we zijn nog niet echt een peloton,' legt sergeant-majoor Rutledge uit. 'De jongens zijn voor hun persoonlijke kwalificaties naar allerlei opleidingen geweest en hebben verlof opgenomen voordat we aan het hoofdgedeelte van de preoperationele pelotonstraining toe waren. Een paar jongens zijn nog nauwelijks in het peloton geweest. We moeten er samen op uit, en dat gaat gebeuren in Camp Billy Machen. Daar blijven we vier weken trainen en krijgen we vermoedelijk slechts twee dagen vrij. Daar worden we pas een peloton – dankzij de lange dagen en nachten op het oefenterrein en op de schietbanen. Hier en daar hebben we een avondje waarop we samen een paar biertjes kunnen drinken. Het hoort allemaal bij de vorming van een echt peloton.'

'Meer dan de helft van de beide pelotons is getrouwd,' zegt sergeant-majoor Hanford. 'Omdat de mannen thuis moesten zijn, hebben we weinig ontspanningsavonden in de pelotons gehad. Vanaf nu zullen we veel van huis zijn. Het grootste deel van die tijd zullen we samen zijn, hetzij als peloton, hetzij als taakgroep van twee pelotons. De komende achttien maanden zullen onze mensen meer van huis zijn dan thuis – ze zullen meer tijd met hun pelotonsmaten doorbrengen dan met hun vrouw of vriendin.'

De beide pelotonssergeants-majoor en hun sergeants een kennen hun mannen door en door: dat is hun werk. Ze houden ook een oogje in het zeil als het gaat om het gedrag van hun pelotons in hun vrije tijd. De pelotonscommandanten zijn verantwoordelijk voor eventuele misdragingen van hun mannen, maar het is aan de pelotonssergeants-majoor en de overige onderofficieren toe te zien op de naleving van de gedragsnormen. Hun taak houdt niet na werktijd op. Zij weten dat hun pelotonscommandant ter verantwoording zal worden geroepen als een van hun peloton-SEALs een bekeuring krijgt, bij een knokpartij in een kroeg betrokken raakt of misbruik maakt van overheidseigendom. In dat geval weten de sergeants-majoor en hun plaatsvervangers dat zij hun werk niet goed genoeg hebben gedaan. Iedere SEAL-leider – zowel officieren als onderofficieren – is verantwoordelijk voor zijn mannen, punt uit. Dus moeten ze zorgen dat ze hun peloton-SEALs door en door kennen. Ze moeten weten of het verantwoord is het peloton een biertje te laten drinken, of zelfs meer dan een. Zij moeten aan de weet komen welke pelotonsleden de neiging hebben bij knokpartijen betrokken te raken en wie van hen de vredestichters zijn. Als een nieuwkomer nog eenentwintig moet worden, zal hij de BOB moeten zijn die de auto bestuurt. Navy SEALs trekken zich in de regel weinig aan van een preek of een dreigement en ook reageren ze niet positief op straffen, tenzij hun de Trident wordt ontnomen en ze uit de teams worden gezet. Ze laten zich echter wel leiden en zijn allergisch voor het teleurstellen van een maat: ze zullen nooit een maat aan zijn lot overlaten. Dus hoeven de pelotonssergeants-majoor en hun plaatsvervangers weinig meer te doen dan de grenzen te trekken en hun mannen verantwoordelijk te stellen voor hun daden. Dat is hun werk.

Dit boek gaat over de gevorderde training van Navy SEALs en hoe zij zich door training voorbereiden op een operationele inzet in een oorlogszone. Deze kerels zijn krijgslieden, maar er zijn er niet veel onder hen die zich gedragen als krijgsmonniken. Kunnen ze wat luidruchtig worden na een paar biertjes? Beslist. Ik heb met dit soort mannen gediend en met hen omgegaan in hun vrije tijd, dus ik weet waarover ik het heb. Hoewel de huidige generatie Navy-SEALs net zo graag veel plezier maakt en veel behoefte heeft aan kameraadschap als mijn generatie, doen ze dat met meer verantwoordelijkheidsbesef. Daar is een logische reden voor. Vanaf het eerste begin van de BUD/S-training en gedurende de SQT en de tijd in de teams wordt deze mannen verantwoordelijkheid en aansprakelijkheid ingehamerd. Belangrijker is dat de leiders van de operationele eenheden weten dat onverantwoordelijk gedrag impliceert dat zij in gebreke zijn gebleven.

Landoorlog

'Sir, alles in orde? Hoe staat het bij u, sir?' Echo-Rasmussen en Foxtrot-Rasmussen steken hun duim op, wat betekent dat al hun mannen present zijn. 'Mooi, dan kunnen we. Dit is jullie eerste dag van landoorlog en het eerste blok pelotonstraining. Ik ben sergeant Lynn Kunkle. Je mag me Lynn noemen, of ook Uncle, zoals mijn vorige peloton. Tijdens dit trainingsonderdeel ben ik jullie leidinggevende onderofficier. Dat doen ik samen met sergeant-majoor Tom Atkin en sergeant een Sean Billingsly. Wat mezelf betreft: ik ben gegradueerd met BUD/S-klas 184 en ik ben vier keer ingezet geweest met een peloton van Team One en Team Three. Ik heb me vrijwillig voor het trainingsdetachement opgegeven, omdat ik in deze training geloof. Wij zijn hier om ertoe bij te dragen dat jullie de beste strijdvaardige speciale operators ter wereld worden. We zullen van jullie verlangen dat je tijdens de training gefocust blijft en ons helpt jullie voor te bereiden op strijd. Wij willen dat jullie een strijdvaardige mentaliteit handhaven. Blijf tactisch gericht en speel het spel zo realistisch als we het in het kader van een trainingsscenario kunnen maken. De mannen die jullie gaan trainen, zijn heel trots en toegewijd aan dit werk. Van jullie verwachten we hetzelfde. Iedere veldtraining wordt afgesloten met een debriefing. Wij willen dat jullie ons vertellen wat er is gebeurd en wat je allemaal hebt gezien. Daarna zeggen wij wat wij hebben gezien. We zullen na elk trainingsonderdeel kritisch zijn en misschien op iedere slak zout leggen. Verschuil je niet achter een dikke huid, maar benut onze kritiek om je werk beter te doen. Beter hier dan wanneer jullie straks actief-operationeel zijn.

Goed. Er zijn allerlei manieren om dingen te doen. Een van die manieren is de onze: de tactiek die we hebben geleerd van de trainingen van de Teams One, Two en Five. Daarnaast is er de manier die de meesten van jullie tijdens je laatste operationele inzet in praktijk hebben gebracht. Dat zullen we met jullie doornemen. We stáán er echter op dat je nooit voor de gemakkelijkste, verkeerde manier kiest, alleen omdat iets goed doen zwaarder is of meer tijd zal kosten. De elementaire beginselen gaan altijd op. Nieuwkomers, jullie bereiden je hier voor op jullie eerste operationele inzet. Ik vraag van jullie dat jullie vooral aandacht schenken aan ons en de andere veteranen in jullie peloton. Jullie zijn nu volwaardige SEALs en hebt vermoedelijk het idee dat je al je hele leven hebt getraind. Vergeet het! De BUD/S-training, de SQT en de PRODEV-fase hebben jullie alleen maar een plaats aan deze tafel opgeleverd. Van nu af aan zullen jullie veel harder moeten werken. De volgende maanden gaan we jullie leren hoe je moet vechten.

Deze pelotonstraining is voor het grootste deel gebaseerd op scenario's. We besteden zo weinig mogelijk aandacht aan het vergaren van inlichtingen en de tijdrovende missieplanningen. Het enige wat we van jullie willen, is een gedegen plan, en dat je dat ook in het veld uitvoert. Zorg dat je altijd een notitieboek en een potlood bij je hebt. Schrijf de dingen op. Train veilig! Dit is pelotonstraining, dus verwachten we dat jullie allemaal de veiligheidsvoorschriften voor oorlogssituaties in acht nemen. Ik herhaal: de elementaire beginselen gaan altijd op. Er zit maar twaalf uur tussen planning en uitvoering en uitzonderingen op die regel worden niet getolereerd. Als je naar een trainingsblok komt, dien je gefocust te zijn op training. Wij verwachten van iedereen dat hij te allen tijde zelfdiscipline en goed leiderschap demonstreert.

Zijn er nog vragen voordat we beginnen? Niemand? Mooi, dan kunnen we beginnen.

De komende paar dagen zijn we in het instructielokaal en tegen het eind van de week doen we een paar veldoefeningen, dus zorg dat je erbij bent met je hoofd. We gooien jullie een paar dagen lang dood met PowerPoint-presentaties, maar we zullen er gauw genoeg op uitgaan en in de modder duiken. Oké, er is nu vijf minuten pauze, waarna sergeant-majoor Atkins hier zal staan voor de uitrustingsinstructie.'

Lynn Kunkle is opgegroeid in Oregon en dient al veertien jaar bij de Navy. Hij is drieëndertig en hoopt dit jaar bevorderd te worden tot pelotonssergeant-majoor. Hij heeft zich ten doel gesteld straks zelf deel uit te maken van een pelotonstraining. Hij heeft drie jaar bij de vloot gediend en heeft besloten samen met een paar medeopvarenden naar de BUD/S-training te gaan om een SEAL te worden. Zijn maten hebben het niet gehaald, maar Kunkle wel. Hij is praktiserend christen, iets waarover hij alleen in een gesprek onder vier ogen zal praten, maar hij neemt het trainen van SEALs uitermate ernstig. Zijn professionele kennis is even groot als zijn gevoel voor humor. De komiek Bill Murray zou bij Lynn Kunkle in de leer kunnen gaan om een betere Bill Murray te worden. Zijn manier van doen en spreken lijken veel op die van Murray, en ook uiterlijk lijkt hij sprekend op hem. Hij is bijzonder geestig en een uiterst effectieve instructeur.

Sergeant-majoor Atkins, die toezicht op dit onderdeel van de training zal houden, heeft twee uur nodig voor zijn praatje over eerste-, tweede- en derdelijnsuitrusting. Het zou een instructie uit de BUD/S of zelfs de SQT-periode kunnen zijn, maar de informatie gaat dieper. Alle veteranen hebben hun uitrusting op maat gemaakt, maar er is altijd een manier om het nog beter te doen. Atkins legt uit welke van de standaarduitrustingsstukken goed of minder goed werken. Ze praten over de voor- en nadelen van het kogelvrije *Rhodesian-vest* van civiele leveranciers als Blackhawk en London Bridge. Hij legt uit hoeveel beter de Australische poncho of *hootch* is dan de organieke poncho. Het maakt niet uit van welk fabrikaat hij is, hij moet altijd licht met verf worden bespoten om de glans te verdoezelen. Omdat de twee pelotons straks onder het Central Command Middle East vallen, worden ze getraind voor de strijd in de woestijn en in bergachtig gebied, zoals in Irak en Afghanistan. Hun eerste-, tweede- en derdelijnsuitrusting moeten een combinatie van camou-flagepatronen hebben die hen in de woestijn én in de bergen minder zichtbaar moeten maken. Tijdens de training voor een landoorlog zullen ze voornamelijk woestijncamouflage dragen.

Sergeant-majoor Atkins begint aan een litanie van kleine dingen die ze nodig hebben of zullen moeten doen. 'Zorg dat je, als je naar de woestijn of waar dan ook gaat, over de goeie spullen voor het rei-nigen van je wapens beschikt en maak ze iedere dag schoon. Zorg spaart levens. Degenen met een M4: neem een extra geweergrendel mee en koop een lichtgewicht snoeischaar van eersteklaskwaliteit. Niets is beter voor het snoeien van struikgewas als je een schuilplaats moet inrichten. Stop ook een imkershelm in je rugzak. Die houdt de insecten tegen en verdoezelt de contouren van je hoofd als je je op een waarnemerspositie bevindt. Wij gaan jullie niet voorschrijven wat je moet dragen en hoe je dat moet doen. Onze inspecties zijn al-leen gericht op de juiste uitrusting en de manier waarop je die hebt geordend, zodat je gemakkelijk de belangrijkste dingen kunt pak-ken, zoals patronen en verbandmiddelen. Er moet in je peloton ech-ter een standaard zijn waar het de plaats van de eerstehulpkit be-treft.' De lijst van wat beter kan en dingen waarover nagedacht moet worden gaat maar door. De veteranen maken weinig aantekeningen, maar de nieuwkomers krijgen blauwe vingers van het schrijven. Sommigen doen dat in kleine *wheelbooks* die ze in hun zak kunnen meenemen. De meesten hebben echter een groen notitieboekje waarin ze een soort logboek bijhouden.

Later die dag treden beide pelotons aan in volle bepakking. Ze zien er tot op zekere hoogte uniform uit, maar iedere man heeft een iets ander harnas, kogelwerend vest of H-gear voor zijn tweedelijns-uitrusting gekozen. Soms is dat een aanpassing voor de munitie van hun persoonlijke wapen, soms ook omdat iemand linkshandig is, maar af en toe omdat een man iets heeft ontdekt, gemaakt of ge-kocht wat goed werkt.

'Waar heb je dat webvest vandaan?' vraag ik aan een van de SEALs. Het ding zag eruit als het vest dat SEALs in mijn tijd in Vietnam gebruikten: een soort canvasbeha met patroontassen.

'Dat heb ik gevonden, sir, toen we een oude voorraadkast moesten uitruimen.' Hij had nieuwe plastic sluitingen en klittenbandstrips op de patroontassen genaaid. Toen ik hem ernaar vroeg, legde hij uit: 'Die plastic sluitingen gebruik ik als we onderweg zijn; ze zijn heel veilig. Ik kan ze voor een gevecht of meteen na het begin ervan snel losmaken en dan in plaats daarvan het klittenband gebruiken. Zo kan ik mijn magazijnen sneller verwisselen.'

'Heb je er geen last van als je langdurig op je buik moet liggen?' vraagt Lynn Kunkle.

'Geen probleem. Aan de achterkant heb ik een soort tas genaaid voor mijn kaartenmap, triobandage en handschoenen. Ik kan er zelfs een paar powerbars bijdoen. Werkt prima.'

Voor de MK43 en de MK46-schutters zijn er speciale instructiesessies over het configureren van speciale vesten en canvasbanden voor het dragen van het wapen en de munitie. 'Een SEAL-squad op patrouille is altijd meteen te herkennen,' helpt Kunkle me herinneren. 'Zeven of acht gasten die allemaal anders uitgerust zijn maar toch allemaal hetzelfde doen.'

De volgende paar dagen werkt het trainingskader in hoog tempo instructiesessies over veldvaardigheden af. Ze bespreken de basiscamouflage, zowel de persoonlijke camouflage als die voor kampplaatsen tussen nachtelijke verplaatsingen (LUPs) of die voor waarnemingsposten (OPs). Er wordt gesproken over je bewegen in een schuilplaats zonder gezien te worden, en over de grondbeginselen van besluipingen bij verkenningsmissies. De instructeurs nemen de grondregels snel door om verder te kunnen met geavanceerde methodes om dekking te zoeken of je schuil te houden. Ze hebben het over doelwitobservatie, het maken van schetsen, het inschatten van afstanden en het doorgeven van informatie tijdens verkenningen. Ze laten de SEALs oefenen in het maken van schetsen en houden KIM-games (keep-in-mind exercises), oefeningen in het onthouden van zaken tijdens observaties. Hierbij moeten de trainees een scène die ze slechts enkele ogenblikken hebben kunnen waarnemen beschrijven, of een lijst van details van een waargenomen object opsommen.

'Al die spitstechnologie die we tegenwoordig hebben, zoals digitale camera's en Predator-drones, is natuurlijk geweldig,' houdt sergeant Sean Billingsly hun voor, 'maar als er na een directe aanvalsactie nog iets moeten gebeuren, zullen degenen die deze missie leiden naar details van het doelwit vragen. Zoals uit wat voor materiaal een gebouw bestaat, of de deur naar links of naar rechts opengaat, en wat er aan fysieke bewaking wordt gedaan. Wat zou jij willen weten als je er zelf heen moet om een rechtstreekse aanval te ondernemen? Ga er nooit dichter naar toe dan nodig is om de klus te klaren. Als je op driehonderd meter afstand kunt zien wat je wilt zien, hoef je er niet heen tot op honderd meter. Soms valt er ook niets te zien. De jongens die bij Camp Rhino in Afghanistan een verkenningsmissie uitvoerden, hebben dagen achtereen bij het doelwit alleen het zand moeten observeren. Het ging erom dat we met zekerheid wilden weten dat de woestijn leeg was als de mariniers daar zouden landen. Het was vervelend, maar noodzakelijk.'

Echo en Foxtrot krijgen, net als de overige pelotons van Team Five, ook instructie en oefeningen op het gebied van spoorzoeken en besluipen. Zelfs voor sommige veteranen is het de eerste formele training op dit gebied. De instructie wordt weer gegeven door Lynn Kunkle.

'Ik heb een cursus van drie maanden bij de SAS-opleiding voor spoorzoekers in Nieuw-Zeeland gevolgd. Van die gasten heb ik veel opgestoken. We zijn hier wel niet om spoorzoekers van jullie te maken, maar als je weet hoe een spoorzoeker werkt, kun je hem vertragen. Merk op dat ik "vertragen" zei. Een goeie spoorzoeker kan je volgen, wat je ook doet. Ik zal jullie laten zien wat je kunt doen om hem een tijdje op te houden of een poosje te misleiden. Let goed op, want in Camp Billy Machen gaan we je erin trainen. Ten eerste zul je merken hoe gemakkelijk jullie spoor te volgen is, en ten tweede zul je leren hoe je op een effectieve manier van een spoorzoeker afkomt. Spoorzoeken is een visuele bekwaamheid – het is geen magie of iets dergelijks. Spoorzoekers bloeden ook – ze zijn sterfelijk. Als mensen zich door een gebied verplaatsen, laten ze sporen na, zoals de Afrikanen zeggen. De antispoorzoekerskunsten die we jullie gaan leren zijn gevaarlijk. Ze vertragen je opmars en kunnen je tijdens je verplaatsing kwetsbaarder maken. Je hoeft ze niet in praktijk te brengen, tenzij je denkt dat er een kans is dat iemand jullie volgt. Die beslissing is afhankelijk van je operatiegebied en de aard van de missie. In sommige situaties – bijvoorbeeld als je je 's nachts moet schuilhouden – kun je je spoor door iemand laten bewaken. Als jullie inderdaad door een spoorzoeker worden gevolgd en hij geen bataljon slechteriken bij zich heeft, kan de bewaker zijn dag grondig verpesten.'

Tegen het einde van deze week gaan de pelotons voor een nachtveldoefening naar Border Field, ten zuiden van Coronado. Eerst maken de vier quads een verplaatsing bij dag en bouwen ze wat schuilplaatsen. Daar worden de veldrantsoenen gegeten en wordt er gewacht op het donker. De instructeurs installeren zich in een bivak. De squads testen de perimeterbewaking van hun kamp om te zien hoever ze kunnen gaan. 'Als je betrapt of gezien wordt, is dat niet erg – deze nacht. Dit is de eerste en de laatste keer in de pelotonstraining dat je geen straftaken krijgt omdat je tijdens een speciale verkenningsmissie bent betrapt.'

Deze eerste week van instructie en plaatselijk veldwerk is van belang. Het is voor het grootste deel een opfrisweek – alle SEALs hebben dit allemaal eerder gedaan. Net als veel andere zaken tijdens een preoperationele training, moet het echter nog eens worden gedaan, vooral met het oog op de nieuwkomers in de pelotons en de nieuwe SEAL-veteranen in leidende functies. Bovendien geeft dit het kader de gelegenheid zich op subtiele manier vertrouwd te maken met de pelotons die hier moeten worden getraind.

'Deze mannen zijn hier om te worden klaargestoomd voor oorlog,' zegt sergeant-majoor Atkins. 'Dus gaan we ze een stevige pelotonstraining geven.'

Five Echo en Five Foxtrot brengen de volgende dertig dagen door in Camp Billy Machen. Het is hartje zomer, zodat het in de woestijn moordend heet is. Overdag loopt het kwik op tot boven de 38 graden Celsius en vaak zelfs tot 46 graden. De pelotons zijn voornamelijk 's nachts in de weer, maar in feite werken ze dag en nacht door. Er zijn veel overeenkomsten tussen de training van SQT-klas 2-02 en de pelotonstraining. Ze zijn verscheidene dagen druk met opblaasoefeningen en het maken van DHZ-bommen en boobytraps. Nu eens zijn ze in het instructielokaal, dan weer in het veld voor oefeningen met hinderlagen of het oversteken van een mijnenveld. Uiteraard wordt er weer veel geschoten. Er zijn oefeningen in instinctief vuren en granaatwerpen. Ze schieten zowel individueel als in squadverband waarbij alle wapens uit het SEAL-arsenaal worden gebruikt, inclusief de .50-mitrailleur en het mortier, kaliber 60 mm. Overdag en 's nachts zijn er terugtrekoefeningen bij zogenaamd onverwacht vijandelijk contact (IADs). Ze leggen hinderlagen en voeren aanvalsacties uit. Ze oefenen zich in opsporings- en reddingsacties met evacuatie via een helikopter (CSARs). Een groot deel van de landoorlogtraining in de woestijn begint met individuele vaardigheidsoefeningen. Deze gaan al snel over in op scenario's gebaseerde oefeningen, waarbij de SEALs als een team moeten plannen, vuren en vechten. Tezamen verbruiken de pelotons honderden kilo's springstoffen en indrukwekkende hoeveelheden scherpe munitie voor handvuur- en ondersteuningswapens:

126.000 5.56 mm-patronen voor het M4-geweer

75.000 5.56 mm-bandpatronen voor de lichte MK46-mitrailleur

4.000 7.62 mm-patronen voor het M14-geweer

175.000 7.62 mm-bandpatronen voor de MK43-mitrailleur

4.000 .50-mitrailleurpatronen

2.000 7.62 mm-patronen (kort) voor de AK-47

2.000 9 mm-pistoolpatronen

2.000 kaliber 12 hagelpatronen

1.000 40 mm-granaten

750 60 mm-mortiergranaten

26 66 mm-raketten (LAAW)

150 84 mm-raketten (Carl Gustav, alle typen)

40 84 mm-antitankraketten (AT4)

200 handgranaten

Al deze munitie wordt echter niet klakkeloos over de woestijn verspreid. Alles staat volledig in dienst van de verbetering van de persoonlijke vaardigheden en de op scenario's gebaseerde veldtrainingen waarbij met scherp wordt geschoten. Het oefenschema lijkt veel op dat van de SQT-oefenstof in Camp Billy Machen. De peloton-SEALs doen oefeningen in accuraat schieten op de sluipschuttersbaan. Er worden ook rattle-battletrainingen gedaan, want er is geen alternatief voor rennen, onderweg vuren, onder het lopen een magazijn verwisselen en weer vuren. Er worden scores bijgehouden en bekendgemaakt op het mededelingenbord. Er zijn dus winnaars en verliezers. Wie is goed en wie is beter? Dit zijn begrippen die diep verankerd zijn in de cultuur van de teams. Toch gaat het grootste deel van de training nog een stap verder dan de SQT.

Naast de bekende demolitietraining en berekeningen van de explosiekracht van springstofhoeveelheden zijn er instructies in het zelf maken van bommen. Het ene peloton maakt boobytraps van springstoffen die via draden op enige afstand kunnen worden geactiveerd. Het andere peloton moet 's nachts door het terrein trekken en daarbij proberen de struikeldraden en drukplaten die de trainingsladingen activeren te mijden. Als dat niet lukt (zoals vaak gebeurt) boezemt dat iedereen veel angst in. Het is zenuwslopend en fysiek vermoeiend werk: de voorste man zweet peentjes als de patrouille zich een weg zoekt door het terrein vol boobytraps.

De cursussen voor de voorste man en de oefeningen in instinctief vuren zijn veelomvattend en complexer dan tijdens de SEAL-kwalificatietraining. Bij een bepaalde oefening moeten de individuele SEALs een voorgeschreven route volgen en op opklappende silhouetten vuren. Onderweg zijn er zaken van tactisch belang die in acht moeten worden genomen: het blik van een veldrantsoen, achtergelaten granaathulzen, misschien een sigarettenpeuk of een reepwikkel. Het doelwit is een klein, verlaten huis. De peloton-SEAL krijgt slechts enkele minuten de tijd om het huis te doorzoeken op dingen die informatie over de vijand kunnen verraden, en tevens observaties te doen: een soort KIM-spel in het veld. Er zijn niet alleen boobytraps langs de route verborgen, maar ook in het huis. Op de terugweg stuiten ze op nog meer booby-traps, voorwerpen op de grond en opklappende silhouetten waarop gevuurd moet worden. De les eindigt echter niet als de veldtraining erop zit. Debriefings zijn dan bijzonder belangrijk, omdat ze deze oefening nog vele keren zullen herhalen. Niet altijd langs dezelfde route, maar de vaardigheden in verplaatsing, snel reageren en waarnemen worden dankzij de vele herhalingen beter. Ook nu worden de scores bekendgemaakt: er zijn winnaars en verliezers.

De mitrailleurschutters oefenen dagen achtereen met de MK43 en de MK46. Ze werken met verschillende manieren om de zware last van wapen en munitie mee te dragen en oefenen zich in vuur- en herlaadmethoden: dozen – geen magazijnen. Ze rennen, vuren, ploffen neer in het zand en leren hoe ze hun lichte mitrailleurs effectief kunnen gebruiken ter ondersteuning van de geweerschutters in het peloton. Zo gaat het door – drie dagen achtereen, met volautomatische wapens. Er zijn dingen die een mitrailleurschutter tijdens een vuurgevecht niet kan doen, en er zijn dingen die alleen hij kan doen. Er moet van alles en nog wat worden geleerd en opnieuw geleerd – het is herhalen en nog eens herhalen. Hoe neem je een reservewapen mee; hoe onderhoud je je wapen in het veld; hoe corrigeer je een vastloper; hoe vullen de MK43 en de MK46 elkaar aan; hoeveel extra water neem je mee (want de mitrailleurschutters dragen vaak de zwaarste lasten)? Omdat de MK46 een recente aanvulling op het arsenaal is, is deze wat zwaardere mitrailleur voor veel mitrailleurschutters nieuw. Op sommige missies zullen ze misschien een exemplaar van beide kalibers mee moeten sjouwen. Voor andere missies zijn misschien zelfs twee MK43s en twee MK46s vereist – of helemaal geen mitrailleur. Als een klein squad een speciale missie moet verrichten, is er misschien geen behoefte aan een mitrailleur, maar *als* je er een nodig hebt, heb je die ook *nodig*. Een SEAL-mitrailleurschutter zal dan de Pig met vierhonderd bandpatronen moeten meesjouwen voor die kans van een op de honderd dat je dat wapen echt nodig hebt.

De peloton-SEALs leren hoe ze het M4-geweer met de M203-granaatwerper als een systeem kunnen gebruiken. Met de M4 kan hij een vijand op driehonderd meter afstand dodelijk raken. Hij kan het zelfs op grotere afstanden als hij er goed in is, of als hij een 4X-telescoopvizier op zijn wapen heeft.

Als hij een M203 onder zijn wapen heeft geklikt, kan hij met een granaat eveneens een vijand tot maximaal driehonderd meter dodelijk raken. Belangrijker is echter dat dit ook kan als de vijand zich verborgen houdt. De M203 is een wapen dat indirect vuur afgeeft, zodat een granaat over een heuveltje of verhoogde berm kan worden gelobd om zijn doelwit te vinden. De meeste veteranen passen met de M203 de *Kentucky-windage* toe: dit is een correctie ter compensatie van zijwind of de verplaatsing van een bewegend doel, in plaats van dat de elevatie van het vizier wordt bijgesteld. De nieuwe SEALs brengen het er uitstekend af. Het kabaal van de oefeningen met de M4/M203-combinatie is duidelijk herkenbaar: *Bang! Bang! Tonk! Boem!* De peloton-SEALs doen ook dynamische oefeningen om te leren vuren op de plaats waar de vijand heen gaat in plaats van op zijn positie van enkele ogenblikken eerder. Ook leren ze de M203 gebruiken als een dekkingsvuurwapen dat de vijand dwingt zich gedrukt te houden terwijl de SEALs een betere positie zoeken voor een dodelijk schot met hun M4. Deze training gaat veel verder dan de SQT, toen ze op grote stilstaande doelwitten op een granaatbaan vuurden.

Ook de terugtrekoefeningen overdag en 's nachts gaan een stap verder dan tijdens de SQT: niet zozeer inhoudelijk als wel qua hevigheid en de druk op het leiderschap. Tijdens de SQT volgden deze trainingen in vuren met scherp en manoeuvreren een strakke choreografie met veel toezicht van de instructeurs. Tijdens de pelotonstrainingen bepalen de pelotonsleiders hoe er wordt gemanoeuvreerd. Zoals voor iedere veldtraining met een verhoogd risico gebeurt, worden deze IADs eveneens grondig van tevoren doorgenomen: lopen voordat er wordt gerend, overdag en 's nachts. Daarna voeren ze de oefeningen keer op keer uit, waarbij de IAD zelf het doel van de training is. Andere keren wordt er op basis van geïmproviseerde scenario's getraind op woestijnoperaties met een directe aanval op een doelwit, een opsporings- en reddingsoefening en andere aanvalsacties. De instructeurs waken met arendsogen over de discipline en de uitvoering van de pelotons. Ze observeren de professionele vaardigheden van individuele SEALs, maar ook houden ze de leiders van het peloton consequent in het oog. Reageren de officieren en onderofficieren snel, effectief en veilig op een dreigend gevaar? Zijn ze wel opgewassen tegen een nachtelijk vuurgevecht met verplaatsing als ze uitgeput zijn en een tijdlang niet hebben kunnen slapen? Kunnen ze improviseren? Kunnen ze dat nacht na nacht opbrengen? Dit trainingsniveau en dit tempo vereisen de uiterste inspanningen van zelfs de besten in dit handwerk. De training is nooit voorbij – niet voor een Navy SEAL en helemaal niet voor een SEAL-peloton dat zich op oorlog voorbereidt.

Er zijn trainingen en uitrustingsstukken die de nieuwe SEALs en zelfs sommige veteranen nooit hebben gezien. Nachtkijkers, satellietzender/ontvangers en gps-navigatietoestellen – het wordt allemaal steeds kleiner en elk jaar gebruiksvriendelijker. Veel ervan is gewoon in de handel, maar aangepast voor militair gebruik. Ook zijn er grote veranderingen op het gebied van mobiliteit, vooral ten aanzien van de voertuigen waarmee de SEALs in een woestijn of in bergachtig gebied trainen. Zo zijn er speciale voertuigen voor woestijnpatrouilles (Desert Patrol Vehicle of DPVs) en speciaal uitgeruste HMMWVs (High-Mobility Multipurpose Wheeled Vehicles), beter bekend als speciaal uitgevoerde Humvees of kortweg Hummers. Beide voertuigen zijn voortgekomen uit de technologie voor terreinracewagens, aangepast voor speciale operaties. De SEALs hebben jarenlang gebruikgemaakt van duinbuggy's voor woestijnverplaatsingen. Deze nieuwe versies zijn sterker en in sommige gevallen ook groter. Ze kunnen worden aangepast om in uiteenlopende behoeften en missies van SEALs te voorzien. De onderhouds- en besturingseisen veranderen mee met de voertuigen en de toegepaste tactiek. Het gebruik van de Humvee door SEALs is betrekkelijk nieuw, daarom heeft Naval Special Warfare Ray Hall International ingeschakeld. Dit bedrijf is een competitieve terreinvoertuigenspecialist die zich toelegt op de aanpassing van de Hummer voor terreinraces als de Dakar-rally. SEALs doen niet aan woestijnraces, maar ze zien wel in dat mensen die met Hummers racen over waardevolle kennis voor bestuurders van militaire terreinwagens beschikken. De medewerkers van Hall leren de SEALs rijden en maken hun duidelijk wat een Hummer wel en niet kan. Ze leren procedures voor onderhoud in een basiskamp en onderhoud in het veld en komen aan de weet welke onderdelen kapot kunnen gaan en welke waarschijnlijk nooit defect raken. Zo'n voertuig wordt niet alleen zwaar belast tijdens een woestijnrally, maar ook tijdens speciale operaties. Met de hulp van Ray Hall en zijn race-experts kunnen SEALs een overzicht van de kwetsbare onderdelen van Hummers aanleggen, zodat ze de juiste types en voldoende aantallen reserveonderdelen kunnen meenemen. Het is een van de vele manieren waarop winnen profijtelijk is.

Uiteraard worden zaken als missieplanning, de complexe bevels- en controlestructuur, verbindingen en de infrastructuur voor operationele steun die inherent zijn aan iedere speciale operatiemissie niet over het hoofd gezien, maar ze worden in sterk gecomprimeerde vorm behandeld om zoveel mogelijk tijd voor veldtrainingen te sparen. De 'ingeblikte' missiescenario's benaderen echter steeds de echte gang van zaken in de praktijk, waarbij rekening wordt gehouden met allerlei eventualiteiten waarmee SEALs op dit moment te maken hebben, of die zich in de toekomst kunnen voordoen. Er zijn tal van geheime capaciteiten op het gebied van missieondersteuning, naast operationele steunsystemen 'op afroep', maar een bespreking daarvan zou het bestek van dit boek ver te buiten gaan. Het instrumentarium dat SEAL-elementen in het veld ter beschikking staat is zeer indrukwekkend en groeit nog steeds, net als hun professionele vaardigheden en kennis.

Een belangrijk oogmerk van de pelotonstraining in Camp Billy Machen is – bij gebrek aan een betere term – het bevorderen van de *bonding* tussen de pelotonsleden. Sommige SEALs zijn samen ingezet geweest en sommige zelfs meerdere keren. Er zijn echter nieuwe SEALs in het peloton, en veteranen die in dit peloton nieuw zijn. Hoeveel ervaren SEALs ook uit eerdere inzetten hebben geleerd – de tijden veranderen en de dingen veranderen mee. De veteranen in het peloton zijn twee jaar ouder – en twee jaar volwassener – dan tijdens hun vorige preoperationele training. Voor twee veteranen in het Echo- en het Foxtrot-peloton wordt dit hun eerste operationele inzet als getrouwd man. Voor veel anderen is dit hun eerste operationele inzet sinds 11 september 2001. Dit keer kunnen ze vrijwel met zekerheid verwachten dat ze zullen moeten strijden. Het gros van de mannen met wie ik heb gepraat, zou uitermate teleurgesteld zijn als er strijd wordt gevoerd waaraan zij niet zelf kunnen deelnemen. De stuwkracht achter de veranderingen in een peloton komt voornamelijk voort uit de nieuwkomers en de mutaties in het leiderschap. Nieuwkomers zijn groentjes, maar dankzij het uitstekende werk van de trainingskaders, van zowel de basis- als de geavanceerde opleiding, zijn deze nieuwkomers technisch goed voorbereid. Ze luisteren goed, werken hard en passen zich snel aan bij de pelotonscultuur. Maar het zijn de officieren en onderofficieren in het peloton die de sfeer bepalen en de toon aangeven.

'Het is maar goed dat we dit landoorlogtrainingsblok van vier weken in het begin van de pelotonstraining hebben,' legt sergeantmajoor Cal Rutledge uit. 'Tijdens de ontwikkelingsfase lag het accent vooral op individuele training. En áls we al aan pelotonstraining deden, duurde dat nooit langer dan een dag of twee. Soms krijg je pas echt eenheid in een peloton als je uit de teamcompound weggaat en loskomt van de dagelijkse routine van 's morgens aan de gang en 's avonds naar huis. De hemel weet dat we onze gezinnen veel te weinig zien, maar we moeten als groep weg van The Strand om het zover te brengen. Als pelotonssergeant-majoor moet ik mijn jongens als een team zien werken om te kunnen beoordelen hoe we in de rol van een squad of die van een peloton presteren. Bovendien moet ik ze aan het werk kunnen zien als ze doodop zijn – echt uitgeput. Ik wil zien hoe mijn onderofficieren leiden en vermoedelijk moeten zij mij aan de gang zien met de mannen. Het is echt een cruciale periode voor de pelotonsleider om echt greep te krijgen op zijn peloton. Het is een grote overgang voor hem, en een zware verantwoordelijkheid. Zo komt aan het licht of hij deze taak aankan en of hij de jongens zover krijgt dat ze mentaal én fysiek klaar zijn voor de training: dag in dag uit op tijd, zonder mankeren. We blijven nu zeven etmalen van de week aan het werk. Wij krijgen weinig slaap en raken misschien wat gauw aangebrand, maar het werk moet gebeuren. De pelotonsleider is de spil van de groep en de jongens van Echo weten dat.'

Sergeant-majoor Hanford van het Foxtrot-peloton is het met hem eens. 'We zullen nog heel wat aan veldtraining doen voordat we naar het operatiegebied gaan, maar deze eerste keer is bijzonder belangrijk. Ikzelf en mijn pelotonsleider komen zo veel aan de weet over de mannen en onze officieren. Vooral als we aan de hoofdmoot van de training bezig zijn. De dagen zijn moordend en de nachten zijn lang. We worden gesloopt, maar moeten evengoed functioneren en presteren – als een team. Af en toe gaan we na een dag schieten op de baan niet het veld in, zodat we samen ontspannen wat biertjes kunnen drinken. Een paar van de jongens drinken niet, maar een bier of sportdrankje – dat maakt niet uit. Ook zullen we een paar keer de stad in kunnen voor een broodje en zijn we even weg uit de kampsleur. Dat is van groot belang. Pelotons hebben een persoonlijkheid, net als mensen. De jongens gaan van de ene groep naar de andere en van de ene operationele inzet naar de volgende. Ik ben er verantwoordelijk voor dat mijn peloton een goede persoonlijkheid ontwikkelt – zodat we ons behaaglijk voelen met elkaar. Als de pelotonsleider of ik buiten dienst iets zien wat niet door de beugel kan of iets wat volgens ons afbreuk doet aan onze gevechtskracht, zitten we er bovenop.'

'Hoe ga je om met interne problemen?' vraag ik.

De beide sergeants-majoor volgen ieder een eigen aanpak.

'Ik ben tamelijk proactief,' zegt Will Hanford. 'Misschien vinden sommigen dat ik een bemoeial ben. Ik wil de problemen echter voor zijn, zowel naar boven als naar beneden in de bevelshiërarchie. Van tijd tot tijd houd ik een kankersessie met het peloton. Dat geeft ze de kans alle gezeik en gemopper uit de weg te ruimen. Als de jongens problemen hebben met het leiderschap van het peloton of het verloop van de trainingen, komt dat op tafel en lossen we het op. Zo kan iedereen stoom afblazen. Meestal leer ik er iets van en in elk geval houden we het peloton vrij van spanningen. Het functioneert vrij goed.'

Sergeant-majoor Rutledge is omzichtiger. 'Ik werk nauw samen met mijn pelotonsleider als er zich problemen voordoen. John heeft er een antenne voor als een van de jongens ergens de pest over in heeft of niet gelukkig is met iets. Hij is goed in communiceren en de meest problemen bereiken mij nooit, al zullen we er vaak over praten. Nu eens voordat John er iets aan moet doen, dan weer pas daarna. Als ik erbij betrokken raak, gaat het meestal om een persoonlijk probleem. Iets waaraan we samen moeten werken, of wat we misschien zelfs moeten voorleggen aan luitenant Rasmussen. Als er één ding is waarvoor we ons allemaal inzetten, is het wel zorgen voor een oplossing die het probleem uit de wereld helpt, zodat we ons weer aan de training kunnen wijden. We hebben een zware klus voor de boeg en de kans dat dit een oorlogsinzet wordt is groot. We hebben niet zoveel voorbereidingstijd als we zouden willen, maar zo is het nu eenmaal altijd.'

De laatste trainingsweek in Camp Billy Machen bestaat uit de meest intensieve, op scenario's gebaseerde veldoefeningen. Iedere ochtend om tien uur krijgen de pelotons een probleem voorgeschoteld: een speciale verkenning, een directe aanval, een opsporings- en bergingsactie, de bevrijding van een krijgsgevangene of een combinatie van al deze aspecten. De missieplanningsfase wordt bekort om zoveel mogelijk veldtijd over te houden. Het trainingskader verwacht wel een gedegen briefingsconcept voor de operatie, plus een goed basisplan. De pelotons overleggen over wat zij voor steun en aanvullende inlichtingen nodig zullen hebben, voorzover ze die in alle redelijkheid in een echte gevechtssituatie mogen verwachten. Dan geven de pelotonscommandanten een aankondigingsbevel en gaan de mannen hun uitrusting in orde maken. De middagen zijn meestal gewijd aan repetities en doelwittijdoefeningen (TOTs). Dit is in de ergste hitte van de dag zwaar werk, vooral met volle bepakking, maar deze repetities zijn van levensbelang. Dus nemen ze het missieplan in de hete middagzon keer op keer opnieuw 'droog' door en drinken ze liters en liters water.

'Dit is een ongelooflijke trainingsperiode voor ons geweest,' weet luitenant John Rasmussen van het Echo-peloton. 'Dit is mijn derde

pelotonstraining, maar ik heb het nooit eerder zo zwaar meegemaakt. Het was levensecht, het tempo was moordend en iedere
avond kregen we iets opgedragen wat ons dwong tot improviseren of
tot het onderweg bijstellen van onze tactische aanpak. Er waren zelfs
vaak gevechtshelikopters voor oefeningen met nabije luchtsteun beschikbaar. We hebben in een tijdsbestek van acht dagen zeven missies
uitgevoerd en iedere nacht was het rennen en vuren geblazen. De
planning is belangrijk, uiteraard, of zelfs doorslaggevend, maar
dankzij alle dagelijkse herhalingen en nachtelijke missies zijn we tactisch veel scherper geworden. Onze jongens manoeuvreren nu vlot
en soepel en het moreel in het peloton had niet beter kunnen zijn.'

De Foxtrot-Rasmussen, Phil, zei ongeveer hetzelfde. 'Ja, dit was
een prima training, vooral ook de IADs. Ik wil wedden dat we iedere
dag een andere terugtrektraining hebben gedaan. We wisten dat we
een aanval konden verwachten, alleen niet waar of wanneer of van
welke aard het gevaar zou zijn. Het kader heeft ons echt zwaar op de
proef gesteld. Ze hebben heel wat springladingen en namaakbom-
men tegen ons in het veld gebracht. Zij waren ook de hele nacht
door actief, maar dan als vijandelijke strijders, en zo maakten ze het
zo echt mogelijk. Je kon zien dat ze veel tijd in de doelwitten hadden
gestoken. De mannen in het peloton zullen zich nooit voor de volle
honderd procent inzetten, tenzij ze wel moeten. Dit was werkelijk de
beste landoorlogtraining die ik ooit in de teams heb gehad.'

John beaamt de mening van zijn broer. 'Ik kan niet genoeg de loftrompet steken over het trainingskader. Zij werkten even hard – en
vaak zelfs harder – dan wijzelf. Ik heb ze meer dan eens voor zich uit
zien staren, doodop. Zij hebben de training heel serieus genomen.
Als wij straks moeten vechten, zullen we er klaar voor zijn – en dat
hebben wij dan aan hen te danken.'

Na vier weken in Camp Billy Machen kunnen de pelotons van vier
vrije dagen genieten, voordat ze weer de woestijn in gaan. Deze keer
is het een andere woestijn. Ze vliegen naar Fort Hood in Texas, waar
de landmacht manoeuvres houdt met tanks en pantservoertuigen.
Veel van de pantsercolonnes die in maart en april 2003 Irak onder de

voet liepen, zijn hier getraind. Nu kunnen Five Echo en Five Foxtrot hun vaardigheden op het gebied van de landoorlog in een andere locatie aanscherpen en de landmacht bespioneren. Ook zullen ze terugtrekmaoeuvres, doelwittijdoefeningen en opsporings- en reddingsacties doen, maar het accent ligt op speciale verkenningen. In Fort Hood brengen ze het grootste deel van hun tijd door in het veld, met hun complete eerste-, tweede- en derdelijnsuitrusting, de gezichten onder de camouflageverf, exact zoals het geval zal zijn onder oorlogsomstandigheden.

Halverwege hun training in Fort Hood gaan ze eropuit voor een tweedaagse surveillance-oefening. Zonder waarschuwing vooraf worden de pelotons na achttien uur teruggeroepen en krijgen ze een nieuwe opdracht. Dit keer blijven ze voor langer dan vier dagen in het veld: ze houden zich overdag schuil om in het nachtelijk duister besluipingen en waarnemingsoefeningen te doen. Soms stuurt de landmacht beveiligingspatrouilles uit, maar niet altijd. Dit geeft de SEAL-pelotons een zeldzame kans om elementen van vijandelijke strijdkrachten te bespieden en informatie over hun samenstelling en dispositie door te geven aan hun hoofdkwartier, precies zoals speciale teams tijdens de Golfoorlog de divisies van de Republikeinse Garde in Irak hebben bespioneerd. In de regel houden de pelotons zich overdag schuil en verplaatsen ze zich 's nachts, hoewel deze oefening hen ook noodzaakt tot dagverplaatsingen om zich daarin te oefenen.

Voor mij was dit een belangrijk trainingsblok,' bekende een radioman me. 'Ik moest mijn communicatievensters regelen, zodat we de verkenningsrapporten konden versturen. De sluipschutters waren weg om foto's te nemen. dus moest ik veel beeldmateriaal verwerken. We moesten ook gedetailleerde rapportages maken over wat er nodig was als we er elementen van de hoofdmacht bij nodig mochten hebben – of wat de beste routes heen en terug waren, of waar de beste landingszones voor helikopters lagen en noem maar op. Het was een prima training.'

'Wij kwamen er dicht genoeg bij om de kentekens van hun Hummers te kunnen lezen en een paar van hun oproepcodes af te luisteren als ze hun zender/ontvangers gebruikten,' meldde een van de peloton-SEALs. 'We hebben een paar keer op een haar na een botsing met een van hun patrouilles vermeden, maar we zijn nooit betrapt. Nou ja, op die ene keer na.'

'O?' zeg ik.

Hij moet lachen. 'We zaten die avond in onze schuilplaats en hoorden om ons heen struikgewas ritselen en takken kraken. Plotseling hadden we een wild muildierhert in ons midden. Hij rende mij omver en trapte op nog twee andere jongens. We schrokken ons het lazarus. Eerst dacht ik dat Uncle Kunkle of een van de andere instructeurs een geintje met ons uithaalde omdat ze onze schuilplaats hadden ontdekt. Het was echter een hert. Frankie heeft de afdruk van zijn gespleten hoef nog midden op zijn rug. Hij werd getrapt.'

'Nog ongedierte tegengekomen?'

'Alleen slangen. Het barst er van de ratelslangen en we hebben zelfs een koraalslang gezien.' Hij ziet het ongeloof op mijn gezicht. 'Eerlijk. Hij had gele ringen. Schoof dwars door onze schuilplaats. Slapen is belangrijk als je op verkenning bent. Het valt echter niet mee te slapen als er koraalslangen door je schuilplaats kronkelen.'

Na zestien dagen in Fort Hood keert het peloton terug naar The Strand. De mannen krijgen enkele dagen verlof en moeten dan weer drie weken aan de bak voor de Combat Qualification Course (CQC). Dit is het slot van de formele landoorlogtraining, maar ze zullen tijdens de pelotontraining deze vaardigheden nog diverse keren opfrissen.

Wedstrijdschieten

De gevechtskwalificatiecursus (CQC) bestaat grotendeels uit schietoefeningen, ook binnenshuis. Tot voor kort hebben SEALs in Irak en Afghanistan door woestijnen en in bergachtig terrein geopereerd: langeafstandsverplaatsingen in vijandige omgevingen. SEALs moeten echter ook goed in kleine ruimten kunnen vechten. Dit betekent je vechtend van huis tot huis een weg banen door een bebouwing, of van hut naar hut aan boord van een zeeschip. De dramatische gebeurtenissen in Irak en Afghanistan hebben de aandacht van heel Amerika gevestigd op speciale operaties in uitgestrekte regio's. Zo nu en dan worden deze verplaatsingsoperaties afgewisseld met bloedige, kleinschalige gevechten in een dorp of stadje. Als je in een kleine ruimte bent en de tegenpartij over vuurwapens beschikt, zijn luchtsteun en precisiebombardementen van geen enkel nut. Adjudant-onderofficier Trent Larson is belast met de CQC-training voor Five Echo en Five Foxtrot.

'Peloton-SEALs zijn goeie schutters en ze weten, afgezien van de nieuwkomers, hoe je in kleine ruimten moet vechten. De komende drie weken gaan we hen helpen hun vuurtechnieken te verbeteren en de teamvaardigheden te ontwikkelen die je nodig hebt om veilig een door vijanden bezet gebouw binnen te dringen en te bezetten.'

Foxtrot en Echo beginnen hun gevechtskwalificatietraining in Camp Pendleton. Op een heuvel boven de schietbanen liggen een gevechtsbaan voor strijd van nabij met handvuurwapens en een kill house of oefenloods vol obstakels. De schietbaan stelt schutters – net als in La Posta – in staat, zich te verplaatsen en afwisselend met hun primaire en secundaire wapens op doelwitten te vuren. De pelotons doen dit uren achtereen: het is voortdurend rennen, vuren, magazijn wisselen en van wapen veranderen. Ze werken individueel of in koppels. De sergeants-majoor leiden zelf de training en plaatsen hen voor doelwitten die met uiteenlopende doelstellingen moeten worden benaderd. Ze concentreren zich voornamelijk op de schietvaardigheid en op soepele overgangen tussen de onderdelen. Er zijn echter ook geklokte oefeningen waarvoor scores worden bijgehouden – winnaars en verliezers. Opgetogen zag ik dat de recente SQT-gegradueerden prima konden wedijveren met de veteranen. De nieuwste SEAL, een jonge onderofficier van klas 2-02, schoot zelfs beter dan de meesten.

De gevechtsschutters dragen een kogelwerend vest en een helm van kevlar. Aan hun tweedelijnsuitrusting hebben ze een heel assortiment van braakgereedschappen hangen: een bijl, een koevoet, een zware draadkniptang en zelfs een moker – het basisgereedschap van de inbreker. Ze dragen nu gemodificeerde M4s, maar geen MP5-pistoolmitrailleur. Het schieten in besloten ruimten doen de SEALs met een primair wapen, kaliber 5.56 mm. Ik heb enkele SEALs naar de reden gevraagd.

'Het is minder erg dan ik had gedacht,' zei een van de veteranen van Foxtrot, die me zijn M4 met verkorte loop liet zien. 'Hij wipt wat verder omhoog dan de MP5, maar daar wen je aan. Het is een wapen dat we heel goed kennen en zelf vind ik dat de .556 patroon zijn waarde in een vuurgevecht heeft bewezen. Hij heeft wel niet dezelfde slagkracht als de 9 mm, maar het is een veel lichter wapen dat zeer geschikt is voor vechten in besloten ruimten.'

'En als je weer in de openlucht bent?'

'Dan neem je de lange loop uit je rugzak en kun je er weer tegenaan.'

De oefenloods van Camp Pendleton is slechts het eerste van de vele kill houses waarin de SEAL-pelotons trainen. Zulke trainingsfaciliteiten zijn uitermate kostbaar, want ze worden speciaal gebouwd voor de training met scherpe patronen. Ze zijn voorzien van verplaatsbare scheidingswanden. De muren zijn met een dikke laag rubber bekleed om het gevaar van ketsende kogels of fragmenten ervan te minimaliseren. Het kill house van Pendleton heeft zelfs drie verdiepingen, met normale deuren én scheepsluiken boven interne en externe trappen en ladders. De SEALs moeten niet alleen in een gebouw, maar ook in het inwendige van een zeeschip kunnen vechten. Er is een aantal uiteenlopende trainingsscenario's waarmee gevechtsschutters voor verschillende problemen worden geplaatst. Er zijn zelfs configuraties mogelijk die de SEAL de kans geven het abseilen te oefenen tijdens vuurgevechten in besloten ruimten. Geschoten wordt op doelpersonen: kartonnen silhouetten van mannen en vrouwen in alle mogelijke kleding, nu eens gewapend, dan weer niet. In het ene scenario heeft ze een wapen in haar hand en even later ziet de schutter dezelfde vrouw voor zich, maar nu heeft ze een portemonnee in haar hand. In het eerste geval moet hij vuren, in het tweede niet.

De training in de oefenloods begint in wandeltempo om de schutterskoppels te leren samenwerken. Er is een aantal verbale commando's en er zijn verscheidene handsignalen die moeten worden gerepeteerd.

'*Move... Move...*' hoor je telkens. Als de schutters op verzet stuiten, moeten de 'goeien' hun partners duidelijk maken wat er gaande is. Steeds als ze zich verplaatsen, moeten ze dat zeggen om hun partner te laten weten wat ze doen. En als er mogelijk gevaar dreigt, moeten ze dat ook laten weten. In sommige situaties moeten de schutters zich rug aan rug verplaatsen, of moet de een het 'schootsveld' van de ander kruisen. Bij het binnendringen van een ruimte hebben ze allebei een sector waarvoor ze verantwoordelijk zijn: de eerste moet zich ervan overtuigen dat de kust veilig is en zijn partner dat laten weten. Het moet allemaal vaak worden herhaald, want het moet snel in zijn werk gaan: elimineer direct gevaar, veeg je sector schoon, let op obstakels of onbekende dingen en controleer iedere deur en kast. Er wordt niet alleen in koppels, maar ook in teams van vier man geoefend. Keer op keer leveren de instructeurs commentaar en iedere keer verlopen de droge schietoefeningen wat sneller en soepeler. Dan wordt het tijd de wapens te laden met scherp.

Nu wordt het kill house *hot*, want bij het binnendringen van ruimten wordt met scherp geschoten. Als een silhouet een wapen heeft, wordt er een kogel doorheen gejaagd. Als dat niet het geval is, wordt de 'persoon' tot onderwerping gedwongen: '*Get down! On the floor!*' Het ongewapende silhouet wordt tegen de grond geslagen en de schutters dringen verder op om de ruimte 'schoon te vegen'.

'*Clear left!*'

'*Clear right!*'

Als er een tweede ruimte moet worden schoongeveegd, posteren de schutters zich ieder aan een kant van de deur en bereiden ze zich voor op de volgende entree. De peloton-SEALs ruilen steeds van partner, zodat iedereen telkens met een ander pelotonslid kan oefenen. Dit bevordert het vertrouwen in het peloton en de schoonveegprocedure. Deze oefeningen worden met zowel het primaire als secundaire persoonlijke wapen gedaan. De knal van de M4 met verkorte loop in een besloten ruimte is oorverdovend. Het is een enerverende actie, maar het is ook een verhitte, vermoeiende reeks van herhalingen. Het is voor sommige veteranen een kans om hun schietvaardigheid in besloten ruimten aan te scherpen. Voor de nieuwkomers is het de eerste keer dat ze met scherpe patronen in een kill house schieten. En voor alle SEALs is het tevens de eerste keer dat ze met een M4 met verkorte loop in een besloten ruimte met scherp schieten. Na een week trainen in Pendleton zijn ze klaar voor de Shaw School.

De beide NSW Groups proberen hun pelotons altijd een week te laten oefenen in een burgerschietschool. Er zijn er verschillende, maar de SEALs zien het Mid-South Institute of Self-Defense Shooting in Memphis (MSISDS) als de beste van allemaal. Ze noemen deze schietschool kortweg de Shaw School, naar de oprichter, John Shaw. De school onderricht gevechtsschutters van diverse speciale strijdkrachten en politieorganisaties. De MSISDS beschikt over een van de beste oefenloodsen. De schietinstructeurs helpen iedereen om zijn schietvaardigheid te verfijnen en maken hem vertrouwd met de nieuwste procedures voor het schoonvegen van ruimten en stadsguerrillamethoden. Het Echo- en het Foxtrot-peloton van Team Five blijven met hun instructeurs een hele week oefenen bij Shaw. Ze doen hier vrijwel dezelfde dingen als in Camp Pendleton, maar nu in een ander kill house. Ook vindt de training onder auspiciën van de eigen TRADET-instructeurs plaats. De Shaw-instructeurs zijn bij de hand om te helpen, maar de training zelf wordt door de eigen instructeurs geleid. Na de *Shaw Week* gaan de beide pelotons terug naar Pendleton om in de oefenloods daar nog meer te trainen op teamwork en schoonveegprocedures met scherpe munitie. Gedurende de derde en laatste CQC-week bestormen de SEALs het kill house nadat ze op korte afstand door een helikopter aan de grond zijn gezet, of vanuit de helikopter aan touwen zijn neergedaald op het dak. Hierbij wordt steeds met scherp geschoten. Al doende raken de peloton-SEALs steeds beter vertrouwd met de M4 met korte loop en de overgang van de M4 naar het Sig Sauer-pistool. Het voornaamste is echter dat ze vertrouwd raken met het met een partner binnendringen van ruimten waarin met scherp wordt geschoten. Oefening baart kunst.

MOUT en verder

Alweer een militair acroniem. Het betekent: Military Operations in Urban Terrain – militaire operaties in bebouwde omgeving. Deze stadsgevechtstraining is een logisch verlengstuk van de CQC of gevechtskwalificatietraining. In het laatste geval ligt het accent op gevechten binnenshuis; de MOUT-training omvat ook het veroveren van straten en pleinen. SEALs moeten voorbereid zijn op situaties waarin ze een vijandige bebouwde kom moeten binnendringen om dan in een bepaald gebouw ruimten schoon te vegen. Vaak is daar meer mankracht voor nodig, en soms komen er ook voertuigen aan te pas.

'Er wordt bij deze training veel gemanoeuvreerd,' legt John Rasmussen uit. 'We trainen met beide pelotons tegelijk om ze te leren hoe ze elkaar moeten ondersteunen. Als de doelpersoon zich in een gebouw bevindt, moet een deel van de groep de buitenruimte beheersen terwijl anderen naar binnen gaan om de missie te voltooien. Zoals altijd gebeurt alles in het begin in wandeltempo, voordat we volgas geven. Voor deze training maken we altijd gebruik van de oefenstad bij Fort Ort op het schiereiland Monterey Bay. Het is een ongelooflijke ervaring. We vragen de militaire basis daar om vrijwilligers, die voor ons als vijandige burgers willen fungeren. Voor ons laatste tactische probleem hadden we tweehonderd rollenspelers in burger nodig, van wie het merendeel uit onschuldige burgers bestond. Er was ook een kleine gewapende groep. Het kader gebruikte rookpotten en lawaaibommen om chaos te creëren. Het leek allemaal bedrieglijk echt.'

'Je had het over wapens, John,' zeg ik. 'Losse flodders of simunitie?'

'Als er burgers aan te pas komen, gebruiken we uitsluitend losse flodders, maar als het gaat tussen ons en de oppositie, gebruiken we gesimuleerde munitie. Het was een geweldige training.'

'Als ik het goed heb begrepen, stond het allemaal onder toezicht van een Ranger?'

John moet lachen. 'Zeg dat wel. Ranger Mallory is een kei van een vent. Ik kan hem niet genoeg prijzen. Hij organiseerde de training en maakte het allemaal écht. Hij heeft gigantisch veel ervaring in stadsoperaties en we konden ons gelukkig prijzen dat hij met ons werkte.'

Sergeant-een Will Mallory is een instructeur die door het 75e Ranger Regiment van de landmacht aan het NSW-trainingsdetachement (TRADET) is uitgeleend. Ranger Mallory, zoals iedereen hem noemt, leidt dit deel van de SEAL-pelotonstraining. Rangers zijn in feite een lichte infanterie-eenheid die zich heeft gespecialiseerd in luchtlandingen en de strijd in steden en dorpen. Mallory's ervaring en professionele aanpak hebben veel gedaan om SEAL-pelotons goed voor te bereiden op de stadsoorlog.

Na de MOUT-training beginnen de pelotons aan twee andere trainingsvormen: GOPLAT en VBSS. Het eerste is een training in de verovering van een gas- of oliebooreiland; het tweede een training in het aanhouden, enteren en doorzoeken van schepen om te voorkomen dat contrabande de vijand kan bereiken. Het zijn voor de veteranen zware, in hoog tempo verlopende oefeningen die ze sinds hun laatste preoperationele training misschien niet meer hebben gedaan, maar de meesten hebben dergelijke operaties al meer dan eens in het echt moeten uitvoeren. In het interbellum tussen de beide golfoorlogen hebben SEALs tal van schepen in de Perzische Golf geënterd om ze te doorzoeken op contrabande voor Irak, maar de laatste paar jaar hebben SEALs voornamelijk jacht gemaakt op Al-Qaïda. Voor nieuwkomers is het de zoveelste training die ze nooit eerder hebben gedaan. In beide gevallen betreft het klassiek-maritieme speciale operaties die – net als strandoversteken – door niemand beter kunnen worden uitgevoerd dan door SEALs. Voor en tijdens de operaties in Irak hebben SEALs letterlijk honderden Iraakse schepen die op weg waren naar Oemm Qasr geënterd en doorzocht. Schepen met materieel, wapens en/of munitie aan boord werden (zonder hun bemanning) zonder pardon tot zinken gebracht.

De economische waarde van de Iraakse booreilanden in zee die door Navy SEALs zijn veroverd valt niet te berekenen. Het veroveren en bewaken van deze belangrijke faciliteiten was van doorslaggevend belang voor de wederopbouw van de Iraakse olie-export. Bij dergelijke operaties werkten SEALs samen met de 'botenjongens', zoals ze de bemanningen van speciale gevechtsvaartuigen noemen. Het naderen en veroveren van een met springladingen beveiligde constructie in volle zee vereist een bijzondere vorm van moed.

Mij is gevraagd de manier waarop SEALs een booreiland of schip precies benaderen en veroveren, niet te onthullen. Er zijn uiteraard krachten die zich erop toeleggen SEALs te beletten deze doelwitten te veroveren. Het is duidelijk dat de SEALs hiervoor uit zee of uit de lucht moeten komen en we mogen ervan uitgaan dat dit bij voorkeur 's nachts gebeurt. Het is uiterst gevaarlijk, want zo'n operatie vereist niet alleen stalen zenuwen, maar ook vakkundigheid en veel training. De pelotons voeren zulke operaties uit en hebben er succes mee. We kunnen met een gerust hart zeggen dat iedereen die scheepskapitein of bedrijfsleider van een booreiland is en steun levert aan terroristen, of handelt in strijd met de nationale belangen van de Verenigde Staten, een zekere kandidaat is voor ongenood SEAL-bezoek.

Five Echo en Five Foxtrot moeten, net als elk ander SEAL-peloton dat binnenkort operationeel zal worden ingezet, ook de onderdelen van de basistraining herhalen, de dingen die ze tijdens de BUD/S-training en de SEAL-kwalificatietraining hebben geleerd. Dit zijn vaardigheden die nu op een verhoogd professioneel niveau moeten worden gerepeteerd, waarbij ze aan hogere prestatienormen moeten voldoen. Ze moeten net als destijds een reeks onderwaterverkenningen, strandoversteken, onderwaterdemolities en gevechtsduiktrainingen afwerken. Ze kunnen allemaal te land en onder water met gps-navigatie overweg, maar deze pelotons zullen er vaak 's nachts op uit moeten, bij voorkeur in donkere, mistige nachten. Ze maken hierbij gebruik van de rubberboten voor kustlandingen en worden voor moeilijkheden gesteld die ze met alleen kaart en kompas moeten overwinnen. Het is koud en vervelend werk, vanwege de vele herhalingen, maar het moet gebeuren. Dit zijn basisvaardigheden die zo vaak moeten worden gerepeteerd dat ze automatismen worden. Het TRADET-kader ziet erop toe dat het goed gebeurt en dat het vaardigheidsniveau van de pelotons op de proef wordt gesteld en als het even kan wordt verhoogd. Als een training niet naar behoren verloopt, zien zij er geen been in een peloton of squad het nog eens te laten doen. De peloton-SEALs weten dit en doen hun best om het al de eerste keer goed te doen. In dit stadium van de pelotonstraining zijn zowel het kader als de peloton-SEALs afgemat. Een oefening al de eerste keer goed doen, betekent wat meer slaap en misschien zelfs wat meer tijd bij het gezin.

In de loop van de pelotonstraining gebeurt het vaak dat de sluipschutters van een peloton worden weggeroepen voor een andere training, of voor het leveren van sluipschutterssteun aan een peloton of squad dat aan een trainingsmissie bezig is. Dit wordt sluipschuttersintegratie genoemd. Hun taak is rechtlijnig als de missie vraagt om schieten op afstand of een verkenning. SEALs krijgen echter vaak opdracht voor een speciale operatie waarbij ze onder de bescherming of dekking van sluipschutters een doelwit moeten naderen. Dit vereist coördinatie, oefening en goede communicatie. Een SEAL-squad kan bijvoorbeeld een doelwit veiliger benaderen als ze dat onder bescherming van een sluipschutter doen. Of de sluipschutters zijn erbij nodig voor het geval het squad zich ijlings terug moet trekken. Een groep vijandelijke schildwachten zal minder geneigd zijn een infiltrerend SEAL-element te achtervolgen als er in hun gebied een of meer sluipschutters actief zijn.

Pelotonscommandanten proberen in principe individuele trainingen van SEALs buiten pelotonsverband te voorkomen. Er zijn echter uitzonderingen, zoals de training in nabije luchtsteun (Close Air Support of CAS). Vanwege het belang en de precisie van de nieuwe 'slimme bommen' (Joint Direct Attack Munitions of JDAMs), kunnen SEALs het zich niet veroorloven een kans op een oefening met nabije luchtsteun te laten lopen. De lucht-grondcoördinatie wordt tijdens speciale operaties in hoog tempo een factor van meer belang. SEALs moeten trainen op goede communicatie met de piloten van marine en luchtmacht (en vice versa). Af en toe doet zich een waardevolle oefenkans voor en wordt het trainingsschema van een peloton bijgesteld. De gemiste geplande training moet dan naar een latere datum worden verschoven, in een toch al overvol schema. Het TRADET-kader en de pelotons werken samen om dit mogelijk te maken.

Tegen het eind van de zes maanden durende pelotonstraining zijn de pelotons van Team Five en hun kader uitgeput. Voor de trainers én trainees is het een bitterzoete ervaring. In de hun toegemeten tijd hebben ze gedaan wat mogelijk was, maar ze houden altijd het knagende gevoel dat ze het nog beter hadden kunnen doen. Hadden ze er niet nóg een trainingsonderdeel bij kunnen persen, of hadden ze de trainingen die marginaal zijn verlopen niet nog eens over moeten doen? Dit maakt deel uit van de SEAL-cultuur: ze weten dat het altijd beter kan. Na de ULT gaan de pelotons van Team Five over op de SIT (Squadron Integration Training). De instructeurs krijgen een paar dagen de tijd om de kritieken vanuit de pelotons van Team Five en het trainingsschema punt voor punt door te nemen. De trainingen van de pelotons van SEAL-team Seven zullen weer net iets beter zijn.

'Ben je tevreden over de training van deze pelotons?'

Brian Schmidt toont me een vermoeide glimlach en aarzelt even. 'Ik neem aan van wel. Of nee, beslist. Ze zijn klaar voor operationele inzet, maar ik wil ze altijd nog beter hebben. De kwestie is dat, als zij tekortkomingen hebben, dat ook voor ons geldt. We lopen hier tegen onze grenzen aan. We trainen ze volgens een geldende norm op het uitvoeren van bepaalde taken onder bepaalde omstandigheden. Afgezien van onze prestatiemaatstaven is er het feit dat elk peloton een eigen persoonlijkheid heeft. Sommige zijn beter in het water dan andere; en weer andere pelotons zijn sterk in het aanhouden, enteren en doorzoeken van schepen, of in stadsoorlogvoering. Zij moeten het straks in het operatiegebied doen. We kunnen alleen maar hopen dat we hun genoeg hebben meegegeven om hen hun werk te laten doen als de kogels in het rond vliegen. Een training voor oorlog is geen exacte wetenschap. We doen ons uiterste best.'

'Wat gebeurt er als een peloton het moeilijk heeft en niet goed presteert?'

'Dan komt het er niet door. Als we er met het leiderschap van dat peloton zelf niet uitkomen, moeten we het wellicht voorleggen aan de teamcommandant, maar in de regel is het voor hem niets nieuws. Hij en zijn adjudant-officier zijn hier vaak genoeg: zij weten of er zich in een peloton een probleem voordoet. Meestal zit het 'm in de leiders van het peloton en gewoonlijk komen er dan mutaties.'

'En als er bij het peloton een SEAL zit die problemen heeft?' vraag ik.

'Da's minder moeilijk. Dan werken we met de leiders van het peloton om dat probleem te elimineren. Er is heel weinig wat wij zien waarvan de pelotonssergeant-majoor en zijn plaatsvervanger niet op de hoogte zijn. Als het een veteraan betreft, is het meestal een huiselijk probleem of een kwestie van instelling. De leiders van het peloton moeten dan ingrijpen, want anders doe ik het – en dan raken ook mijn superieur en de teamcommandant erbij betrokken. Bij een nieuwkomer duiken we in zijn BUD/S- of SQT-conduitestaat om te zien of hij vaker een probleem op een bepaald gebied heeft, of misschien kampt met gebrek aan aandacht voor details. In de regel kunnen we met zo'n man aan de slag om het te corrigeren, maar het moet snel en goed gebeuren. Geen halve oplossingen. Een SEAL-peloton moet altijd op iedere schutter in de patrouille kunnen rekenen. Je moet op iedere schutter kunnen terugvallen.

Eén ding is zeker. Wij hebben betere resultaten met de training van de pelotons van Team Five geboekt dan met die van Team Three. En we zullen het nog beter doen met Team Seven, en daarna ook weer met Team One.'

Later die dag trof ik Five Echo en Five Foxtrot in hun barakken, waar ze zich voorbereidden op een paar dagen verlof voordat de SIT ging beginnen. Ik bedankte de gebroeders Rasmussen voor het feit dat ze het goed hebben gevonden dat ik hun pelotons tijdens de pelotonstraining volgde. Deze twee voortreffelijke officieren hebben hard gewerkt om hun peloton klaar te maken voor oorlog. Later heb ik vernomen dat ze allebei Bagdad hebben gehaald voordat de gevechtsoperaties daar voorbij waren. Zij en hun schutters hebben hun bijdrage aan de strijd geleverd.

Nadat ik de gebroeders Rasmussen had bedankt, stapte ik naar de nieuwkomer uit SQT-klas 2-02. Hij was bezig met het reinigen van zijn M4 en wikkelde het geweer in een zachte doek met kussentjes voor opslag in een van de wapenkisten van het peloton.

'Zeker blij dat je de pelotonstraining achter de rug hebt?' opperde ik. Hij had een deel van Fase 1 van de preoperationele training van Team Five gemist en had tijdens de ULT veel nieuwe informatie in zich moeten opnemen. Drie jaar geleden zat deze jonge knul nog op de middelbare school.

'Ah, hallo mijnheer Couch.' Jonge SEALs zijn altijd beleefd. 'Ik denk het wel, ja. Ik heb heel veel geleerd en hoop maar dat het genoeg is. We hebben een geweldig peloton en ik wil niemand teleurstellen.'

'Nou, ik denk wel dat de sergeant-majoor en de sergeant een heel tevreden over je zijn. Je schoot evengoed als de beste onder je maten.'

Grijnzend zegt hij: 'Schieten is voor mij nooit een probleem geweest, sir. Ik moet echter nog werken aan andere dingen.'

'Wat vond je het beste aan je opname in het peloton en het leeuwendeel van de pelotonstraining?'

'Volgens mij,' antwoordt hij nadenkend, 'is dat het feit dat de andere jongens me vertrouwen; ze rekenen erop dat ik mijn taken goed uitvoer. Een hele verantwoordelijkheid. Iets wat ik tijdens de BUD/S of de SQT niet zo heb gevoeld. Maar hier zijn het veteranen en ze rekenen op mij. Ik moet alles doen wat ik kan om hen niet teleur te stellen.'

Datzelfde kwam ik ook tegen bij nieuwe SEALs in andere pelotons. Zelfs de enkelingen die mij niet volwassen genoeg leken of de training niet ernstig genoeg schenen te nemen, veranderden in verantwoordingsbewuste sledehonden toen ze eenmaal bij de pelotons waren. Bij sommige mensen moet het nu eenmaal eerst ernst worden voordat zij serieus gaan werken. Bij anderen is het eerder het sterke voorbeeld of de straffe hand van de pelotonssergeant-majoor of zijn plaatsvervanger, de pelotonsleider. Nieuwkomers zijn te vergelijken met de jonge broekies in een eredivisieteam. De ervaren spelers zullen hen in het ootje nemen of zelfs pesten, maar ze zullen hen ook helpen als de teamgeest goed is. Ze verwachten van hen dat ze goed presteren op hun positie in het elftal. Daar komt het altijd op neer: er moet gepresteerd worden. Alleen gaat het in de SEAL-teams niet om een bal, maar om kogels. Vuurgevechten moeten worden *gewonnen*. Er is geen tweede plaats – het gaat om leven of dood. De meeste nieuwkomers die ik heb geobserveerd, zullen hun pelotons van nut zijn. Minder verwacht ik niet. Per slot van rekening zijn ze allemaal eerst door adjudant-officier Mike Loo getraind.

'*Lach – je wordt onder schot gehouden!*' Deze SEALs zijn volledig uitgerust voor het vuur-gevecht van nabij – de ergste nachtmerrie van iedere terrorist. *Foto Cliff Hollenbeck*

6

DE SQUADRONS

Van SEAL-team tot SEAL-squadron

In hoofdstuk 4 hebben we het NSW 21-concept besproken en gezien hoe deze drastische reorganisatie de operationele status van de Navy SEAL-teams heeft veranderd en verbeterd. Deze nieuwe aanpak van de preoperationele training heeft de taken en verantwoordelijkheden van de teamcommandanten sterk uitgebreid. Voordat we een kijkje nemen bij de oorlogsplichten van deze belangrijke officieren, nemen we de samenstelling van het SEAL-squadron onder de loep.

Na de pelotonstraining vallen de zes SEAL-pelotons weer onder de tactische verantwoordelijkheid van hun team. Gelet op de tijd die de SEALs van huis waren, was de ULT min of meer een trainingsperiode vlak bij huis. Na hun terugkeer bij het team bestaat dit team uit ongeveer 130 personen. Hiervan is meer dan 96 man een peloton-SEAL of, in het jargon van de teams, een schutter. Daarnaast telt het team twaalf tot veertien leden die buiten pelotonsverband opereren. Deze SEALs – de leiders met hogere rangen, zoals de bevelvoerend officier, de teamcommandant, de officier Operaties en de adjudant-officier – fungeren als commandant van een taakgroep of vervullen andere operationele posities. De resterende gekwalificeerde SEALs – zoals de vaandrigs die net van de Finishing School zijn gekomen – dienen in een taakgroep, of als liaisonsofficier aan boord van een schip, in een bevelscentrum aan de kust of als een Smee (SEAL-specialist op een bepaald gebied). Onder bepaalde voorwaarden kunnen deze niet tot een peloton behorende SEALs toch met een peloton of NSW-steunelement actief-operationeel worden. Op het teamrooster staan tevens niet minder dan twintig teamgenoten met een non-SEAL-status vermeld. Dit zijn experts op gebieden als inlichtingen, logistiek en communicatie óf administratieve marinemensen. Waar het operationele deel van een SEAL-team een exclusief mannelijke aangelegenheid is, behoren er ook vrouwen tot deze non-SEALs in een team. Zonder hen zouden de teams c.q. squadrons niet kunnen functioneren.

Honderdtachtig dagen vóór een operationele inzet (D-180) wordt het SEAL-team met deze non-peloton-SEALs en non-SEALs aangevuld voor de transformatie tot een squadron. Nu begint de zes maanden durende squadronintegratietraining (SIT). Als de bevelvoerend officier van een team eenmaal zijn pet van de squadroncommandant opzet, wordt hij de hoogst verantwoordelijke voor alle 220 mannen en vrouwen en hun veiligheid. Dit aantal is echter veranderlijk, want de rol van de squadrons wordt geregeld uitgebreid of herzien op basis van operationele ervaringen en de eisen van een operatiegebied. Kort na D-180 valt een aantal eenheden onder een ander operationeel gezag – dat van het squadron. Deze componenten breiden de gevechtskracht en veelzijdigheid van het SEAL-team aanmerkelijk uit.

Het nieuwe SEAL-squadron krijgt bijvoorbeeld een eigen 'minimarine': de SEALs hebben hun eigen rubberboten, zoals de Zodiacs en de grotere CRRCs met hun buitenboordmotoren, maar de nog grotere vaartuigen die SEALs vaak nodig hebben voor een operatie zijn het eigendom van de Special Boat Teams (SBTs) van het NSW Command. Het grootste vaartuig waarvan het SEAL-squadron gebruikmaakt, wordt bemand door het MK V-detachement van het squadron. Dit vaartuig is 25 m lang en uitgerust met zware mitrailleurs en granaatwerpers. Het biedt plaats aan een compleet SEAL-peloton en wordt voortgestuwd door twee MTU-waterstraalturbo-diesels van elk 2200 pk. Het MK V-detachement bestaat uit een officier, vijftien onderofficieren en manschappen en twee MK Vs. Het zijn echte renpaarden die bij een lichte deining kruissnelheden tot dik 90 km/uur halen. Het vervoer van SEALs is echter slechts een van de speciale operatietaken van deze marineboten. De MK V is dankzij de waterstraalvoortstuwing uiterst wendbaar en steekt slechts anderhalve meter diep, zodat hij ideaal is voor lichte maritieme onderscheppingen en oppervlaktepatrouilles.

Bovendien omvat het squadron ook vier detachementen met elf meter lange RHIBs met stijve bodem en opblaasbare rubberboorden. Elk RHIB-detachement telt acht man en twee boten. Zoals gezegd zijn de RHIBs de werkpaarden van het squadron, met hun zescilinder turbodiesels van Caterpillar voor waterstraalvoortstuwing. Ze kunnen een SEAL-squad met een snelheid van maximaal 74 km/uur vervoeren. Net als de MK V is de RHIB voorzien van mitrailleurs en granaatwerpers, maar deze boot kan iets wat de grotere boot zeker niet kan: per parachute landen. Indien nodig kan een SEAL-squadron worden ingezet met een RHIB-detachement dat is uitgerust met een MCADS (Maritime Craft, Air Deployable System). Zo'n 'systeem' bestaat uit een RHIB en drie SEAL-bemanningsleden en een SEAL-squad die vanuit een C-130 (vliegtuig) per parachute op het water kunnen landen. Deze unieke mix van SEALs en gevechtsboot stelt een SEAL-squad in staat vanuit de lucht op ruime afstand van een kust op zee te landen, achter de horizon, voor het uitvoeren van een landoperatie of maritieme missie.

De bemanningsleden die de MK V en de RHIB besturen en onderhouden zijn zelf ook specialisten. SWCC-bemanningen (SWCC = Special Warfare Combattant Craft) zijn zorgvuldig geselecteerde en optimaal getrainde zeelieden die van vele markten thuis zijn: navigatie, communicatie, motortechniek, zeemanschap en wapens. Tal van NSW-taken en -missies vereisen een soepele integratie van SEAL-pelotons en SWCC-bemanningen. Al sinds de eerste operationele SEAL-teams zijn de SEALs en de SWCC-bemanningen elkaars wapenbroeders. De bemanningen lopen in een operatiegebied dezelfde risico's als de SEALs, maar kunnen ook voor andere speciale maritieme operaties worden ingezet. Het professionele respect van de SEALs voor de bootbemanningen wortelt diep en kan op een lange staat van dienst bogen. Heel veel SEALs hebben hun leven te danken aan de moed van deze bijzondere zeelieden. En inderdaad, ik ben er een van. Tijdens mijn laatste operationele inzet in Vietnam werden er aan mijn speciale bootdetachement meer Purple Hearts toegekend dan aan mijn SEAL-peloton.

De peloton-SEALs zijn echter niet de enige SEAL-elementen die deel uitmaken van een squadron. Tijdens de SIT worden ook twee pelotons SDV-SEALs aan het squadron toegevoegd. De SEALs Delivery Vehicle-SEALs komen als een eenheid naar het squadron omdat het squadron minionderzeeëroperaties niet alleen vanuit de MK V kan uitvoeren, maar ook vanuit kleine onderzeeboten (SDVs) die vier tot zes SEALs voor uiteenlopende maritieme missies of kustoperaties kunnen vervoeren. Veel van wat SEALs doen valt onder de noemer van rechtstreekse actie en speciale verkenningen; hetzelfde kan van SDV-operaties worden gezegd. De capaciteiten en actieradius van SDV-SEALs vallen buiten het bestek van dit boek, en in sommige gevallen ook onder de geheimhoudingsregels waaraan dit werk gebonden is. De SDV-pelotons in een squadron bestaan uit SEALs die speciaal getraind zijn in het navigeren en opereren met deze unieke minionderzeeboten voor maritieme missies. Ook omvatten deze pelotons enkele begaafde technici die deze geavanceerde vaartuigen onderhouden en zorgen dat ze operationeel blijven. Behalve deze SEALs en ondersteunend personeel in het squadron zijn er nog de ondersteunende elementen in een operatiegebied, zoals actief-operationele delen van de vloot of buiten Amerika gedetacheerde NSW-eenheden. Het lanceren en dokken van SDVs vanuit respectievelijk in een onder water liggende moederonderzeeër is een complex onderwaterballet waaraan veel materieel en niet tot het squadron behorend personeel te pas komt. Gelet op het feit dat eenheden voor speciale operaties nu vooral in Afghanistan en Irak opereren, mede vanwege de bestrijding van Al-Qaïda-groepen, ligt het voor de hand je te focussen op de landoorlogoperaties van Navy SEALs. Toch zijn SDV-capaciteiten en de ermee opererende SEALs uniek en van groot belang. Geen andere speciale strijdkrachten hebben zo'n unieke rol. SEALs kunnen overal vandaan komen: ze duiken op uit zee, vallen uit de lucht of doorkruisen ruige terreinen. SDVs stellen hen in staat om aanzienlijke afstanden onder water af te leggen en ongemerkt vanuit zee te penetreren in vijandelijk gebied.

De 'reguliere' SEALs van de SEAL-teams en de SDV-teams vallen, samen met hun wapenbroeders van de SWCCs, onder het bevel van het NSW Command. Tot het overige NSW-personeel dat deel uitmaakt van een squadron behoren ook leden van de Mobile Command Teams (MCTs). Het squadron beschikt over vier tot vijf van deze verbindingenexperts en andere specialisten die al vooruitgeschoven posities in een operatiegebied innemen als het squadron daar arriveert. Deze specialisten opereren niet specifiek met de SEALs of aan boord van een SWCC, maar hebben tot taak de verbindingen tussen het hoofdkwartier en actief-operationele SEAL-elementen te onderhouden. Ook is het squadron aangevuld met extra NSW-inlichtingenexperts die steun verlenen aan de verwerking van inlichtingen uit het veld en het plannen van missies.

Voorts omvat een SEAL-squadron materieel en personeel van buiten het NSW Command ter ondersteuning van operaties. Een van deze speciale eenheden, die SEALs én bemanningen van gevechtsvaartuigen op gevechtsmissies vergezellen, is een 'opblaasdetachement', uitvoerig getraind in het onschadelijk maken van springstoffen, munitie, mijnen, bermbommen en wapens. Zo'n Explosive Ordnance Disposal Detachment (EOD Det) bestaat organiek uit een officier en zes specialisten. Afhankelijk van de vereisten van een missie vergezellen deze opblaasexperts SEAL-squads of -pelotons in het veld of gaan mee aan boord van een SWCC voor een maritieme missie. Een missie welke onder MOUT-, VBSS of GO-PLAT-omstandigheden wordt uitgevoerd, kan participatie van een EOD noodzakelijk maken. De SEALs en bootbemanningen die zoveel succes boekten met het veroveren van booreilanden tijdens de laatste Golfoorlog hadden eveneens EOD-experts bij zich, voor het onschadelijk maken van de talloze springladingen aan deze booreilanden.

'Wij zien de toevoeging van een EOD aan de actieve SEAL-squadrons als een prima inzet van onze experts,' verzekerde kapitein-ter-zee Mike Tillotson van de marine mij, kort voor de oorlogsoperaties in Irak. Hij voert het bevel over EOD Group One, gelegerd in Coronado. 'Net zoals de SEALs specifiek worden getraind, zowel individueel als per peloton, voordat het team op het punt staat een squadron te worden, krijgen ook onze EOD-experts een speciale training om ze voor te bereiden op dit werk. Een detachement bestaat gewoonlijk uit een luitenant-ter-zee 2e klasse (equivalent eerste luitenant bij het leger) die aan zijn tweede inzet gaat beginnen, plus een bootsman (equivalent sergeant-majoor). Het merendeel van onze experts (zo niet allemaal) heeft al gevechtservaring opgedaan. Omdat onze mensen verspreid worden over de elementen van een SEAL-squadron, trainen wij ze op individuele operaties of op operaties met twee man. Ze hebben hun parachutistenspeldje en zijn gekwalificeerde duikers, maar we proberen ze ook nog wat training met handvuurwapens te geven voordat ze aan het squadron worden toegevoegd. Ze hebben als onderdeel van een SEAL-element specifieke taken en verantwoordelijkheden, maar ze kunnen ook betrokken raken bij een vuurgevecht en zullen dan hun mannetje moeten staan.'

'Zijn er voldoende vrijwilligers voor dienst in een SEAL-squadron of moet u ze aanwijzen?'

'Integendeel,' zegt kapitein-ter-zee Tillotson. 'We hebben geen gebrek aan vrijwilligers. Onze EOD-experts werken graag met SEALs.'

Kapitein Tillitson had tijdens de Golfoorlog de supervisie over de mijnopruimingen in en rond de haven van Oemm Qasr ter bespoediging van de aanvoer van materieel en manschappen naar Basra en Zuid-Irak. Het gebeurt vaak dat SEALs en EOD-experts samen worden ingezet voor dit soort mijnopruimingen, met de SEALs in een ondersteunende rol bij dit belangrijke en uiterst gevaarlijke werk.

Tot de overige krachten van buiten het NSW Command die naast het EOD Det aan het squadron zijn toegevoegd, behoren linguïsten, cryptologen, inlichtingenexperts die speciaal zijn opgeleid voor een bepaald oorlogsgebied, en speciale verbindingenexperts. Het ziet ernaar uit dat het hier niet bij zal blijven. Binnenkort zal ook een detachement mariniers aan een actief-operationeel squadron worden toegevoegd. Dan komen er vijfentachtig mariniers bij. De toekomstige inzet van mariniersdetachementen ter ondersteuning van de SEALs hangt af van de resultaten van deze eerste inzet.

Hoewel de basisbestanddelen van het squadron vastliggen, verschilt een later operationeel squadron altijd wel iets van het vorige. Een actief-operationele squadroncommandant spreekt vrijwel dagelijks met de commandant van het squadron dat hem straks zal opvolgen. Tekortkomingen en geleerde lessen worden onmiddellijk ingepast in de integratietraining van het volgende squadron. Dit stelt de squadroncommandant in staat zijn preoperationele trainingstijd effectief te benutten voor de opbouw en samenstelling van alle aan zijn squadron toe te voegen ondersteunende eenheden om aan de meest actuele eisen van gevechtsmissies te voldoen. Net zoals de SEAL-training steeds een afspiegeling moet zijn van de gestaag veranderende missie-eisen, moet ook het SEAL-squadron evolueren om opgewassen te zijn tegen toekomstige speciale operatietaken.

SEAL-squadron Three werd ingezet voor de Golfoorlog en werd kort na de val van Bagdad afgelost door Squadron Five. Iedere component van deze squadrons werd ingezet bij de oorlogsoperaties in Irak. In dit gewapende conflict heeft het concept van het vooruitgeschoven opererende SEAL-squadron zijn waarde meer dan bewezen, omdat beide squadrons in staat bleken om uiteenlopende speciale gevechtsoperaties gelijktijdig en met succes uit te voeren.

Operationeel gezien bleek het een intelligentere en meer efficiënte manier te zijn om NSW-strijdkrachten in te zetten. Deze zeer diverse capaciteiten zijn het hele jaar door actief in vooruitgeschoven posities, vierentwintig uur per etmaal.

Het operationele squadron

De inzet van een SEAL-squadron duurt in de regel zes maanden. Dit zorgt voor wat voorspelbaarheid in het leven van de SEALs, bootbemanningen en het overige personeel. Ze zijn een half jaar actief in een operatiegebied en brengen achttien maanden door in eigen land, hoewel SEALs – vanwege de vele trainingen die buiten de thuisbasis

plaatshebben – toch veel van huis zijn, ook al zijn ze 'thuis'. Gedurende een operationele inzet in een oorlogsgebied noemen de eenheden
van de NSW daartoe bestemde vlooteenheden hun thuisbasis. Zo
kan een actief-operationeel SEAL-squadron van de westkust rekenen
op NSWU One (Guam) en NSWU Three (Bahrein). Een squadron
van de oostkust maakt gebruikt van NSWU Two (Stuttgart), NSWU
Four (de marinebasis Roosevelt Roads in Puerto Rico) en NSWU
Ten (Rota, Spanje). Deze NSW-eenheden ondersteunen de operationele elementen zowel logistiek als operationeel. Ze assisteren het
squadron tevens via deelname aan gecombineerde militaire manoeuvres en, recentelijk, ook oorlogsoperaties. Voor, tijdens en na de
laatste Golfoorlog heerste er koortsachtige bedrijvigheid bij NSWU
Three in Bahrein. Het operationeel ingezette squadron van de westkust leverde ondersteuning aan het Pacific Command en het Central
Command Middle East, en ook aan het European Command en het
South Command. Deze regionale hoofdkwartieren en hun opperbevelhebbers houden hun NSW-eenheden bezig met geplande militaire oefeningen, zodat ze altijd klaar zijn om op korte termijn te worden ingezet. Een van de redenen dat SEAL-pelotons direct na 11
september 2001 beschikbaar waren voor operaties in het oorlogsgebied, was dat de pelotons zich aan al boord van vlootsmaldelen en op
de marinebasis in Bahrein zelf bevonden. Binnen een paar weken
waren ze actief in Afghanistan.

Voor de operationele squadrons ligt het accent nog steeds op het
Midden-Oosten. De oorlog in Irak mag dan op zijn eind lopen,
maar de oorlog tegen het terrorisme gaat onverminderd door. Veel
van deze strijd is gefocust in het Midden Oosten. Er blijft overal ter
wereld behoefte aan SEAL- en andere NSW-eenheden, maar de beide actief-operationele squadrons blijven een naar verhouding groot
deel van hun hulpbronnen inzetten voor het Central Command.
Generaal Tommy Franks had ze nodig in Afghanistan en opnieuw in
Irak, maar dat zijn niet de enige gebieden waar ze nodig zijn. Zelfs
toen er veel SEALs in Irak meevochten, waren er ook SEALs actief
op de Filippijnen, in Zuid-Amerika en andere regio's, om aan voortgaande NSW-commitments te voldoen. Ik kan je verzekeren dat de

SEAL-pelotons die ik heb gesproken die *buiten* het Midden-Oosten actief waren, bitter teleurgesteld waren. Deze krijgslieden werken zich uit de naad om klaar te zijn voor de strijd en ze willen erop los. Velen van hen zijn hun hele loopbaan bezig met zich voorbereiden op oorlog, zonder ooit serieus op een vijand te hebben geschoten of in gevaar te hebben verkeerd. Vergelijk ze maar met agenten die door een gevaarlijke wijk patrouilleren maar nooit tegenover een bankrover of maffiamoordenaar hebben gestaan. Tussen de beide oorlogen in Irak in bestond het leven van de Navy SEAL uit het zich voorbereiden op oorlog, en als ze al operationeel waren, deden ze meestal paraatheidsoefeningen met geallieerde strijdkrachten, overal ter wereld. Er waren uitzonderingen, maar er waren weinig echte gevechtsoperaties. De realiteit van na 11 september 2001 is echter zodanig dat veel, zoniet de meeste SEALs zichzelf kunnen bewijzen in de strijd tegen het terrorisme. Op zijn minst worden ze ingezet en komen dan tegenover een tastbaar direct gevaar te staan. Toch ergeren ze zich wanneer een operationele periode zonder echte strijd voorbijgaat. Dit komt deels voort uit de aangeboren agressie van de krijgsman die een vijand tegenover zich wil zien, maar deels ook uit de eerlijke wens om op een zinvolle manier bij te dragen aan deze strijd. Dit geldt voor zowel de instructeurs als de trainees. Naast hun doelgerichtheid en professionalisme observeerde ik bij leden van het kader van de SEAL-kwalificatietraining en van het trainingsdetachement een zeker verlangen, gecombineerd met weemoed. De jongens die zij trainden stonden op het punt te worden ingezet in de strijd, maar zij niet. Veel instructeurs tellen de dagen tot het moment waarop hun beurt bij het trainingsdetachement afloopt en ze weer actief-operationeel kunnen worden. Tijdens een recent bezoek aan het TRADET-gebouw liep ik sergeant Lynn Kunkle tegen het lijf, nog altijd het evenbeeld van de komiek Bill Murray.

'Ah, het is inmiddels al sergeant-majoor Kunkle, zie ik,' zei ik, hem gelukwensend met zijn bevordering. Hij straalde.

'Dank u,' zei hij, 'en weet u wat dit inhoudt?'

'Weg uit het TRADET?'

'Spijker op de kop. En wat nog meer, denkt u?'

'Pelotonssergeant-majoor,' giste ik.

'*Yesss*! Ik kom als pelotonssergeant-majoor bij Team Five. Dat heb ik sinds mijn komst bij de teams voor ogen gehad. Ik heb een goeie trainingstour achter de rug, maar nu ben ik toe aan een nieuwe inzet. Ik heb hier veel geleerd en ik zal de jongens van het trainingskader missen, maar ik ben eigenlijk meer een peloton-SEAL. En nu zelfs pelotonssergeant-majoor! Het leven is goed!'

Er wordt me vaak gevraagd hoeveel SEALs er beschikbaar zijn voor directe inzet in een operatiegebied. De bevelvoerders daar hebben permanent twee operationele SEAL-squadrons tot hun beschikking, dus twaalf SEAL-pelotons plus vier SDV-pelotons Er kunnen nog andere SEAL-elementen beschikbaar worden gemaakt, maar hun aantal is klein. Bovendien zijn ze uitermate gespecialiseerd en supergeheim. Een operationeel squadron bestaat momenteel uit circa 240 SEALs voor operationele taken. Onder bepaalde omstandigheden, zoals korte tijd in de laatste Golfoorlog het geval was, kunnen actieve squadrons wat langer in een operatiegebied worden gehouden, of worden bepaalde elementen eerder aan deze squadrons onttrokken. Net zoals de Amerikaanse vliegdekschepen elkaar overlapten tijdens een aflossingsperiode, kan dat ook voor SEAL-squadrons noodzakelijk zijn. Door deze overlappingen in oorlogstijd kunnen er in een operatiegebied zelfs zo'n 500 SEALs beschikbaar zijn. Voor hoelang? Voor zolang als nodig is: het zijn tenslotte Navy SEALs.

De squadroncommandanten

Onder het NSW21-concept is het leven van individuele SEALs en operationele SEAL-pelotons weinig veranderd. De meesten die ik er naar heb gevraagd, verzekerden me dat de training en de preoperationele training aanzienlijk zijn verbeterd, en dat ook de bevelshiërarchie die leiding geeft aan operationele acties in een oorlogsgebied sterk is verbeterd. Voor de sledehonden in de pelotons bestaat het leven nog steeds uit achttien maanden zware training en zes maanden actief-operationele inzet. Deze tweejarige cyclus is onder de reorganisatie geïnstitutionaliseerd, maar het leven van peloton-SEALs gaat op de oude voet verder. Hun ervaring en volwassenheid worden afgemeten aan het aantal inzetten, zo ongeveer als sommigen onder ons het afmeten aan iemands huwelijkjaren. De verandering in de bevelsstructuur van een SEAL-team is echter monumentaal. NSW21 heeft voor de hogere teamleiding een totaal ander leven ingeluid en dit strekt verder dan alleen de uitbreiding van de officierskorpsen vanwege de toevoeging van twee nieuwe SEAL-pelotons. In plaats van de SEALs alleen voor de strijd te trainen, moeten de officieren hun nu zelf voorgaan in de strijd. Voor de hogere pelotonsofficieren was dit een ingrijpende verandering, maar voor hun commandanten nog veel meer. Vóór NSW21 waren de teamcommandanten in essentie de hogere trainingsofficieren, verantwoordelijk voor het om de zes maanden afleveren van twee volledig getrainde SEAL-pelotons aan de operationele commandanten. Nu zijn ze zelf volledig opgenomen in het rotatieschema voor operationele inzet. Niet alleen trainen ze nu hun pelotons en andere detachementen voor een squadron, maar moeten ze zelf meetrainen. Zij en de hoogste teamleiders maken deel uit van de gevechtsstructuur van de actief-operationele squadrononderdelen.

Tijdens het schrijven van dit boek heb ik samengewerkt met de commandanten van de SEAL-teams Three, Five en Seven. In mijn gesprekken met hen heb ik geprobeerd me een indruk te vormen van hun aanpak en stijl van leidinggeven nadat zij de nieuwe en grotere rol van squadroncommandant op zich namen. Het was voor het eerst sinds de reorganisatie dat deze drie SEAL-teams de transformatie van team tot squadron doormaakten en dan als squadron operationeel werden. Nooit eerder hadden deze drie hoofdofficieren, onder huns gelijken uitverkozen voor het commando van een SEAL-team, zoveel verantwoordelijkheid gekregen.

Zoals we in hoofdstuk 4 hebben gezien, ligt het accent in de PRODEV – de eerste of individuele ontwikkelingsfase van de pre-operationele training – op de eisen waaraan de individuele SEAL moet voldoen. De rotatieperioden en de aanstellingen van de teamcommandanten zijn zodanig getimed dat de nieuwe teamcommandant aantreedt kort voordat de PRODEV begint. Hierdoor kan de teamcommandant deelnemen aan de preoperationele training van de SEALs die hij zal voorgaan in de strijd. Als gevolg van pelotonsmutaties en bevorderingen van subalterne officieren en onderofficieren in de pelotons 'erft' de nieuwe teamcommandant zes SEAL-pelotons met een vast kader van SEAL-veteranen en een deel van de al aanwezige officieren. De samenstelling van de pelotons verandert als gevolg van het vertrek van de pelotonscommandant en de pelotonssergeant-majoor. Misschien wordt daarbij ook nog een enkele ervaren onderofficier aan het peloton en het team onttrokken voor andere taken, misschien voor de BUD/S-training of de SQT. Bovendien verlaten een of twee SEALs na hun eerste of tweede operationele inzet de Navy. De resterende officier, de assistent-pelotonscommandant en de sergeants-majoor en sergeants een zijn dan weer twee jaar ouder en hebben twee jaar meer ervaring als zij aan hun nieuwe operationele inzet beginnen. In de meeste gevallen volgt de assistent-pelotonscommandant de commandant op, maar niet altijd. Soms wordt de pelotonsleider sergeant-majoor en gaat hij de sleutelrol van pelotonssergeant-majoor vervullen. Doordat er nieuwe veteranen en nieuwe, jonge SEALs van de Finishing School beschikbaar komen, ontstaat er vaak tussen de pelotons een hevige wedijver om de beste talenten in te palmen. Reputatie is alles in de SEAL-teams: de reputatie van zowel de nieuwe SEALs als de veteranen is bekend. Ze hebben allemaal hun eigen status en bagage uit het verleden. De vertrekkende en de nieuwe teamcommandant zijn leeftijdgenoten en vaak zijn ze met elkaar bevriend. Zij zullen voor de bevelsoverdracht veel met elkaar overleggen. Deze gesprekken worden beheerst door lastige personeelskeuzes. De nieuwe teamcommandant erft wel een vaste pelotonsstructuur, maar het is nu zijn onontkoombare verantwoordelijkheid om over de definitieve bezetting van de pelotons te beslissen en deze te bekrachtigen. Dit is nu *zijn* team.

'Leiderschapsbeslissingen zijn altijd het moeilijkst,' vertelde teamcommandant Shawn Harkness me toen Team Five aan de PRODEV begon. 'Mijn voorganger droeg het team in goede conditie aan mij over, maar de leidende pelotonsposities zijn veranderd. Daar moet ik me behaaglijk bij gaan voelen. Tijdens de PRODEV zal ik daarom veel tijd doorbrengen bij mijn nieuwe pelotonscommandanten en hun sergeants-majoor.'

Harkness voert het bevel over Team Five. Hij is begonnen als SEAL en onderofficier, maar na een onderbreking voor een universitaire studie is hij teruggekeerd in de teams. Hij was al bezig aan zijn derde jaar studie geneeskunde toen hij besefte dat de roep van de krijg sterker was dan die van de heelkunde.

'Het is een kwestie van talent en chemie,' zei Harkness. 'Ik kan natuurlijk een of twee superpelotons samenstellen uit de beste talenten, maar ik moet zes pelotons in het veld brengen. Tijdens de PRODEV zullen mijn adjudant-officier en ik er zoveel mogelijk op uitgaan om de jongens te observeren. Dat gaat soms moeilijk, omdat velen van hen naar een opleiding zijn. We zien echter genoeg om te weten of een peloton bezig is een eenheid te worden. De officieren leggen problemen aan mij voor, maar niet voor ze de hele hiërarchie hebben doorlopen. De pelotonssergeants-majoor verstaan zich direct met de adjudant-officier. Hij en ik nemen dan de definitieve beslissing over pelotonstoevoegingen en het leiderschap van een peloton. Ik heb een geweldige adjudant. Meestal zijn we het met elkaar eens, maar niet altijd.

Waar het uiteindelijk altijd om draait,' vervolgt Harkness, 'is vertrouwen. Ik moet blind kunnen varen op de leiding van mijn pelotons. In laatste instantie ben ik verantwoordelijk, dus moet ik alles doen wat in mijn macht ligt om ervoor te zorgen dat de peloton-SEALs de beste leiders krijgen.'

Alle teamcommandanten die ik sprak, spraken over de taak om mutaties in het leidersteam door te voeren en hoe moeilijk dat voor alle betrokkenen is. Ze spraken er met tegenzin over en soms zelfs wat verdrietig.

'Ik ben niet graag negatief of pessimistisch,' zei een van de teamcommandanten tegen mij, 'maar ik moet er rekening mee houden dat ik een pelotonsofficier of een pelotonssergeants een zal moeten vervangen, of mogelijk zelfs een pelotonssergeant-majoor. Dit is een hachelijke zaak, zowel voor het peloton als voor de officier of onder-officier die uit het peloton wordt genomen – in de regel betekent het einde carrière. Maar deze pelotons gaan het gevaar tegemoet en dus moet ik blind kunnen vertrouwen op de leiding van de pelotons. Aan goeie schutters geen gebrek, maar ik moet mannen hebben op wie ik bouwen kan. Dat wil zeggen dat ik geen zwakke leider in een peloton kan laten omdat ik me niet heb voorbereid op wat me te doen staat als een van de leiders niet volgens de maatstaven pres-teert. Niets is belangrijker dan de leiding van het peloton.'

In twee van de drie teams die hun pelotons voorbereidden op de operationele inzet als squadron moest de pelotonsleider, pelotons-sergeant een of sergeant-majoor door de commandant van zijn ta-ken worden ontheven.

Als de zes pelotons het team tijdelijk verlaten om naar de pelo-tonstraining te gaan, blijft de teamcommandant achter, mét zijn plaatsvervanger, de officier Operaties en de SEALs die deel uit zullen maken van de operationele taakeenheden van het squadron (voor-namelijk sergeants een en sergeants-majoor). Dit kaderskelet in de teambasis omvat ook de administrateurs en het ondersteuningska-der van het team. Het merendeel van de Smees is naar deze of gene cursus om nog meer expertise te verwerven op het gebied van hun specialisme, of gedeeltelijk deel te nemen aan de pelotonstraining.

'We worstelen ons door tal van kwesties die verband houden met de bevelsketen en zijn alert op kansen om wat tijd door te brengen in het Group Mission Support Center'. Clark Trainor is comman-dant van SEAL-team Three. 'Als de kans zich voordoet, probeer ik een paar jongens uit een oorlogsgebied naar een operationeel squa-dron of een van de NSW-eenheden overgeplaatst te krijgen. Mis-schien hebben ze daar iets geleerd wat ons helpt ons beter voor te be-reiden op de inzet.'

'Ben je in de gelegenheid de pelotons tijdens de ULT te observe-ren?' wil ik weten.

'Dat zeker,' antwoordt Trainor, maar ik ben er voorzichtig mee. Begrijp me niet verkeerd. Ik hecht er veel belang aan dat ze goed worden getraind en ik wil beslist mijn pelotonsleiders in het veld bezig zien, maar ik moet het trainingsdetachement niet voor de voeten lopen: het is hun verantwoordelijkheid. Ik wil hun gezag niet ondermijnen of de concentratie van de pelotons verstoren. Ook dit is een kwestie van vertrouwen. Het TRADET leidt de training en de pelotonsleiders moeten erop toezien dat hun mannen naar behoren trainen. Als een van mijn pelotons moeilijkheden heeft, zal het pelotonsleiderschap samen met het trainingskader aan de oplossing werken. Als dat niet gebeurt, krijg ik een telefoontje van Brian Schmidt. Hij wil dat liever niet hoeven doen, en ik wil het liever niet krijgen.'

Joe Rosen van Team Seven zei er dit over: 'Het is hier stil, nu de pelotons weg zijn voor de ULT. Het is alsof de kinderen allemaal tegelijk het huis uit zijn om te gaan studeren. Ik kan de tijd echter goed gebruiken om het achterblijvende element dat ons hier tijdens de operationele inzet moet ondersteunen te versterken.'

'Achterblijvend element?'

'Als we operationeel worden, moet ik hier een steunpunt op The Strand hebben dat voor ons team opkomt zolang we weg zijn – in feite komen ze op voor het hele squadron. Er zijn altijd operationele overwegingen en er zijn ook de gezinnen waarmee rekening moet worden gehouden. Die zijn heel belangrijk voor ons. Daarom laat ik een luitenant achter die als commandant van een peloton operationeel is geweest, plus een sergeant-majoor en waarschijnlijk ook een administrateur. Ik heb ze hier hard nodig voor het afhandelen van eventuele problemen op logistiek gebied, of met het gezin van een van onze mensen. Ook kunnen ze ons helpen optimaal gebruik te maken van het missieondersteuningscentrum (MSC) zolang we operationeel zijn.' Rosen is een beminnelijk man met een joviale manier van doen, maar opeens is hij doodernstig. 'Begrijp me niet verkeerd, maar het is mijn taak de peloton-SEALs bij hun werk te houden, en de rest van het squadron op hun posities. Ze zijn een hechte gevechtseenheid, en als iemand voor een noodsituatie naar huis moet, komt zijn peloton, squad of steunelement die man tekort. We beschikken niet over reserve-SEALs of bootbemaningsleden – althans niet van het kaliber dat plompverloren kan worden toegevoegd aan een peloton dat – of een bootbemanning die – al achttien maanden of langer heeft samengewerkt. Het is een moeilijke beslissing: wanneer is de situatie in iemands familie zo dringend dat hij beslist naar huis moet? Als ik een goed steunpunt thuis heb, kan dat misschien de helpende hand bieden of de oplossing van het probleem zelf uitstellen totdat we terug zijn. Het klinkt kil, maar ik moet onze schutters in de strijd houden. En zij moeten weten dat het steunpunt thuis voor hen in de bres zal springen totdat we onze operationele tour achter de rug hebben, tenzij het om iets gaat wat werkelijk ernstig is. Het is geen kleinigheid de behoeften van de missie af te wegen tegen die van je mannen en hun families. Hoe je ook probeert dat soort dingen voor te zijn, er doen zich altijd weer problemen voor als de mannen van huis zijn, en elk geval is anders. Uiteraard moeten we ook een plan klaar hebben voor assistentieverlening als een van de jongens zwaargewond raakt of sneuvelt. Iedere team- of squadroncommandant moet hier veel aandacht aan besteden. Er komt bij dit werk meer kijken dan alleen een team of squadron gereed te maken voor strijd.'

'Verlang je soms terug naar je tijd als pelotonscommandant toen je niets anders hoefde te doen dan je schutters trainen voor de strijd?'

'Die goeie ouwe tijd, ja…' Zijn lach is terug. 'Ook nu sta ik er echter op dat mijn pelotonscommandanten en hun sergeants-majoor een actieve rol vervullen als het om het welzijn van hun mannen gaat. Als een persoonlijk probleem of familiekwestie van een van de mannen uit de hand loopt omdat zij er te weinig aandacht aan hebben besteed, laat ik ze voelen hoe ongelukkig ik daarmee ben. Iedereen kent mijn standpunt hierover en ik denk niet dat we problemen op dat vlak zullen krijgen.'

Alle squadrons hebben op zijn minst één ombudsvrouw (of zelfs meer) voordat ze operationeel ingezet worden. Over het algemeen is dat de echtgenote van een van de oudere leden van het team. Eén squadron had er twee, die hun taken onderling verdeelden. De ombudsvrouw heeft tot taak te fungeren als een informele trait-d'union tussen de gezinnen en de commandant van het squadron. Zij werkt voor hém. Het is vrijwilligerswerk van groot belang. De squadroncommandant heeft al meer dan genoeg op zijn bord. Hij heeft wel via kanalen van de marine de nodige communicatielijnen naar de gezinnen thuis, maar de ombudsvrouw kan de bureaucratie omzeilen door zich direct tot de squadroncommandant te wenden.

'Onze ombudsvrouw is de echtgenote van een van mijn oudere pelotonssergeants-majoor en ze doet het geweldig,' zei Clark Trainor. 'Zij kent de marine en het marinegezin. Ik kan erop vertrouwen dat zij me duidelijk maakt hoe ernstig een probleem in iemands gezin werkelijk is. Sommige echtgenotes zijn nog jong en hebben dit nooit eerder meegemaakt. Zij helpt ze erdoorheen en laat me weten of er aandacht moet zijn voor iets in de gezinssituatie. Een SEAL losweken uit een operationeel peloton is werkelijk een cruciale beslissing. Zijn peloton is van hem afhankelijk, maar dat is zijn gezin ook. Uiteindelijk moet ik beslissen, maar in de regel heeft iedere beslissing die ik daarover neem een schaduwzijde. Voordat ik ertoe overga, wil ik er met mijn ombudsvrouw over praten.'

De squadronintegratietraining

Op D-180 keren de pelotons terug naar het SEAL-team waartoe ze behoren en verandert het team in een SEAL-squadron. De squadroncommandant heeft nu een groot aantal beweeglijke eenheden in de organisatie die hij over zes maanden leiding zal moeten geven in een operationeel gebied. Gedurende de zes maanden durende periode van squadronintegratietraining heeft de commandant veel zaken aan zijn hoofd, maar drie daarvan slorpen het leeuwendeel van zijn tijd op: de training van zijn pelotons en toegevoegde detachementen (ook aangeduid als C2-elementen), en de integratie van materieel en personeel dat niet tot de SEALs of NSW-organisatie behoort.

Voor het grootste deel zijn de SEAL-pelotons nu gereed voor de strijd, maar in de SEAL-cultuur kan het altijd beter. Een van de eerste dingen die een squadroncommandant doet, is het bijeenroepen van zijn pelotonscommandanten en sergeants-majoor om zich een beeld te vormen van hun zes maanden durende pelotonstraining. Wat waren hun sterke punten? Op welke terreinen zeggen de pelotons zelf behoefte te hebben aan aanvullende training? De capaciteiten van elk peloton worden geëvalueerd in het licht van de zich aankondigende behoeften van de opperbevelhebber in een operatiegebied: welke actuele gebeurtenissen kunnen straks invloed hebben op de missietaken van het squadron? De pelotons zijn aan hun training begonnen met een vaag idee over hoeveel pelotons er naar een bepaald oorlogsgebied zullen gaan, en welke dat zijn. Naarmate de inzetdatum naderbij komt, kunnen de marsbevelen van een peloton voor een bepaald oorlogsgebied veranderen om beter aan de behoefte van de opperbevelhebber daar tegemoet te komen. Dit kan zelfs de samenstelling van het hele squadron beïnvloeden. Voor en tijdens de oorlog in Irak werd een peloton van de oostkust steeds overgeplaatst naar een squadron aan de westkust om de NSW-steun aan CENTCOM te versterken. Tussen twee opeenvolgende squadroninzetten in werd zo het SEAL-squadron van de westkust uitgebreid tot zeven pelotons, terwijl dat aan de oostkust het met vijf pelotons moest stellen. Dankzij de uniforme trainingsmaatstaven tijdens de SQT en daarna ook gedurende de pelotonstraining aan beide kusten kunnen SEAL-pelotons naar believen met elkaar worden gecombineerd. Ze zijn op identieke manier getraind.

'Het grootste deel van de pelotonstraining hebben we alleen met ons zusterpeloton gewerkt,' zegt luitenant Phil Rasmussen, doelend op het door zijn broer geleide peloton van Team Five. 'Tijdens de SIT was onze Taakgroep Charlie de primaire eenheid voor inzet onder CENTCOM. Totdat Taakgroep Charlie werd uitgebreid met een extra peloton, Five Delta. Onze trainingen met hen samen verliepen direct naadloos – iedereen speelde van dezelfde bladmuziek. We hebben ook nog wat getraind met een uitgeleend peloton van Team Eight. Geen enkel probleem. De jongens van de oostkust zijn even goed en soms zelfs beter.'

'Bij de squadronintegratietraining wil ik ze in het veld bezig zien,' zei Clark Trainor. 'Net als individuele SEALs hebben ook pelotons hun sterke en zwakke punten. Sommige pelotons zijn beter in maritieme operaties dan andere. Sommige zijn mijn beste scheepsenteraars of booreilandveroveraars geworden. Ik krijg uiteraard informatie van het trainingsdetachement, maar ik wil het ook met eigen ogen zien. Voor dat doel zijn er in de SIT-planning militaire manoeuvres opgenomen om mij die kans te geven.'

'We hebben wat problemen met de MK43s in de pelotons,' zei Joe Rosen. 'Die zijn tijdens de pelotonstraining niet allemaal uit de wereld geholpen. Het begin van de SIT is hét moment om zulke uitrustingsgebreken op te lossen. Voor de training van de pelotons krijg ik tijdens de SIT een continue stroom van informatie uit actief-operationele squadrons. Wat onze mensen in Afghanistan en Irak en op de Filippijnen doen, heeft invloed op onze training tot op de dag dat we naar een operatiegebied vertrekken.' Weer die gemakkelijke grijns van hem. 'Ik moet heel wat ballen in de lucht houden om het squadron klaar te stomen voor die dag. Voor de peloton-SEALs is het allemaal tamelijk simpel: het enige wat zij willen is een goeie uitrusting, een prima training en de kans om te gaan. Als je hebt gezien hoe die gasten zich voorbereiden op operationele inzet, weet je dat ze over een breed gamma van vaardigheden beschikken en in staat zijn om net zoveel doelwitten op zee of te land aan te vallen als je maar wilt. Maar naarmate de inzetdatum nadert, concentreren mijn pelotons zich vooral op de elementaire vaardigheden. Ze moeten vuren, zich verplaatsen, met elkaar communiceren en zichzelf herstellen als ze worden geraakt. In de latere stadia van de squadronintegratietraining wil ik dat ze hun basisvaardigheden nog eens grondig doornemen. Als het dan ernst wordt en ze moeten improviseren, of op het laatste moment veranderingen doorvoeren om hun missie te voltooien – nou ja, dat is wat wij het beste doen.'

Eenmaal operationeel, krijgen de pelotons en toegevoegde detachementen missieopdrachten van de opperbevelhebber in hun operatiegebied. In het geval van het CENTCOM tijdens de laatste Irakoorlog zat generaal Tommy Franks niet in zijn hoofdkwartier in Qatar om missies voor zijn SEAL-squadron te verzinnen. Hij kreeg missieaanvragen van de commandanten van de landstrijdkrachten en de vloot, en soms zelfs ook van de luchtmachtcommandant. Deze aanvragen komen uit de verschillende bevelsniveaus en belanden uiteindelijk bij de commandant van een taakeenheid voor speciale operaties. De taakeenheidcommandant zal dan beslissen welke eenheden en welk materieel uit zijn inventaris het geschiktst zijn voor deze specifieke missie. Is het een missie voor speciale strijdkrachten van de landmacht, of een missie voor de Rangers? Of is dit een klus voor SEALs of mariniers? Als er SEALs en boten aan te pas komen, wordt de missie toegewezen aan een taakgroep van het NSW Command. Deze bestaat uit SEALs en specialisten in verbindingen, inlichtingen en ondersteunend personeel van het squadron zelf, of van de NSW-eenheid in het oorlogsgebied. De NSW-taakgroepcommandant kan de squadroncommandant zelf zijn, of zijn plaatsvervanger of een van de leidinggevende SEALs in zijn squadron.

De taakgroepen zijn verantwoordelijk voor het geven van taakopdrachten en het werken met de SEAL-pelotons, of met de aan het squadron toegevoegde detachementen bij de planning, voorbereiding en ondersteuning van de missie. Bij de uitvoering van de missie fungeert de taakgroep gewoonlijk als het primaire C2-element voor de uitvoerders van de missie. In sommige gevallen worden er andere elementen voor speciale operaties toegevoegd aan de NSW-eenheid die de missie uitvoert, of leveren NSW-eenheden steun aan andere speciale strijdkrachten of conventionele troepen. Hoe de missietaken zich ook mogen ontwikkelen, als er SEALs of bootbemanningen van het NSW Command bij een operatie betrokken zijn, zal hun taakgroep nauwlettend over hen waken.

Nogmaals Joe Rosen: 'Tijdens de squadronintegratie grijp ik elk excuus aan om mijn taakgroepen aan het werk te zetten en te trainen in de communicatie met een vlooteenheid, SEALs in het veld en bootbemanningen die onderweg zijn. Wij maken gebruik van iedere oefenmogelijkheid. Als het even mogelijk is, laat ik ze samenwerken met het missieondersteuningscentrum en de logistieke steuneenheid van de NSW-group. Soms zijn er veldmanoeuvres waarbij we onze jongens in het veld kunnen laten trainen met andere grondoorlog- of luchtmachteenheden. Soms ook zijn er gecomputeriseerde commandopostoefeningen voor het testen van onze vaardigheden op het gebied van missieplanning en die van onze C2-elementen. Bovendien probeer ik mijn pelotonsofficieren door de taakgroepen te laten rouleren, zodat ze kunnen zien wat daar gebeurt om hen in het veld te ondersteunen.'

'Ik heb geluk gehad,' zei Clark Trainor van Squadron Three. 'Wij hebben profijt kunnen trekken van de Exercise Millennium Exchange tijdens de SIT. Dit waren grootschalige manoeuvres van allerlei strijdkrachten, bedoeld als een test voor alle bevels-, controle- en communicatieniveaus gedurende de voorbereiding van de campagne in Irak. Ik heb twee taakgroepen kunnen opzetten, een hier in The Strand en een op het eiland San Clemente. Het hele squadron was erbij betrokken. Elk peloton moest zich voorbereiden op de uitvoering van twee complete missiescenario's, met specifieke taken voor de SDVs, de RHIBs en de MK Vs. De manoeuvres duurden twee weken en de mannen krijgen heel weinig slaap. De mensen van mijn beide taakgroepen werkten in een ritme van twaalf uur op en twaalf uur af. Het squadron heeft uitstekend gepresteerd. We hadden onze problemen, maar de jongens losten ze op. Na deze grote manoeuvres was ik er een stuk geruster op: ik wist toen dat dit squadron gereed was voor de strijd.'

'Het is altijd moeilijk te bepalen onder hoeveel druk je ze moet zetten,' legde Shawn Harkness van Squadron Five me uit. 'Tijdens de pelotonstraining verwachtte ik bij mijn pelotons die blik op oneindig te zien, gelet op de lange tijd dat we in het veld waren. Alleen, hoeveel druk kan een squadron aan? Voor de meesten van ons was dit de eerste keer dat we het bevel hadden over een zo diverse strijdmacht, gereed voor de strijd. Ook breek je je het hoofd over het verlof dat ze moeten krijgen voordat ze naar het operatiegebied gaan. Er valt nog veel te doen, maar je wilt ze ook tijd gunnen met hun gezin – dat is van groot belang. Als die voortgaande operaties in Afghanistan en op de Filippijnen er niet waren geweest, met de mogelijkheid van een oorlog in Irak, had ik ze nooit zo intensief kunnen laten trainen.'

De squadronintegratietraining wordt grotendeels bepaald door de visie van de squadroncommandant en welke kansen op training hij krijgt in de vorm van militaire manoeuvres, of andere trainingssituaties die hij kan orkestreren. Vanwege het toenemende belang van nabije luchtsteun (CAS) reizen SEAL-pelotons nu vaak naar de luchtmachtbasis Nellis nabij Las Vegas of de basis Fallon in het zuiden van Nevada om met de marineluchtvaartdienst te trainen. Als dat mogelijk was, waren SEAL-pelotons in de woestijn voor het leiden van luchtaanvallen door de F-15s en F-16s van de luchtmacht, of de F-14s en de F/A-18s van de marineluchtvaartdienst. De piloten hebben deze training net zo hard nodig als de SEALs. Tot de CAS-training behoren het dirigeren van projectielen vanuit de lucht naar GPS-coördinaten, en het gebruik van laseraanwijzers voor het merken van doelwitten voor vernietiging vanuit de lucht. De Iraakse strijdkrachten hebben tijdens de Golfoorlog ondervonden hoe goed de Amerikaanse SOF-M-operators en piloten waren.

'Tijdens de SIT hebben we veel tijd besteed aan de CAS-training,' zei luitenant John Rasmussen. 'Naast veel tijd met de andere elementen van het squadron. Commandant Harkness heeft gedaan wat hij kon om te zorgen dat we genoeg tijd in de boten hadden of met onze taakgroepen konden werken.'

'Als ik het goed heb, is er ook een opblaasdetachement aan jouw peloton toegevoegd?'

'Klopt. Ik heb zelfs twee EODs, een voor elk squad. We hebben een deel van de training voor hen gereserveerd, voor het onschadelijk maken van allerlei mijnen of het plaatsen van braakspringladingen. Het zijn keien. Ze hebben minder tijd om te vuren dan wij, maar ze staan ook in een vuurgevecht hun mannetje. Gelet op wat we bij een missie kunnen tegenkomen, is het prima om ze in de squadformatie te hebben.'

Hoe dichter de inzetdatum voor het squadron nadert, hoe vaker de commandant van een SEAL-squadron overleg pleegt met de squadroncommandant die hij gaat aflossen. Dat blijft niet beperkt tot de squadrons onder CENTCOM. De nieuwe squadroncommandanten moeten ook nadenken over een mogelijke inzet in Midden- en Zuid-Amerika, de Filippijnen, Korea, Indonesië en Zuidoost-

Azië. De squadrons Three en Five van de westkust werden ingezet tijdens de campagne in Irak. Op dat moment waren de SEALs van squadron Seven net bezig aan het einde van de pelotonstraining of stonden ze op het punt de SIT te beginnen. Als hun trainingsschema daar ruimte voor bood, volgden ze net als alle wereldburgers de oorlog via de televisie. Squadroncommandant Rosen deed zijn best zijn mannen aan het verstand te brengen dat de campagne in Irak slechts een van de campagnes in de oorlog tegen het terrorisme was. Desondanks waren ze gebrand op uitzending naar het oorlogsgebied.

'In sommige opzichten deel ik de gevoelens van de jongens in de pelotons: de oorlog daar zal voorbij zijn voordat wij er aankomen en dan is het daar vrede. Mijn verstand zegt me dat dit niet zo zal zijn. Er blijven nog meer dan genoeg slechteriken in dat oorlogsgebied over en ze kunnen zich overal verbergen. Voor speciale strijdkrachten zal de vrede een even grote opgave zijn als de oorlog zelf. Ook weten we dat er werk genoeg wacht in Afghanistan of op de Filippijnen. Wie kan zeggen hoeveel leden van de Ba'athpartij er na de oorlog in Irak ondergronds zullen gaan? Ook zullen er op allerlei plaatsen verzetshaarden van Al-Qaïda zijn, ook op zee. Voor het grootste deel zijn mijn pelotons klaar voor de strijd als ze nodig zijn in Irak, maar we zijn nog lang geen geïntegreerd squadron dat er helemaal klaar voor is. Ik houd mijn mensen en mezelf dagelijks voor dat we geduld moeten oefenen en hard moeten werken. We krijgen daarginds meer dan genoeg te doen, als we er heengaan.'

Ook moet een goede squadroncommandant verder kijken dan de operationele periode van zijn squadron, namelijk naar het moment waarop het squadron weer overgaat tot de status van een SEAL-team en het moment waarop hij zijn team aan zijn opvolger zal overdragen. 'Zelfs voordat we vertrekken moet ik vooruit hebben gekeken naar hoe het team eruit zal zien als we terugkomen uit het operatiegebied,' zei Rosen. 'Er zal zo'n man of dertig, veertig uit het team vertrekken, en er zullen er evenveel voor in de plaats komen. Ik praat graag met de officieren die op de nominatie staan voor roulatie, om ze raad te geven, hen te helpen zich te bezinnen op hun doelstellingen en mij te zeggen wat ik kan doen om hen te helpen. Er zijn er altijd wel een paar die het na hun operationele tour voor gezien willen houden. En vaak zijn er ook wel een of twee voor wie ik hemel en aarde wil bewegen om ze vast te houden. Soms kan een goeie operationele tour me helpen de beste officieren vast te houden voor een verdere carrière. De meesten blijven wel, maar buiten de Navy kunnen ze uit allerlei aantrekkelijke opties kiezen. Het is hun eigen keuze, uiteraard, maar ik doe wat ik kan om ze vast te houden. Mijn carrièreadviseur en adjudant doen hetzelfde bij de onderofficieren en manschappen en zelf wil ik met een paar van de ouderen onder hen praten. Zij zijn bepalend voor de toekomst van onze SEAL-cultuur en we moeten voor deze mannen zorgen. Als we eenmaal actief zijn, zal daar weinig tijd voor overblijven. Daarom doe ik wat in mijn vermogen ligt om dit soort personeelskwesties aan te pakken voordat we naar het oorlogsgebied vertrekken.'

Tijdens de intensieve squadronintegratietraining proberen de squadroncommandanten op zijn minst één feest voor de SEALs en hun gezinnen te organiseren. Meestal gebeurt dat in de vorm van een picknick of barbecue op het strand in een van de plaatselijke parken – hamburgers, hotdogs, chili con carne enzovoort. Er doet zich nooit een dag voor waarop het gehele squadron in The Strand of in San Diego kan zijn, maar er wordt geprobeerd zoveel mogelijk squadronleden te verzamelen. Er worden volleybal- en voetbalwedstrijden gehouden, en als er genoeg SEALs bij zijn, komt er waarschijnlijk ook een zogeheten *Monster Mash*. Dit zijn in de regel wedstrijden waarin hard wordt gelopen, gezwommen en weer gelopen. Voor de jongere SEALs is het een kans om te laten zien wie sneller en wie het snelst is, en voor de oudere SEALs duurt het lang genoeg om flink trek en dorst te krijgen, hoewel er – in elk geval die keer dat ik erbij was – meer mineraal- en spuitwater in de ijskuipen zat dan flesjes bier. Ik kon zien dat enkele leden van de opblaasdetachementen en bootbemanningen ook hard konden lopen en zwemmen en dat er onder de SEAL-vrouwen atletes waren die als de besten met hen konden wedijveren.

De vrouwen en kinderen van Navy SEALs zijn in de regel al even bijzonder als hun echtgenoten en vaders. Ik ben in de gelegenheid geweest veel van de vrouwen en wat kinderen van Navy SEALs te ontmoeten. Zoals te verwachten waren ze allemaal even trots op hun man en bereid hem te steunen. In de laatste jaren bij het trainingscentrum heb ik gemerkt dat veel BUD/S-trainees en SQT-kandidaten getrouwd waren. Iets minder dan 5 procent begint aan de SEAL-training als een getrouwd man. Veel SEALs trouwen dus nadat zij hun Trident hebben verdiend. Gelet op het hoge tempo en de steile leercurve die ze gedurende hun eerste preoperationele training ervaren, trouwt het merendeel na hun eerste operationele inzet. Dit impliceert dat het gros van de jonge echtgenotes met SEALs is getrouwd, niet met marinemensen of burgers die SEAL willen worden. Zij zijn met het 'teamdier' getrouwd en hadden op zijn minst enig inzicht in wat hun te wachten stond. Ze hebben hun aanstaande man leren kennen en daarmee ook, gezien het groepsgedrag van SEALs met verlof, een deel van zijn pelotonsmaten. Als een SEAL in het huwelijksbootje stapt, bevindt zich gewoonlijk een tamelijk grote groep teamgenoten onder het contingent 'vrienden van de bruidegom'. Uitgaan en trouwen met een SEAL – met zo'n charismatische groep strijdmakkers – is vermoedelijk omgeven met wat extra romantiek en opwinding. Na de wittebroodsweken (als de SEAL daar de gelegenheid voor heeft) wordt zijn vrouw als echtgenote van een Navy SEAL een marinevrouw. Haar leercurve is vermoedelijk al even steil als voor een nieuwkomer in de pelotons. Voor haar is er echter geen programma als de BUD/S-training of de SQT om haar op deze status voor te bereiden. De meeste SEALs hebben geen realistisch beeld van de duur van de tijd die ze van huis zullen zijn, of hoe weinig tijd ze thuis kunnen doorbrengen, althans, niet voordat ze het in de pelotons ervaren. Het is hun verteld, maar er moet een hele operationele-inzetcyclus aan te pas komen voordat hun een licht opgaat. Uitgaan met een knaap die veel van huis is, is echter iets heel anders dan wachten op een man die niet thuiskomt, zoals andere echtgenotes doen. Ik heb geen cijfers over het echtscheidingspercentage onder SEALs in vergelijking met het percentage onder de gehele bevolking of zelfs in militaire gemeenschappen. Wel weet ik dat er bij de hoogste leiding van de NSW-gemeenschap het besef leeft dat een goed huwelijk in de regel leidt tot een betere krijgsman. Ook is men zich ervan bewust dat een slecht huwelijk slecht is voor iedereen, zowel voor de vrouw die geen begrip heeft voor het grote beslag dat het SEAL-bestaan legt op de tijd van haar man, als voor de getrouwde SEAL die zich niet op zijn werk kan concentreren als de zaken thuis niet naar wens gaan. Het leven dat de Navy SEAL heeft gekozen, kan zwaar zijn voor degenen die van hem houden en van hem afhankelijk zijn. Wat dat aangaat aarzelden veel van de meer volwassen en capabele SEALs niet om mij te vertellen dat hun thuis-basis een grote bron van kracht en innerlijke rust voor hen was.

Een van de dingen die me opvielen bij de vrouwen die met Navy SEALs zijn getrouwd – vooral de jongere generatie – is dat ze veel ge-meen lijken te hebben met hun huwelijkspartner. Ik bedoel hiermee dat ze fit en capabel zijn, gestudeerd hebben en blijkgeven van on-dernemingslust. Niet weinig SEAL-vrouwen zijn ook nog eens adembenemend mooi. En velen onder hen oefenen een beroep uit waarmee ze meer verdienen dan hun man. In gesprekken met wat jongere officieren en manschappen – SEALs die het eind van hun verplichte diensttijd naderden – ontdekte ik dat hun echtgenotes een belangrijke stem hebben bij hun besluit of hun man bij de Navy SEALs wil blijven of eruit wil stappen. Zoals dat gaat bij veel militai-re gezinnen, zijn de perioden van scheiding moeilijk, maar voor sommige van deze begaafde vrouwen gaat het om meer dan dat. Zij hebben veel interesses en een eigen carrière. Als een SEAL thuiskomt na een operationele tour en dan zijn tijd wil besteden aan zijn vrouw en kinderen, kan het gebeuren dat haar beroep haar niet in staat stelt haar werk op te schorten, alleen omdat hij thuis is. Daar komt bij dat SEALs nogal eens worden overgeplaatst. Onderofficieren en man-schappen zijn vaak zes jaar of langer bij hetzelfde team, maar een pe-lotonscommandant kan ervan op aan dat hij na een operationele tour zijn team zal verlaten, en soms zelfs eerder, omdat hij voor een speciale functie wordt ingezet. Naarmate een SEAL ouder wordt, zal hij vaker zijn overgeplaatst. Als zijn vrouw een eigen zaak drijft of partner wordt bij een advocatenfirma, kan dat leiden tot de strijd-vraag wiens loopbaan het meest flexibel is. Niet voor niets kent de marine het gezegde dat het bestaan van de marinevrouw de zwaarste klus is bij de Navy. Dat gaat beslist ook op voor de vrouw van een Navy SEAL, en misschien nog wel meer.

Aan de vooravond van hun vertrek naar een oorlogsgebied vraag ik de squadroncommandanten naar wat hun de meeste zorgen baart. Wat houdt hen 's nachts uit hun slaap?

'Als onze timing goed of slecht is – het is maar hoe je ernaar kijkt – raken we straks verstrikt in een tweede oorlog in Irak. We zullen zowel op het land als op zee veel moeten doen. Veel mensen denken dat wat wij doen en hoe we het doen streng geheim is. De slechteriken weten echter dat we elk moment kunnen opduiken en soms weten ze ook dat we komen. Dat betekent dat we in het gunstigste geval alleen op een tactische verrassing mogen rekenen. Het gaat om uitermate gevaarlijke missies. Wij trainen er hard voor en onze mannen zijn klaar, dat wil zeggen: tot op zekere hoogte.' Hij denkt even na en herneemt: 'Ik geloof dat ik me de meeste zorgen maak over mijnen – landmijnen of zelfs chemische mijnen – die ze voor ons hebben ingegraven. Het uitvoeringstempo van een missie kan ons beletten zo voorzichtig te werk te gaan als we zouden willen, ongeacht eventuele mijnen of sluipschutters. Op veel van wat er van ons wordt verlangd, hebben wij geen invloed. Er zijn veel klussen die wij kunnen doen die voor conventionele strijdkrachten onmogelijk zijn. En als dergelijke troepen verzanden in een grondoorlog, zullen ze van ons van alles en nog wat verlangen. Wij zijn allemaal vrijwilligers en we doen dit werk omdat we het willen. Ik ben erg gesteld op mijn mensen en ik wil ze heelhuids thuisbrengen, maar de missie gaat voor. Zij weten het, en ik weet het ook.'

'Dat gedoe met Irak,' vertrouwde een ander mij toe, 'is deels aantrekkelijk en deels niet. Wij hopen te worden ingezet voor het achter de rug is, op zijn minst onze mannen hopen dat. Aan de andere kant hopen de actief-operationele squadrons dat het achter de rug zal zijn voordat zij naar huis gaan. Wij willen doen waarvoor we zijn getraind, maar je kunt moeilijk om oorlog gaan bidden alsof het om regen gaat. Zorgen? Reken maar. Ik heb veel van iedereen gevergd, niet alleen van de team-SEALs, maar ook van de rest van het squadron. Het is aan mij om al het mogelijke te doen om mijn squadron gereed te maken voor de strijd. Er zijn echter momenten waarop ik een stap terug moet doen om ze wat vrije tijd te gunnen. Soms is weten wanneer ze niet hoeven te trainen het moeilijkste, zoals wanneer nog meer training niet zal worden omgezet in operationele capaciteit. Ze zijn trouwens breekbaar. Onze training is risicovol en als ze te uitgeput raken, kunnen er ongelukken gebeuren. In dit stadium van het spel werken we met wat we hebben: we hebben geen reservebank. Een paar weken terug raakte een van mijn SEALs tijdens de training gewond. Mijn adjudant, de pelotonssergeant-majoor en de pelotonscommandant hebben erover gepraat, en we kwamen tot de conclusie dat het peloton het met een man minder moest stellen. Wat we ook probeerden, we hadden geen andere SEAL kunnen vinden met evenveel ervaring en rijpheid om in te vallen in het peloton. Of beter gezegd, we konden geen SEAL vinden die naar de mening van de sergeant-majoor en de pelotonscommandant goed in het peloton zou passen en zijn bijdrage zou kunnen leveren. Zelf zou ik een poging hebben gedaan een SEAL te vinden die net terug was van zijn operationele tour en bereid was meteen weer te gaan. Echter, in dit stadium peinsde ik er niet over mijn pelotonsleiders te gaan vertellen hoe zij hun werk moesten doen of, wat dat aanging, de samenstelling van hun peloton te veranderen. Eerlijk gezegd kunnen we niet snel genoeg naar het operatiegebied gaan, wat mij betreft. Eenmaal daar kan ik al deze zorgen over hoe we ons moeten voorbereiden verruilen voor een aantal zorgen van heel andere aard.'

'Over twee weken beginnen we met de SIT,' vertelde Joe Rosen me aan de vooravond van de oorlog in Irak. 'Er kan van alles gebeuren, maar als dit geen tweede Vietnam wordt, zal de oorlog voor de hoofdmacht allang voorbij zijn tegen de tijd dat wij daar aankomen. Dit land is niet van plan aan een tweede Vietnam te beginnen. Eigenlijk is dat wel gunstig: er zal geen gebrek zijn aan werk en vermoedelijk zullen we over minder mensen beschikken om dat werk te doen. De hoofdmoot van de strijdkrachten zal naar huis zijn en de ratten die tijdens de oorlog ondergronds zijn gegaan, zullen er vroeg of laat uit moeten komen.' Met een grijns voegt hij eraan toe: 'Misschien hebben wij ze dan helemaal voor onszelf.' Meteen wordt hij weer ernstig. 'Alleen, probeer de pelotons dat maar eens te vertellen. Peloton-SEALs hebben altijd het gevoel dat ze in het verkeerde stadium van een operationele cyclus zitten, of in het verkeerde oorlogsgebied worden ingezet. Ze denken dat ze bij hun laatste operationele tour alle actie hebben gemist, of dat die niet zal wachten totdat zij voor hun volgende tour ter plaatse zijn. Ik probeer ze het totaalplaatje te laten zien, want ik wil niet zomaar iets verzinnen om hen zich te laten focussen op hun training.'

'Ik geloof niet dat ik dit helemaal begrijp,' zei ik.

Weer die grijns. 'Jij bent al net zo als veel van mijn mensen. De kwestie is, we zijn bezig aan een oorlog tegen het terrorisme en wat wij daar in Irak gaan doen, is slechts een deel van het totaalbeeld. Als wij straks naar Bagdad gaan, zullen we volgens mij aan een proces beginnen dat hopelijk een fundamentele verandering in die hele regio teweeg zal brengen. Dat zal echter tijd kosten – en ik denk zelf véél tijd. Irak onder de voet lopen is te vergelijken met op een tube tandpasta trappen, met de dop er nog op. De tandpasta zal eruit spuiten, maar je weet niet naar welke kant of hoeveel. Het zal echter gaan gebeuren. Wij willen verandering in het Midden-Oosten en er zijn allerlei gasten die ons bij iedere stap die we zetten willen dwarsbomen. We weten niet hoe ze komen, of waar ze ons te grazen willen nemen: Central Command Middle East? De Pacific? Hoorn van Afrika? Of wat dacht je van Noord-Korea? Dát is het totale plaatje. Ons deel daarvan is dat we klaar moeten zijn voor de strijd tegen een onbekend aantal vijanden in een grote en vaak roerige wereld. In sommige opzichten hebben de squadrons die ons zijn voorgegaan het gemakkelijker gehad. Zij hebben op een breed gamma van missiescenario's getraind, maar konden zich concentreren op Irak. Die luxe is ons niet vergund. Dus houd ik mijn mannen voor dat er meer dan genoeg werk voor ons zal zijn, misschien zelfs meer dan voor het squadron dat wij gaan aflossen. We weten alleen niet waar en wanneer dat zal gebeuren, of wie eigenlijk de slechteriken zullen zijn. Wij moeten op alles voorbereid zijn.'

'Altijd en overal?'

'Overal en altijd, ja.'

Een van de primaire taken van een squadroncommandant is het bepalen van de juiste ethische toon voor zijn squadron. Hij zal duidelijk moeten laten zien wat hij op het vlak van gedrag wel of niet zal tolereren. Hij bepaalt wat de acceptabele normen voor professioneel gedrag en dito prestaties zijn. Anders gezegd, de squadroncommandanten leggen de morele basis waarop hun squadron zijn gevechtskracht zal etaleren. Ik heb kunnen constateren dat ze dat allemaal op hun eigen manier deden, met hun persoonlijke stijl van leidinggeven. Wat nu volgt, zijn de woorden die commandant Shawn Harkness op schrift heeft gesteld voor SEAL-team Five en dus ook voor SEAL-squadron Five.

Ik wil nu mijn commandofilosofie uiteenzetten, zodat jullie allemaal weten waar ik sta.

- Eer, moed en toewijding zijn woorden waarin ik geloof.
- Ik zal SEAL-team Five leiden in overeenstemming met het Uniform Wetboek Militair Strafrecht, de geldende voorschriften en regels van de Navy en mijn eigen morele richtsnoer.
- Drankmisbruik is géén overgangsrite. Hoeveel een man ook drinkt, altijd is hij verantwoordelijk voor zijn daden.
- Ik volg een zerotolerancebeleid ten aanzien van drugs, racisme en seksisme.
- Eerlijke vergissingen kunnen acceptabel zijn, opzettelijke ongehoorzaamheid is dat niet.
- Al jullie handelingen moeten legaal, moreel en ethisch verantwoord zijn.
- Zorg dat je je taken kent en wees er klaar voor om je capaciteiten te gebruiken als ze nodig zijn.
- Begrijp wat het zeggen wil om HET op te roepen of uit te zetten.

- Na middernacht gebeurt er nooit iets goeds.
- Technici behoren hun werk te doen opdat wij het onze kunnen doen. Respect is altijd tweerichtingsverkeer.
- Houd steeds je commandant op de hoogte.
- Ik sta open voor jullie suggesties, maar volg altijd de bevelsketen.
- Ik ben hier om jullie te helpen je carrièredoelstellingen te verwezenlijken.
- Wapens, codeboeken en andere risicovolle hulpmiddelen of publicaties dienen te allen tijde voor de volle honderd procent bewaakt en verantwoord te worden.
- Werk hard en speel het hard.
- De betekenis van flexibiliteit is in het woordenboek te vinden onder de noemer Naval Special Warfare.
- Loyaliteit is iets dat in de bevelsketen zowel van onderaf als van bovenaf loopt.

SEAL-squadron Five werd tijdens *Operation Iraqi Freedom* ingezet ter ondersteuning van de militaire operaties onder het Central Command Middle East. De excellente bijdrage van de krijgslieden van Squadron Five maakt nu deel uit van de krijgsgeschiedenis van Naval Special Warfare.

Het eerste schot van de dag. Een SQT-kandidaat schiet in geknielde houding tijdens een Combat Stress Course (CSC): een combinatie van rennen en vuren met volle bepakking plus een wedstrijdelement. In een echte tactische situatie zou hij zijn silhouet nooit blootgeven. *Foto Dick Couch*

EPILOOG
DE STRIJD GAAT DOOR

Zowel in Afghanistan als Irak hebben Navy SEALs dapper gestreden. Zij hebben in de krijgsgeschiedenis van de teams nieuwe hoofdstukken geschreven. Begin lente 2003 vond er in het Engelse Windsor Castle een besloten ceremonie plaats ter ere van een heldendaad van een Navy SEAL. Hij werd onderscheiden met het Military Cross, de op een na hoogste Britse onderscheiding voor betoonde moed. Op 28 juni van dat jaar werd er ook een ceremonie gehouden voor het uitreiken van eretekenen aan SEALs die zich in de strijd hadden onderscheiden. Ook dit was een ceremonie waarbij geen publiek en geen media waren toegelaten: alleen familie en militaire gasten. Tot de onderscheidingen behoorden een Navy Cross en zeventien Silver Stars. Ze werden in besloten kring uitgereikt, vanwege de aard van hun strijd en ook ter bescherming van de SEALs die deze strijd voortzetten. Wat vinden deze mannen zelf van het gebrek aan openbare erkenning voor hun heldendaden? Zij accepteren hun anonimiteit en zijn er zelfs blij mee. Het zijn beroepskrijgers en het is hun werk. Degenen die voor hen het zwaarst tellen, hun families en wapenbroeders, zijn op de hoogte van hun heldendaden en offers.

Een groot deel van degenen die werden onderscheiden was niet aanwezig om hun onderscheiding in ontvangst te nemen. Zij waren weer actief-operationeel: weer volop aan het werk. Een van hen was onder unieke omstandigheden teruggegaan naar het operatiegebied. Tijdens de campagne in Afghanistan had hij zijn been onder de knie verloren. Toch was hij voor de campagne in Irak terug in de strijd, samen met zijn SEAL-wapenbroeders – *ondanks zijn prothese.*

We vechten tegen een kwaadaardige vijand en Amerika mag zich gelukkig prijzen over deze generatie van krijgslieden te beschikken die tegen hun taak zijn opgewassen. Sinds de Verenigde Staten na de aanslagen van 11 september 2001 ten strijde trokken, zijn de Navy SEALs volop bij deze oorlog betrokken geweest. Zij hebben honderden speciale gevechtsoperaties in Afghanistan en Irak uitgevoerd. En ze zijn er nu nog steeds.

Mij staan twee verschillende beelden van deze twee conflicten voor de geest. In Afghanistan is dat het beeld van een sergeant van de Groene Baretten, onder het vuil en met een baard van twee weken die naast een commandant van de Northern Alliance staat. Onze sergeant heeft een M4-geweer in de ene hand en een zender/ontvanger in de andere. Hij spreekt in het Pashto met deze Afghaan en via de zender/ontvanger geeft hij achtcijferige coördinaten in het Engels door aan de F/A 18 van de Navy die boven hun hoofden rondcirkelt. Een ogenblik later doet zich een lange rij explosies voor langs de rij taliban-strijders. Daarna wenkt de leider van de Northern Alliance zijn troepen naar voren, maar ze wagen zich geen van allen ver van de sergeant van de Groene Baretten en zijn zender/ontvanger. In Irak is het een heel ander beeld. Het is recenter, het beeld van iemand die wel vijftien jaar jonger is. Het is een marinier op het dak van een amfibiepantservoertuig die zich al op vele honderden kilometers afstand van een bruggenhoofd bevindt. Als een *embedded* verslaggever hem vraagt: 'Wat rukken jullie gruwelijk snel op – vanwaar toch al die haast?' antwoordt de marinier, een jonge knaap met een babyface die al even smerig is als de sergeant van de Groene Baretten in Afghanistan: 'Omdat wij eerder dan het leger in Bagdad moeten zijn!' Twee verschillende beelden in twee totaal anders uitgevochten oorlogen die niettemin hetzelfde resultaat opleverden: een verpletterende Amerikaanse triomf.

Wie zijn deze mannen en waarom zijn ze zo goed? Wat het Sovjetleger in Afghanistan in geen tien jaar voor elkaar kreeg, deden zij in een paar maanden. De 3rd Infantry Division en de 1st Marine Expedition Force liepen Irak binnen enkele weken onder de voet. De strijd was al bijna voorbij toen de 101st Airborne Division (101e

Luchtlandingsdivisie) en de 4th Infantry Division in actie kwamen. Volgens de militaire analytici zijn we hard op weg geschoolde discipelen van John Boyd te worden.

Dat betekent dat wij de tactische Boyd-cyclus (waarnemen, oriënteren, beslissen en actie ondernemen) veel beter en sneller uitvoeren dan onze vijanden. Piloten van jachtbommenwerpers zouden zeggen dat we de vijand 'binnenstebuiten keren' en daardoor een voortdurend tactisch voordeel genieten. Onze strijdkrachten reageren zoveel sneller en met zo'n superieure technologie dat de vijand erdoor in verwarring wordt gebracht en gedesoriënteerd raakt. De Boyd-cyclus, oorspronkelijk bekend als de OODA-loop (*Observation, Orientation, Decision, Action*), heeft tot een ongekend vermogen tot het samenballen en verkorten van militaire missies geleid. Kortom, wij zijn sneller. We hebben dit in Irak gezien, toen het na signalering van Saddam Hoessein (of een van zijn dubbelgangers) slechts een kwestie van minuten was voordat de eerste bunkerbuster van ruim 900 kg de betonnen wand (ruim drie meter dik) van een van de Iraakse strategische bunkers doorboorde en de hele bunker opblies. De verkorte tactische cyclus is ook van toepassing op de relatieve conventioneel-technische activiteiten van speciale troepen. Nu leverden al de jaren van 'train zoals je vecht' hun rendement op. Als er een inlichtingenfragment van korte geldigheidsduur binnenkomt (*perishable intelligence*), is er vaak geen tijd voor uitvoerige briefings of repetities. De leider van een SEAL-missie zal bijna zijn missiescenario in het zand moeten tekenen voordat de SEALs in de helikopter klimmen. Daarna wordt er gevochten zoals er is getraind. Dit is in Irak en Afghanistan vaak voorgekomen. Er is nog een andere redenen voor het Amerikaanse succes: onze Special Operations Forces zijn beter. De Verenigde Staten ontwikkelen momenteel een krijgscultuur van historisch ongeëvenaarde superioriteit.

'Wij doen het veel sneller dan wie ook,' verzekerde een pelotonSeal van Team Three mij kort na zijn terugkeer uit Irak. 'Tussen het moment waarop het aankondigingsbevel kwam en het moment waarop onze soldatenkistjes de grond raakten, waren slechts een paar minuten verlopen. Daar deden we bij de pelotonstraining nog uren over, maar in Irak ging het allemaal veel sneller.'

Dan is er nog het dapperheidsaspect. Op het moment dat ik dit schrijf, zijn Navy SEALs in Irak al ruim twee jaar betrokken bij oorlogsoperaties. Een van de SEALs zei tegen mij: 'Kolonel, het is daar net zoals het voor u in Vietnam moet zijn geweest: we gaan er iedere avond op uit.' En net als in Vietnam wordt dit gevaarlijke werk bijna routine – totdat er iets fout gaat. Dan wordt alle technologie, superieure uitrusting en superieure tactiek bijzaak. Dan draait alles om de schutter in de strijd: hoe goed reageert hij en hoeveel vuur brandt er in zijn borst? Het gaat uiteindelijk om moed. Er hebben zich in Afghanistan en Irak talloze heldhaftige incidenten voorgedaan, maar dat is een verhaal voor een ander boek.

Grootschalige oorlogsoperaties in Irak zijn iets waarop we nu terugkijken. Hoe nu verder, terwijl onze natie zich aan de taak van wederopbouw zet om dit land te rehabiliteren? Conflicten als in Irak en Afghanistan zijn slechts campagnes in de strijd tegen het terrorisme en hun helpers of huisvesters. Er is ook in de toekomst geen gebrek aan potentiële vijanden of gevaarlijke situaties die om aandacht schreeuwen: de fundamentalistische sjiitisch-islamistische moella's in Iran, de wahabieten in Saoedi-Arabië, resten van de Ba'ath-partij in Irak en Syrië, om er een handvol te noemen. Dan is er uiteraard nog het netelige probleem van het Palestijnse volk. Allemaal kwesties die nauw samenhangen met de oorlog tegen het terrorisme. De westerse wereld zal nog heel wat jaren door deze problemen worden beziggehouden, Irak incluis. De Amerikaanse betrokkenheid zal zich vooral op het diplomatieke, economische en politieke vlak uiten. De militaire optie is echter altijd beschikbaar. Als de kaarten aan de diplomatentafel zijn geschud, zullen de eerste twee kaarten die Colin Powells (BZ) opvolgers in handen krijgen twee troeven zijn: een voor Afghanistan en een voor Irak. Wat onze militairen in die landen hebben gepresteerd, zal niet gauw door degenen die onze belangen in die regio dwarsbomen vergeten worden. Economisch hebben we veel te bieden. Weinig Amerikaanse ministers van Buitenlandse Zaken zijn zo sterk gemotiveerd geweest als Colin Powell om hun zo'n forse wortel voor te houden, terwijl zij geen grotere stok in handen hebben. In deze oorlog tegen het terrorisme kunnen we helpen bij de wederopbouw van een natie, maar we kunnen met onze pantsercolonnes en luchtmacht ook internationale grenzen oversteken. Of onze activiteiten in Irak een goede basis zijn geweest voor het intensiveren van deze wortel-of-stokpolitiek om onze belangen in deze regio te verdedigen, of eerder een enorme miskleun, zal de toekomst uitwijzen.

Wat zijn eigenlijk onze belangen in dit olierijke, roerige deel van de wereld, met name gelet op terrorismebestrijding? Thomas Friedman, allesbehalve een vriend van de regering-Bush, steunde zwijgend de invasie in Irak, maar met een lange litanie van bezwaren. Ze draaiden vooral om ons vermogen om ons terug te trekken na de eliminatie van Saddam Hoessein. De kern van Friedmans waarschuwing: 'Als je het breekt, zul je het ook moeten herstellen', was dat – als ons land de Arabische jeugd niet laat profiteren van de rijkdommen van hun land – de jongeren daar steeds meer geneigd zullen zijn hun toevlucht te nemen tot terrorisme. Dan komen jonge Arabieren die niets te verliezen hebben golf na golf op ons af, de ene generatie na de andere. Ik deel die mening. Friedman wijst er terecht op dat het, als we het moeras waarin de ratten zich vermenigvuldigen niet droogleggen, niets zal uitmaken hoeveel ratten we doden: dan blijven ze uit het moeras komen en in grote aantallen onze steden overstromen. Ook geloof ik dat de eerste stap in dit drooglegginsproject eruit moet bestaan dat we juist handelen in Irak, hoeveel dat ook mag kosten en hoe lang het ook mag duren. Dat is echter gemakkelijker gezegd dan gedaan. Onze aanwezigheid daar moet niet te kort, maar ook niet te lang duren. Intussen zal iedere blunder en dwaling (en het aantal zal niet gering zijn) getrouw op de voorpagina van *The New York Times* breed worden uitgemeten en door Al-Jazeera van de daken worden geschreeuwd. Toch zal het droogleggen van het moeras dat terroristen kweekt op de lange duur veel goedkoper zijn dan de kosten aan mensenlevens, humanitaire degeneratie en geld als we dit nalaten. Dit is de enige juiste handelwijze, maar het zal tijd kosten.

Er zijn nog andere overwegingen. Wat moet er gebeuren met de recent gerekruteerde ratten of de ratten die al onderweg zijn naar ons toe? En wat te beginnen met de statenloze ratten die zich door de vele etnische en stamgebonden streken van deze regio verplaatsen? Ze dragen de pestbacil bij zich en hebben geen thuis waarnaar ze kunnen terugkeren. Er zijn massa's Tsjetsjeense, Oezbeekse, Egyptische, Saoedische enzovoort ontheemden die nergens heen kunnen. Dit zijn de gevaarlijkste ratten. Volgens mij zullen we op twee fronten moeten vechten: de oorlog tegen het terrorisme en de oorlog tegen de *terroristen* zelf. Dat brengt ons bij een bijzonder akelige factor in deze complexe vergelijking: wat te doen met al deze terroristen? In vele gevallen kunnen ze rekenen op aanzienlijke financiële steun en hebben ze dodelijke technologieën tot hun beschikking. Zullen ze doorvechten, zelfs als onze diplomatieke en economische drukmiddelen een eind maken aan de steun van de desbetreffende naties? Ik vrees van wel. Al-Qaïda heeft het geld uit Saoedi-Arabië harder nodig dan dat ze er behoefte aan hebben dat de Saoedische regering een andere kant opkijkt. Terwijl wij het juiste doen in Irak – uiteraard ook ten bate van alle andere Arabieren die onder een repressief of onbekwaam regime te lijden hebben – zullen we toch ook Al-Qaïda moeten blijven bestrijden. Wellicht zullen ook Hezbollah en Hamas gevaarlijker worden als we erin slagen een eind te maken aan het beschermheerschap van Iran en Saoedi-Arabië. Tegen alle terroristen die weigeren het veld te ruimen, hebben we een dodelijk effectief bestrijdingsmiddel: Amerikaanse speciale strijdkrachten. De Special Operations Forces zullen, hand in hand met hun wapenbroeders van de Special Activities Divison van de CIA, dit ongedierte moeten blijven bestrijden. Simpel gezegd: ze moeten worden achtervolgd, opgespoord en gedood. Nu de hoofdmacht van de Amerikaanse conventionele troepen naar huis komt, zullen de SOF-M de strijd voortzetten. Ze zijn actief in Afghanistan, Irak, de Filippijnen, Somalië en Indonesië, om een paar gebieden te noemen. In sommige gevallen werken ze met bondgenoten samen om dit gevaar het hoofd te bieden; in andere gevallen werken ze helemaal zelfstandig, op patrouille in vijandig, ruig terrein. Dikwijls worden ze uitgezonden naar vooruitgeschoven posities bij bases van het leger, de vloot of de luchtmacht, in afwachting van de volgende terroristische actie. We zullen ze onder druk moeten houden en de strijd op hun terrein moeten voeren, zodat het moeilijker voor ze wordt dat op ons territorium te doen. Misschien komen er nog nieuwe oorlogen in Irak of Afghanistan, eventueel gevoerd door SOF-M of conventionele strijdkrachten, ondersteund door SOF-M, maar ik denk het niet. Onze slagkracht en luchtdominantie is gewoon té overweldigend. De lieden op wie wij het hebben voorzien, zullen ongegronds gaan – in de bergen of in steden – en wij zullen jacht op ze moeten maken. Het liefst met bereidwillige bondgenoten, en anders doen we het alleen. Dit is geen werk waarbij je geen vuile handen maakt. In het verleden werkten we met termen als *Low-intensive Conflict* of *Operations Other Than War* (OTW), eufemismen voor militaire operaties op kleine schaal. Laten we er echter geen doekjes om winden: we moeten deze moordenaars opsporen en doden. Het is een eliminatieproces. Het is een gevaarlijke, lastige opgave die veel tijd in beslag zal nemen.

De professionele bekwaamheid van de militaire *special operator* zal in deze voortgaande oorlog tegen het terrorisme het aangewezen instrument blijven. Er zullen steeds nieuwe jonge kerels moeten worden getraind in activiteiten als verplaatsen, schieten, communiceren en overleven in zowel stedelijke als bergachtige omgevingen. Ze moeten leren hoe ze in andere culturen behoren te leven en ze moeten talen leren. Ze moeten gehard genoeg zijn om bestendig te zijn tegen ontberingen, isolement en aanhoudende episodes vol levensgevaar. Als een van hun strijdmakkers gewond raakt, zullen ze in de slechtst denkbare omstandigheden voor hem moeten zorgen. De krijgslieden die dit in Afghanistan en Irak hebben gedaan, zijn degenen die als mentors moeten fungeren voor de jonge kerels die op het punt staan dit levensgevaarlijke werk te gaan doen en ze zullen hen intensief moeten trainen. De trainingskaders doen geweldig werk, maar er zijn dingen die je alleen kunt leren door actief te zijn in vijandelijk territorium in oorlogssituaties.

Navy SEALs zullen voor dit alles en meer in training blijven. Hoewel hun taken hen diep het land in voeren, ver van de kust, zijn en blijven zij de primaire SOF-M-component van de Amerikaanse marine. Ze zullen vrachtschepen moeten enteren, booreilanden veroveren, havens innemen en een breed gamma van strandoversteekoperaties uitvoeren. Ze moeten altijd klaarstaan om 's nachts vanuit zee te penetreren, vaak onder de zwaarste omstandigheden. Zelfs als Amerika afziet van militaire interventie (voorzover dat mogelijk is), zullen de SEALs en hun wapenbroeders van andere speciale strijdkrachten de strijd voortzetten. Dit vereist een nooit eindigende cyclus van training en operationele inzet in een ander land. Deze voortgaande vooruitgeschoven militaire aanwezigheid garandeert dat er, steeds als een terrorist de kop opsteekt, een Navy SEAL bij de hand zal zijn.

In dit boek heb ik me gefocust op de training van SEALs, met name de trainingen voor gevorderde SEALs en hun preoperationele training in team- en squadronverband. De waarde van deze training heeft zich onder oorlogsomstandigheden sinds 11 september 2001 ruimschoots bewezen. De grote daden van Navy SEALs in Afghanistan en Irak behoren inmiddels tot de krijgsgeschiedenis: in slechts enkele gevallen gepubliceerd, maar meestal alleen bekend binnen de gesloten wereld van de teams. Zij hebben echt grootse prestaties geleverd. Ze hebben intensief getraind, beschikten over de juiste uitrusting en hebben de juiste kans gekregen. Ik zou me echter schuldig maken aan een verzuim als ik niet ook de loftrompet stak over al die SEALs die jaren en jaren hard hebben getraind en nooit de kans hadden zich te bewijzen. Hoewel er in de krijgshistorie van SEAL-teams in Afghanistan en Irak nieuwe hoofdstukken zijn geschreven, zijn er op allerlei andere plaatsen ter wereld SEALs die de wacht houden. Hun tegenwoordigheid in potentieel gevaarlijke, maar nog 'stille' operatiegebieden maakt het hun wapenbroeders mogelijk zich op oorlogsoperaties te focussen. Terwijl de SEAL-squadrons Three en Five intensief actief waren in Irak, waren de squadrons Four en Eight paraat in Zuid-Amerika, Europa en Noord-Afrika, klaar om op te treden als de nood aan de man kwam. Zij hebben even hard getraind voor oorlog, maar hoefden tot nu toe niet in actie te komen. Misschien vergt de zware training, zonder dat het tot vechten komt, wel meer professionalisme, vooral als anderen wel actief kunnen zijn.

Over het algemeen is Amerika er goed in geweest erkenning te geven aan de bijdragen en offers van onze militaire mannen en vrouwen. Ze doen dat voor ons allemaal. De erkenning komt gewoonlijk vooral na een oorlogsperiode, zoals ook het geval is geweest na de twee recentste gewapende conflicten. De vlag gaat massaal in top op Memorial Day en Veterans Day, maar de oorlog tegen het terrorisme en de bedrijvers ervan zal nog lange tijd voortduren: die strijd is misschien alleen te winnen als we bereid zijn tot in het oneindige te vechten. Onze SOF-M-krijgslieden doen dat vierentwintig uur per dag het gehele jaar door. Ze zullen met of zonder erkenning operationeel worden ingezet en grote gevaren het hoofd moeten bieden, of de vlaggen nu in top zijn of opgevouwen. Ze blijven vechten zoals ze trainen en trainen zoals ze vechten. Daarom, beste lezer, zou het goed zijn als we te midden van alle genoegens en lasten van het dagelijks leven af en toe even stilstaan bij de krijgslieden die in training zijn – degenen die de strijd voor ons moeten voeren. Ze hebben zich er vrijwillig voor gemeld, ondanks al het vuil, de gevaren, de ijzige koude, de lange dagen en hun langdurige afwezigheid in het gezin. Dat maakt echter hun offers en professionalisme niet minder nobel. Wij zijn in oorlog en zij staan voor ieder van ons op de bres.

OVER DE AUTEUR

Dick Couch studeerde in 1967 af aan de Naval Academy. Hij gradueerde als BUD/S-trainee in 1969 als beste van klas 45. Dat was hij ook aan de Navy Underwater Swimmers School en de Army Military Free-Fall (HALO) School. Als commandant van het Whiskey-peloton van SEAL-team One in Vietnam leidde hij tijdens deze oorlog een van de weinige gelukte operaties voor het redden van krijgsgevangenen. Nadat hij afzwaaide uit de Navy, diende hij als maritiem en paramilitair casusofficier bij de Central Intelligence Agency. In 1997 nam hij met de rang van kapitein-ter-zee (equivalent kolonel) afscheid van de Naval Reserve. Dick Couch is de auteur van *De SEALs Elite* en zes andere boeken: *Covert Action*, *SEAL Team One*, *Pressure Point*, *Silent Descent*, *Rising Wind* en *The Mercenary Option*. Dick en zijn vrouw Julia wonen in het hartje van de staat Idaho.

Openbare Bibliotheek
Diemen
Wilhelminaplantsoen 126
1111 CP Diemen
Telefoon : 020 - 6902353

**Openbare Bibliotheek
Diemen**

Wilhelminaplantsoen 126
1111 CP Diemen
Telefoon : 020 - 6902353